DAL MONDO

ITALIA

L'AMICA GENIALE

Elena Ferrante

L'AMICA GENIALE

Infanzia, adolescenza

edizioni e/o

Edizioni e/o
via Camozzi, 1
00195 Roma
info@edizionieo.it
www.edizionieo.it

Copyright © 2011 by Edizioni e/o

Quarantasettesima ristampa: ottobre 2022

Grafica/Emanuele Ragnisco
www.mekkanografici.com
Foto in copertina © Anthony Boccaccio/Getty Images

ISBN 978-88-6632-032-6

IL SIGNORE: Ma sì, fatti vedere quando vuoi; non ho mai odiato i tuoi simili, di tutti gli spiriti che dicono di no, il Beffardo è quello che mi dà meno fastidio. L'agire dell'uomo si sgonfia fin troppo facilmente, egli presto si invaghisce del riposo assoluto. Perciò gli do volentieri un compagno che lo pungoli e che sia tenuto a fare la parte del diavolo.

J.W. GOETHE, *Faust*

INDICE DEI PERSONAGGI

La famiglia Cerullo (la famiglia dello scarparo):
Fernando Cerullo, calzolaio.
Nunzia Cerullo, madre di Lila.
Raffaella Cerullo, da tutti detta *Lina*, *Lila* solo per Elena.
Rino Cerullo, fratello maggiore di Lila, scarparo anche lui.
Rino si chiamerà anche uno dei figli di Lila.
Altri figli.

La famiglia Greco (la famiglia dell'usciere):
Elena Greco, detta *Lenuccia* o *Lenù*. È la primogenita, dopo di lei
Peppe, *Gianni* ed *Elisa*.
Il *padre* fa l'usciere al comune.
La *madre*, casalinga.

La famiglia Carracci (la famiglia di don Achille):
Don Achille Carracci, l'orco delle favole.
Maria Carracci, moglie di don Achille.
Stefano Carracci, figlio di don Achille, salumiere nella salumeria
   di famiglia.
Pinuccia e *Alfonso Carracci*, gli altri due figli di don Achille.

La famiglia Peluso (la famiglia del falegname):
Alfredo Peluso, falegname.
Giuseppina Peluso, moglie di Alfredo.
Pasquale Peluso, figlio maggiore di Alfredo e Giuseppina,
   muratore.

Carmela Peluso, che si fa chiamare anche *Carmen*, sorella di Pasquale, commessa di merceria.
Altri figli.

La famiglia Cappuccio (la famiglia della vedova pazza):

Melina, una parente della madre di Lila, vedova pazza.
Il *marito* di Melina, che scaricava cassette al mercato ortofrutticolo.
Ada Cappuccio, figlia di Melina.
Antonio Cappuccio, suo fratello, meccanico.
Altri figli.

La famiglia Sarratore (la famiglia del ferroviere-poeta):

Donato Sarratore, controllore.
Lidia Sarratore, moglie di Donato.
Nino Sarratore, il più grande dei cinque figli di Donato e Lidia.
Marisa Sarratore, figlia di Donato e Lidia.
Pino, *Clelia* e *Ciro Sarratore*, i figli più piccoli di Donato e Lidia.

La famiglia Scanno (la famiglia del fruttivendolo):

Nicola Scanno, fruttivendolo.
Assunta Scanno, moglie di Nicola.
Enzo Scanno, figlio di Nicola e Assunta, anch'egli fruttivendolo.
Altri figli.

La famiglia Solara (la famiglia del proprietario dell'omonimo bar-pasticceria):

Silvio Solara, padrone del bar-pasticceria.
Manuela Solara, moglie di Silvio.
Marcello e *Michele Solara*, figli di Silvio e Manuela.

La famiglia Spagnuolo (la famiglia del pasticciere):

Il *signor Spagnuolo*, pasticciere del bar-pasticceria Solara.
Rosa Spagnuolo, moglie del pasticciere.

Gigliola Spagnuolo, figlia del pasticciere.
Altri figli.

Gino, il figlio del farmacista.

Gli insegnanti:
Ferraro, maestro e bibliotecario.
La *Oliviero*, maestra.
Gerace, professore del ginnasio.
La *Galiani*, professoressa del liceo.

Nella Incardo, la cugina di Ischia della maestra Oliviero.

PROLOGO
Cancellare le tracce

1.

Stamattina mi ha telefonato Rino, ho creduto che volesse ancora soldi e mi sono preparata a negarglieli. Invece il motivo della telefonata era un altro: sua madre non si trovava più.

«Da quando?».

«Da due settimane».

«E mi telefoni adesso?».

Il tono gli dev'essere sembrato ostile, anche se non ero né arrabbiata né indignata, c'era solo un filo di sarcasmo. Ha provato a ribattere ma l'ha fatto confusamente, in imbarazzo, un po' in dialetto, un po' in italiano. Ha detto che s'era convinto che la madre fosse in giro per Napoli come al solito.

«Pure di notte?».

«Lo sai com'è fatta».

«Lo so, ma due settimane d'assenza ti sembrano normali?».

«Sì. Tu non la vedi da molto, è peggiorata: non ha mai sonno, entra, esce, fa quello che le pare».

Comunque alla fine si era preoccupato. Aveva chiesto a tutti, aveva fatto il giro degli ospedali, si era rivolto persino alla polizia. Niente, sua madre non era da nessuna parte. Che buon figlio: un uomo grosso, sui quarant'anni, mai lavorato in vita sua, solo traffici e sperperi. Mi sono immaginata con quanta cura avesse fatto le ricerche. Nessuna. Era senza cervello, e a cuore aveva soltanto se stesso.

«Non è che sta da te?» mi ha chiesto all'improvviso.

La madre? Qui a Torino? Conosceva bene la situazione e parlava solo per parlare. Lui sì che era un viaggiatore, era venuto a casa mia almeno una decina di volte, senza essere invitato. Sua madre, che invece avrei accolto volentieri, non era mai uscita da Napoli in tutta la sua vita. Gli ho risposto:

«No che non sta da me».

«Sei sicura?».

«Rino, per favore: t'ho detto che non c'è».

«E allora dov'è andata?».

Ha cominciato a piangere e ho lasciato che mettesse in scena la sua disperazione, singhiozzi che partivano finti e continuavano veri. Quando ha finito gli ho detto:

«Per favore, una volta tanto comportati come vorrebbe lei: non la cercare».

«Ma che dici?».

«Dico quello che ho detto. È inutile. Impara a vivere da solo e non cercare più nemmeno me».

Ho riattaccato.

2.

La madre di Rino si chiama Raffaella Cerullo, ma tutti l'hanno sempre chiamata Lina. Io no, non ho mai usato né il primo nome né il secondo. Da più di sessant'anni per me è Lila. Se la chiamassi Lina o Raffaella, così, all'improvviso, penserebbe che la nostra amicizia è finita.

Sono almeno tre decenni che mi dice di voler sparire senza lasciare traccia, e solo io so bene cosa vuole dire. Non ha mai avuto in mente una qualche fuga, un cambio di identità, il sogno di rifarsi una vita altrove. E non ha mai pensato al suicidio, disgustata com'è dall'idea che Rino abbia a che fare col suo corpo e sia costretto a occuparsene. Il suo proposito è stato sempre un altro: voleva volatilizzarsi; voleva disperdere ogni sua cellula; di lei non si doveva trovare più niente. E poiché la conosco bene, o almeno credo di conoscerla, do per scontato che abbia trovato il modo di non lasciare in questo mondo nemmeno un capello, da nessuna parte.

3.

Sono passati i giorni. Ho guardato nella posta elettronica, in quella cartacea, ma senza speranza. Io ho scritto spessissimo a lei, lei non mi ha quasi mai risposto: questa è stata sempre la consuetudine. Preferiva il telefono o le lunghe notti di chiacchiere quando andavo a Napoli.

Ho aperto i miei cassetti, le scatole di metallo dove conservo cose di ogni genere. Poche. Ho buttato via tanta roba, in particolare ciò che la riguardava, e lei lo sa. Ho scoperto che non ho niente di suo, non un'immagine, non un biglietto, non un regalino. Mi sono sorpresa io stessa. Possibile che in tutti questi anni non mi abbia lasciato niente di sé, o, peggio, io non abbia voluto conservare alcunché di lei? Possibile.

Ho telefonato io a Rino, questa volta, l'ho fatto a malincuore. Non rispondeva né sul fisso né sul cellulare. Mi ha chiamato lui in serata, con comodo. Aveva la voce con cui cerca di stimolare un senso di pena.

«Ho visto che hai chiamato. Hai notizie?».

«No. E tu?».

«Nessuna».

M'ha detto cose sconclusionate. Voleva andare in tv, alla trasmissione che si occupa delle persone scomparse, fare un appello, chiedere perdono per tutto a sua mamma, supplicarla di tornare.

Sono stata a sentire pazientemente, poi gli ho chiesto:

«Hai guardato nel suo armadio?».

«Per fare che?».

Naturalmente non gli era mai venuta in mente la cosa più ovvia.

«Va' a guardare».

C'è andato e si è reso conto che non c'era niente, nemmeno uno dei vestiti di sua madre, né estivi né invernali, solo vecchie grucce. L'ho mandato in giro a frugare per casa. Sparite le scarpe. Spariti i pochi libri. Sparite tutte le foto. Spariti i filmini. Sparito il suo computer, anche i vecchi dischetti che si usavano una volta, tutto, ogni cosa della sua esperienza di strega elettronica che aveva cominciato a destreggiarsi coi calcolatori già sul finire degli anni Sessanta, all'epoca delle schede perforate. Rino era stupefatto. Gli ho detto:

«Prenditi il tempo che vuoi ma poi telefonami e dimmi se hai trovato anche solo uno spillo che le appartiene».

Mi ha chiamato il giorno dopo, era agitatissimo.

«Non c'è niente».

«Niente niente?».

«No. S'è tagliata via da tutte le foto in cui stavamo insieme, anche quelle di quando ero piccolo».

«Hai guardato bene?».

«Dappertutto».

«Anche nello scantinato?».

«T'ho detto dappertutto. È sparita persino la scatola con i documenti: che so, vecchi certificati di nascita, contratti telefonici, ricevute di bollette. Che significa? Qualcuno ha rubato tutto? Cosa cercano? Che vogliono da mia madre e da me?».

L'ho rassicurato, gli ho detto di stare tranquillo. Soprattutto da lui, era improbabile che qualcuno volesse qualcosa.

«Posso venire a stare un po' a casa tua?».

«No».

«Per favore, non riesco a dormire».

«Arrangiati, Rino, non so che farci».

Ho riattaccato e quando lui ha ritelefonato non ho risposto. Mi sono seduta alla scrivania.

Lila come al solito vuole esagerare, ho pensato.

Stava dilatando a dismisura il concetto di traccia. Voleva non solo sparire lei, adesso, a sessantasei anni, ma anche cancellare tutta la vita che si era lasciata alle spalle.

Mi sono sentita molto arrabbiata.

Vediamo chi la spunta questa volta, mi sono detta. Ho acceso il computer e ho cominciato a scrivere ogni dettaglio della nostra storia, tutto ciò che mi è rimasto in mente.

INFANZIA
Storia di don Achille

1.

La volta che Lila e io decidemmo di salire per le scale buie che portavano, gradino dietro gradino, rampa dietro rampa, fino alla porta dell'appartamento di don Achille, cominciò la nostra amicizia.

Mi ricordo la luce violacea del cortile, gli odori di una serata tiepida di primavera. Le mamme stavano preparando la cena, era ora di rientrare, ma noi ci attardavamo sottoponendoci per sfida, senza mai rivolgerci la parola, a prove di coraggio. Da qualche tempo, dentro e fuori scuola, non facevamo che quello. Lila infilava la mano e tutto il braccio nella bocca nera di un tombino, e io lo facevo subito dopo a mia volta, col batticuore, sperando che gli scarafaggi non mi corressero su per la pelle e i topi non mi mordessero. Lila s'arrampicava fino alla finestra a pianterreno della signora Spagnuolo, s'appendeva alla sbarra di ferro dove passava il filo per stendere i panni, si dondolava, quindi si lasciava andare giù sul marciapiede, e io lo facevo subito dopo a mia volta, pur temendo di cadere e farmi male. Lila s'infilava sotto pelle la rugginosa spilla francese che aveva trovato per strada non so quando ma che conservava in tasca come il regalo di una fata; e io osservavo la punta di metallo che le scavava un tunnel biancastro nel palmo, e poi, quando lei l'estraeva e me la tendeva, facevo lo stesso.

A un certo punto mi lanciò uno sguardo dei suoi, fermo, con gli occhi stretti, e si diresse verso la palazzina dove abitava don Achille. Mi gelai di paura. Don Achille era l'orco delle favole, avevo il divieto assoluto di avvicinarlo, parlargli, guardarlo, spiarlo, bisognava fare come se non esistessero né lui né la sua famiglia. C'erano nei suoi confronti, in casa mia ma non solo, un timore e un odio che non sapevo da dove nascessero. Mio padre ne parlava in un modo che me l'ero immaginato grosso, pieno di bolle violacee, furioso malgrado il "don", che a me suggeriva un'autorità calma. Era un essere fatto di non so quale materiale, ferro, vetro, ortica, ma vivo, vivo col respiro caldissimo che gli usciva dal naso e dalla bocca. Credevo che se solo l'avessi visto da lontano mi avrebbe cacciato negli occhi qualcosa di acuminato e bruciante. Se poi avessi fatto la pazzia di avvicinarmi alla porta di casa sua mi avrebbe uccisa.

Aspettai un po' per vedere se Lila ci ripensava e tornava indietro. Sapevo cosa voleva fare, avevo inutilmente sperato che se ne dimenticasse, e invece no. I lampioni non si erano ancora accesi e nemmeno le luci delle scale. Dalle case arrivavano voci nervose. Per seguirla dovevo lasciare l'azzurrognolo del cortile ed entrare nel nero del portone. Quando finalmente mi decisi, all'inizio non vidi niente, sentii solo un odore di roba vecchia e DDT. Poi mi abituai allo scuro e scoprii Lila seduta sul primo gradino della prima rampa. Si alzò e cominciammo a salire.

Avanzammo tenendoci dal lato della parete, lei due gradini avanti, io due gradini indietro e combattuta tra accorciare la distanza o lasciare che aumentasse. M'è rimasta l'impressione della spalla che strisciava contro il muro scrostato e l'idea che gli scalini fossero molto alti, più di quelli della palazzina dove abitavo. Tremavo. Ogni rumore di passi, ogni voce era don Achille che ci arrivava alle spalle o ci veniva incontro con un lungo coltello, di quelli per aprire il petto alle galline. Si sentiva un odore d'aglio fritto. Maria, la moglie di don Achille, mi avrebbe messo nella padella con l'olio bollente, i figli mi avrebbero mangiato, lui mi avrebbe succhiato la testa come faceva mio padre con le triglie.

Ci fermammo spesso, e tutte le volte sperai che Lila decidesse di tornare indietro. Ero molto sudata, lei non so. Ogni tanto guardava in alto, ma non capivo cosa, si vedeva solo il grigiore dei finestroni a ogni rampa. Le luci si accesero all'improvviso, ma tenui, polverose, lasciando ampie zone d'ombra piene di pericoli. Aspettammo per capire se era stato don Achille a girare l'interruttore ma non sentimmo niente, né passi né una porta che si apriva o si chiudeva. Poi Lila proseguì, e io dietro.

Lei riteneva di fare una cosa giusta e necessaria, io mi ero dimenticata ogni buona ragione e di sicuro ero lì solo perché c'era lei. Salivamo lentamente verso il più grande dei nostri terrori di allora, andavamo a esporci alla paura e a interrogarla.

Alla quarta rampa Lila si comportò in modo inatteso. Si fermò ad aspettarmi e quando la raggiunsi mi diede la mano. Questo gesto cambiò tutto tra noi per sempre.

2.

Era stata colpa sua. In un tempo non troppo distante – dieci giorni, un mese, chi lo sa, ignoravamo tutto del tempo, allora – mi aveva preso la bambola a tradimento e l'aveva buttata in fondo a uno scantinato. Ora stavamo salendo verso la paura, allora ci eravamo sentite obbligate a scendere, e di corsa, verso l'ignoto. In alto, in basso, ci pareva sempre di andare incontro a qualcosa di terribile che, pur esistendo da prima di noi, era noi e sempre noi che aspettava. Quando si è al mondo da poco è difficile capire quali sono i disastri all'origine del nostro sentimento del disastro, forse non se ne sente nemmeno la necessità. I grandi, in attesa di domani, si muovono in un presente dietro al quale c'è ieri o l'altro ieri o al massimo la settimana scorsa: al resto non vogliono pensare. I piccoli non sanno il significato di ieri, dell'altro ieri, e nemmeno di domani, tutto è questo, ora: la strada è questa, il portone è questo, le scale sono queste, questa è mamma, questo è papà, questo è il giorno, questa la notte. Io ero piccola e a conti fatti la mia bambola sapeva più di me. Le parlavo, mi parlava. Aveva una faccia di celluloide con capelli di celluloide e occhi di celluloide. Indossava un vestitino blu che le aveva cucito mia madre in un raro momento felice, ed era bellissima. La bambola di Lila, invece, aveva un corpo di pezza gialliccia pieno di segatura, mi pareva brutta e lercia. Le due si spiavano, si soppesavano, erano pronte a scappare tra le nostre braccia se scoppiava un temporale, se c'erano i tuoni, se qualcuno più grande e più forte e coi denti aguzzi le voleva ghermire.

Giocavamo nel cortile, ma come se non giocassimo insieme. Lila era seduta per terra, da un lato della finestrella di uno scantinato, io dall'altro. Ci piaceva, quel posto, innanzitutto perché potevamo disporre, sul cemento tra le sbarre dell'apertura, contro il reticolo, sia le cose di Tina, la mia bambola, sia quelle di Nu, la bambola di Lila. Ci mettevamo sassi, tappi di gassosa, fiorellini, chiodi, schegge di vetro. Ciò che Lila diceva a Nu io lo captavo e lo dicevo a voce bassa a Tina, ma modificandolo un po'. Se lei prendeva un tappo e lo metteva in testa alla sua bambola come se fosse un cappello, io dicevo alla mia, in dialetto: Tina, mettiti la corona di regina se no prendi freddo. Se Nu giocava a campana in braccio a Lila, io poco dopo facevo fare lo stesso a Tina. Ma non succedeva ancora che concordassimo un gioco e cominciasse una collaborazione. Persino quel posto lo sceglievamo senza accordo. Lila andava lì, e io girellavo, fingevo di andare da un'altra parte. Poi, come se niente fosse, mi disponevo anch'io accanto allo sfiatatoio, ma dal lato opposto.

La cosa che ci attraeva di più era l'aria fredda dello scantinato, un soffio che ci rinfrescava in primavera e d'estate. Poi ci piacevano le sbarre con le ragnatele, il buio, e il reticolo fitto che, rossastro di ruggine, si arricciolava sia dal lato mio che da quello di Lila, creando due spiragli paralleli attraverso i quali potevamo far cadere nell'oscurità sassi e ascoltarne il rumore quando toccavano terra. Tutto era bello e pauroso, allora. Attraverso quelle aperture il buio poteva prenderci all'improvviso le bambole, a volte al sicuro tra le nostre braccia, più spesso messe di proposito accanto al reticolo ritorto e quindi esposte al respiro freddo dello scantinato, ai rumori minacciosi che ne venivano, ai fruscii, agli scricchiolii, al raspare.

Nu e Tina non erano felici. I terrori che assaporavamo noi ogni giorno erano i loro. Non ci fidavamo della luce sulle pietre, sulle palazzine, sulla campagna, sulle persone fuori e dentro le case. Ne intuivamo gli angoli neri, i sentimenti compressi ma sempre vicini a esplodere. E attribuivamo a quelle bocche scure, alle caverne che oltre di loro si aprivano sotto le palazzine del rione, tutto ciò che ci spaventava alla luce del giorno. Don Achille, per esempio, era non solo nella sua casa all'ultimo piano ma anche lì sotto, ragno tra i ragni, topo tra i topi, una forma che assumeva tutte le forme. Lo immaginavo a bocca aperta per via di lunghe zanne d'animale, corpo di pietra invetriata ed erbe velenose, sempre pronto ad accogliere in un'enorme borsa nera tutto ciò che lasciavamo cadere dagli angoli divelti del reticolo. Quella borsa era un tratto fondamentale di don Achille, ce l'aveva sempre, anche in casa sua, e ci metteva dentro materia viva e morta.

Lila sapeva che avevo quella paura, la mia bambola ne parlava ad alta voce. Per questo, proprio nel giorno in cui senza nemmeno contrattare, solo con gli sguardi e i gesti, ci scambiammo per la prima volta le nostre bambole, lei, appena ebbe Tina, la spinse oltre la rete e la lasciò cadere nell'oscurità.

3.

Lila comparve nella mia vita in prima elementare e mi impressionò subito perché era molto cattiva. Eravamo tutte un po' cattive, in quella classe, ma solo quando la maestra Oliviero non poteva vederci. Lei invece era cattiva sempre. Una volta ridusse a pezzetti la carta assorbente, prima infilò i frammenti a uno a uno nel buco dell'inchiostro, poi cominciò a pescarli col pennino e a lanciarceli addosso. Io fui colpita due volte nei capelli e una volta sul colletto bianco. La maestra strillò come sapeva fare lei, con una voce ad ago, lunga e puntuta, che ci terrorizzava, e le ordinò di andare subito in castigo dietro la lavagna. Lila non obbedì e non parve nemmeno spaventarsi, anzi continuò a lanciare in giro pezzi di carta bagnati nell'inchiostro. La maestra Oliviero, allora, una donna pesante che ci sembrava molto vecchia anche se doveva essere appena sopra i quaranta, venne giù dalla cattedra minacciandola, inciampò non si sa bene su cosa, non riuscì a tenersi in equilibrio e andò a sbattere con la faccia contro lo spigolo di un banco. Restò sul pavimento che pareva morta.

Cosa successe subito dopo non me lo ricordo, ricordo solo il corpo immobile della maestra, un fagotto scuro, e Lila che la fissava col viso serio.

Ho in mente tanti incidenti di questo tipo. Vivevamo in un mondo in cui bambini e adulti si ferivano spesso, dalle ferite usciva il sangue, veniva la suppurazione e a volte morivano. Una delle figlie della signora Assunta, la fruttivendola, si era ferita con un chiodo ed era morta di tetano. Il figlio più piccolo della signora Spagnuolo era morto di crup alla gola. Un mio cugino, all'età di vent'anni, una mattina andò a spalare macerie e la sera era morto schiacciato, col sangue che gli usciva dalle orecchie e dalla bocca. Il padre di mia madre era rimasto ucciso perché stava costruendo un palazzo ed era caduto giù. Il padre del signor Peluso non aveva un braccio, gliel'aveva tagliato il tornio a tradimento. La sorella di Giuseppina, la moglie del signor Peluso, era morta di tubercolosi a ventidue anni. Il figlio grande di don Achille – non l'avevo mai visto, eppure mi pareva di ricordarmelo – era andato in guerra ed era morto due volte, prima annegato nell'oceano Pacifico, poi mangiato dai pescecani. Tutta la famiglia Melchiorre era morta abbracciata, urlando di paura, sotto un bombardamento. La vecchia signorina Clorinda era morta respirando il gas invece dell'aria. Giannino, che stava in quarta quando noi eravamo in prima, un giorno era morto perché aveva trovato una bomba e l'aveva toccata. Luigina, con cui avevamo giocato in cortile o forse no, era solo un nome, l'aveva uccisa il tifo petecchiale. Il nostro mondo era così, pieno di parole che ammazzavano: il crup, il tetano, il tifo petecchiale, il gas, la guerra, il tornio, le macerie, il lavoro, il bombardamento, la bomba, la tubercolosi, la suppurazione. Faccio risalire le tante paure che mi hanno accompagnata per tutta la vita a quei vocaboli e a quegli anni.

Si poteva morire anche di cose che parevano normali. Si poteva morire, per esempio, se sudavi e poi bevevi l'acqua fredda del rubinetto senza esserti prima bagnata i polsi: succedeva che ti coprivi di puntini rossi, ti veniva la tosse e non potevi respirare più. Si poteva morire se mangiavi le ciliegie nere senza sputare il nocciolo. Si poteva morire se masticavi la gomma americana e per distrazione la ingoiavi. Si poteva morire soprattutto se prendevi una botta alla tempia. La tempia era un posto fragilissimo, ci stavamo tutte molto attente. Bastava una sassata, e le sassate erano la norma. All'uscita di scuola una banda di maschi della campagna, capeggiata da uno che si chiamava Enzo o Enzuccio, uno dei figli di Assunta la fruttivendola, cominciò a tirarci le pietre. Si sentivano offesi dal fatto che eravamo più brave di loro. Quando arrivavano i sassi scappavamo tutte, ma Lila no, seguitava a camminare con passo regolare e a volte addirittura si fermava. Era molto brava a studiare la traiettoria dei sassi e a scansarli con un movimento calmo, oggi direi elegante. Aveva un fratello maschio più grande e forse aveva imparato da lui, non so, anch'io avevo fratelli ma più piccoli di me e da loro non avevo imparato niente. Tuttavia, quando mi rendevo conto che era rimasta indietro, pur avendo molta paura mi fermavo ad aspettarla.

C'era già allora qualcosa che mi impediva di abbandonarla.

Non la conoscevo bene, non ci eravamo mai rivolte la parola pur essendo continuamente in gara tra noi, in classe e fuori. Ma sentivo confusamente che se fossi scappata insieme alle altre avrei lasciato a lei qualcosa di mio che non mi avrebbe restituito più.

All'inizio restavo nascosta dietro un angolo e mi sporgevo per vedere se Lila arrivava. Poi, visto che non si muoveva, mi costringevo a raggiungerla, le passavo le pietre, le tiravo anch'io. Ma lo facevo senza convinzione, ho fatto molte cose nella mia vita ma mai convinta, mi sono sempre sentita un po' scollata dalle mie stesse azioni. Lila invece aveva, da piccola – ora non so dire di preciso se già a sei o a sette anni, o quando andammo insieme su per le scale che portavano a casa di don Achille e ne avevamo otto, quasi nove –, la caratteristica della determinazione assoluta. Che impugnasse l'asta tricolore della penna o una pietra o il corrimano delle scale buie, comunicava l'idea che ciò che ne doveva seguire – conficcare con un lancio preciso il pennino nel legno del banco, dispensare pallottole intrise di inchiostro, colpire i maschi della campagna, salire fino alla porta di don Achille – l'avrebbe fatto senza esitazione.

La banda veniva dal terrapieno della ferrovia, faceva provvista di sassi tra i binari. Enzo, il capo, era un bambino molto pericoloso, almeno tre anni più di noi, ripetente, coi capelli cortissimi biondi e gli occhi chiari. Lanciava con precisione pietre piccole dai bordi taglienti, e Lila aspettava i suoi tiri per mostrargli come li scansava, farlo arrabbiare ancora di più e rispondere subito con tiri altrettanto pericolosi. Una volta lo colpimmo alla caviglia destra, e dico lo colpimmo perché ero stata io a passare a Lila una pietra piatta coi bordi tutti scheggiati. La pietra strisciò sulla pelle di Enzo come un rasoio, lasciandogli una macchia rossa da cui subito uscì sangue. Il bambino si guardò la gamba ferita, ce l'ho davanti agli occhi: tra pollice e indice aveva il sasso che stava per tirare, il braccio era già sollevato per il lancio, eppure si bloccò stupefatto. Anche i maschi sotto il suo comando guardarono increduli il sangue. Lila invece non mostrò la minima soddisfazione per il buon esito del tiro e si chinò a raccogliere un'altra pietra. Io l'afferrai per un braccio, fu il nostro primo contatto, un contatto brusco e spaventato. Sentivo che la banda sarebbe diventata più feroce e volevo che ci ritirassimo. Ma non ci fu tempo. Enzo, malgrado la caviglia sanguinante, si riprese dallo stupore e lanciò la pietra che aveva in mano. Tenevo ancora stretta Lila quando la sassata la prese in fronte e me la strappò via. Un attimo dopo era distesa sul marciapiede con la testa rotta.

4.

Sangue. In genere usciva dalle ferite solo dopo che ci si era scambiati maledizioni orribili e oscenità disgustose. Si seguiva sempre quella trafila. Mio padre, che pure mi pareva un uomo buono, lanciava di continuo insulti e minacce se qualcuno, come diceva, non era degno di stare sulla faccia della terra. Ce l'aveva in particolare con don Achille. Aveva sempre qualcosa da rinfacciargli e a volte mi mettevo le mani sulle orecchie per non restare troppo impressionata dalle sue brutte parole. Quando ne parlava con mia madre lo chiamava "tuo cugino", ma mia madre rinnegava subito quel legame di sangue (c'era una parentela molto alla lontana) e rincarava la dose degli insulti. Mi spaventavano le loro rabbie, e mi spaventava soprattutto che don Achille potesse avere orecchie così ricettive da percepire anche gli insulti detti da grande distanza. Temevo che venisse ad ammazzarli.

Il nemico giurato di don Achille, comunque, non era mio padre ma il signor Peluso, un falegname bravissimo sempre senza soldi in quanto si giocava tutto quello che guadagnava nel retrobottega del bar Solara. Peluso era padre di una nostra compagna di scuola, Carmela, di Pasquale, che era grande, e di altri due figli, bambini più miserabili di noi, con i quali in qualche caso io e Lila giocavamo e che a scuola e fuori cercavano sempre di rubarci le nostre cose, la penna, la gomma, la cotognata, tanto che tornavano a casa pieni di lividi per le botte che gli davamo.

Le volte che lo vedevamo, il signor Peluso ci pareva l'immagine della disperazione. Da un lato perdeva tutto al gioco e dall'altro si prendeva a schiaffi in pubblico perché non sapeva più come sfamare la famiglia. Per ragioni oscure attribuiva a don Achille la propria rovina. Gli addebitava il fatto che a tradimento s'era preso, come se il suo corpo tenebroso fosse fatto di calamita, tutti gli arnesi per il lavoro di falegname, cosa che aveva reso inutile la bottega. Gli rimproverava che s'era preso anche quella e l'aveva trasformata in salumeria. Per anni ho immaginato la pinza, la sega, la tenaglia, il martello, la morsa e mille e mille chiodi che venivano risucchiati in forma di sciame metallico dentro la materia che componeva don Achille. Per anni ho visto uscire dal suo corpo, grezzo e pesante di materie eterogenee, salami, provoloni, mortadelle, sugna e prosciutto, sempre in forma di sciame.

Fatti avvenuti in tempi bui. Don Achille doveva essersi manifestato in tutta la sua mostruosa natura prima che noi nascessimo. *Prima*. Lila usava spesso quella formula, a scuola e fuori. Ma pareva che non le importasse tanto ciò che era accaduto prima di noi – eventi in genere oscuri, su cui i grandi o tacevano o si pronunciavano con molta reticenza – quanto che ci fosse stato davvero un prima. Era questo che all'epoca la lasciava perplessa e anzi a volte la innervosiva. Quando diventammo amiche me ne parlò così tanto di quella cosa assurda – *prima di noi* – che finì per trasmettere il nervoso anche a me. Era il tempo lungo, lunghissimo, in cui non c'eravamo state; il tempo in cui don Achille s'era mostrato a tutti per ciò che era: un essere malvagio di incerta fisionomia animalminerale, che – pareva – levava il sangue agli altri mentre a lui non ne usciva mai, forse non era nemmeno possibile graffiarlo.

Eravamo in seconda elementare, forse, e non ci parlavamo ancora, quando si sparse la voce che proprio di fronte alla chiesa della Sacra Famiglia, all'uscita dalla messa, il signor Peluso aveva cominciato a strillare di rabbia contro don Achille, e don Achille aveva lasciato il figlio grande Stefano, Pinuccia, Alfonso che era nostro coetaneo, la moglie, e mostrandosi per un attimo nella sua forma più raccapricciante, s'era gettato addosso a Peluso, lo aveva sollevato, lo aveva lanciato contro un albero dei giardinetti e l'aveva abbandonato lì, tramortito, col sangue che gli usciva da cento ferite in testa e dappertutto, senza che il poveretto potesse anche solo dire: aiutatemi.

5.

Non ho nostalgia della nostra infanzia, è piena di violenza. Ci succedeva di tutto, in casa e fuori, ogni giorno, ma non ricordo di aver mai pensato che la vita che c'era capitata fosse particolarmente brutta. La vita era così e basta, crescevamo con l'obbligo di renderla difficile agli altri prima che gli altri la rendessero difficile a noi. Certo, a me sarebbero piaciuti i modi gentili che predicavano la maestra e il parroco, ma sentivo che quei modi non erano adatti al nostro rione, anche se eri femmina. Le donne combattevano tra loro più degli uomini, si prendevano per i capelli, si facevano male. Far male era una malattia. Da bambina mi sono immaginata animali piccolissimi, quasi invisibili, che venivano di notte nel rione, uscivano dagli stagni, dalle carrozze in disuso dei treni oltre il terrapieno, dalle erbe puzzolenti dette fetienti, dalle rane, dalle salamandre, dalle mosche, dalle pietre, dalla polvere, ed entravano nell'acqua e nel cibo e nell'aria, rendendo le nostre mamme, le nonne, rabbiose come cagne assetate. Erano contaminate più degli uomini, perché i maschi diventavano furiosi di continuo ma alla fine si calmavano, mentre le femmine, che erano all'apparenza silenziose, accomodanti, quando si arrabbiavano andavano fino in fondo alle loro furie senza fermarsi più.

Lila fu molto segnata da quello che successe a Melina Cappuccio, una parente di sua madre. E anch'io. Melina abitava nella stessa palazzina dei miei genitori, noi al secondo piano, lei al terzo. Aveva poco più di trent'anni e sei figli, ma ci sembrava una vecchia. Il marito era della sua stessa età, scaricava cassette al mercato ortofrutticolo. Me lo ricordo basso e largo, ma bello, con una faccia fiera. Una notte uscì di casa come al solito e morì forse ammazzato, forse di stanchezza. Ci fu un funerale amarissimo a cui partecipò tutto il rione, anche i miei genitori, anche i genitori di Lila. Poi passò un po' di tempo e chissà cosa successe a Melina. Di fuori restò la stessa, una donna secca con un grande naso, i capelli già grigi, la voce acuta che la sera chiamava i figli dalla finestra a uno a uno, per nome, con sillabe allungate da una disperazione rabbiosa: Aaa-daaa, Miii-chè. In principio fu molto aiutata da Donato Sarratore, che viveva nell'appartamento proprio sopra il suo, al quarto e ultimo piano. Donato era un frequentatore assiduo della parrocchia della Sacra Famiglia e da buon cristiano si adoperò molto per lei raccogliendo danaro, abiti e scarpe usate, sistemandole Antonio, il figlio più grande, presso l'officina di Gorresio, un suo conoscente. Melina gli fu così grata che la gratitudine si mutò, dentro il suo petto di donna desolata, in amore, in passione. Non si sapeva se Sarratore se ne fosse mai accorto. Era un uomo cordialissimo ma molto serio, casa, chiesa e lavoro, faceva parte del personale viaggiante delle Ferrovie dello stato, aveva uno stipendio fisso con cui manteneva dignitosamente la moglie Lidia e cinque figli, il più grande si chiamava Nino. Le volte che non era in viaggio sulla tratta Napoli-Paola e ritorno, si dedicava ad aggiustare questo e quello in casa, andava a fare la spesa, portava a passeggio in carrozzina l'ultimo nato. Cose molto anomale nel rione. A nessuno veniva in mente che Donato si prodigasse a quel modo per alleviare le fatiche della moglie. No: tutti i maschi delle palazzine, mio padre in testa, lo consideravano un uomo a cui piaceva fare la femmina, tanto più che scriveva poesie e le leggeva volentieri a chiunque. Non venne mai in mente nemmeno a Melina. La vedova preferì pensare che lui, per gentilezza d'animo, si fosse fatto mettere i piedi in testa dalla moglie, e decise perciò di combattere ferocemente contro Lidia Sarratore per liberarlo e permettergli di congiungersi stabilmente a lei. La guerra che ne seguì all'inizio mi sembrò divertente, se ne parlava in casa mia e fuori con cattive risate. Lidia stendeva le lenzuola fresche di bucato e Melina saliva in piedi sul davanzale e gliele sporcava con una canna che aveva bruciato apposta, alla punta, sul fuoco; Lidia passava sotto le finestre e lei le sputava in testa o le rovesciava addosso secchiate d'acqua sporca; Lidia faceva rumore di giorno camminandole, insieme ai figli indemoniati, sopra la testa, e lei si accaniva per tutta la notte a battere contro il soffitto con la mazza per lavare a terra. Sarratore cercò in tutti i modi di mettere pace, ma era un uomo troppo sensibile, troppo cortese. Così, di dispetto in dispetto, le due donne cominciarono a prendersi a male parole se solo si incrociavano per strada o per le scale, suoni duri, feroci. Fu da quel momento che cominciarono a farmi paura. Una delle tante scene terribili della mia infanzia ha inizio con le urla di Melina e di Lidia, con gli insulti che si lanciano dalle finestre e poi sulle scale; continua quindi con mia madre che si precipita alla porta di casa, l'apre e si affaccia sul pianerottolo seguita da noi bambini; e finisce con l'immagine, per me ancora oggi insopportabile, delle due vicine che rotolano avvinte giù per le scale e la testa di Melina sbatte sul pavimento del pianerottolo, a pochi centimetri dalle mie scarpe, come un melone bianco che ti è scappato di mano.

Mi è difficile dire perché a quei tempi noi bambine fossimo dalla parte di Lidia Sarratore. Forse perché aveva lineamenti regolari e capelli biondi. O perché Donato era suo e avevamo capito che Melina glielo voleva levare. O perché i figli di Melina erano cenciosi e sporchi, mentre quelli di Lidia erano lavati, ben pettinati e il primo, Nino, che aveva qualche anno più di noi, era bello, ci piaceva. Lila soltanto propendeva per Me-

lina, ma non ci spiegò mai perché. Disse solo, in una certa circostanza, che se Lidia Sarratore finiva ammazzata ben le stava,
e io pensai che la vedesse così un po' perché era cattiva nell'a-
nima e un po' perché lei e Melina erano parenti alla lontana.

Un giorno tornavamo da scuola, eravamo quattro o cinque
bambine. Con noi c'era Marisa Sarratore, che di solito ci accompagnava non perché ci fosse simpatica ma perché speravo-
mo che, tramite lei, avremmo potuto entrare in contatto con
suo fratello grande, vale a dire Nino. Fu lei che si accorse per
prima di Melina. La donna camminava dall'altro lato dello stradone con passo lento, portando in una mano un cartoccio da
cui, con l'altra, prendeva e mangiava. Marisa ce la indicò chia-
mandola la zoccola, ma senza disprezzo, solo perché ripeteva la
formula che in casa usava sua madre. Lila, subito, anche se era
più piccola di statura e magrissima, le diede uno schiaffo così
forte che la mandò per terra, e lo fece a freddo come era solita
fare in tutte le occasioni di violenza, senza gridare prima e senza
gridare dopo, senza una parola di preavviso, senza sbarrare gli
occhi, gelida e decisa.

Io prima soccorsi Marisa che già piangeva e l'aiutai a rial-
zarsi, poi mi girai per vedere cosa faceva Lila. Era scesa dal marciapiede e stava andando da Melina attraversando lo stradone,
senza badare ai camion che passavano. Le vidi, nell'atteggiamento più che nel viso, qualcosa che mi turbò e che tuttora mi
è difficile definire, tanto che per adesso mi accontenterò di dire
così: sebbene si muovesse tagliando lo stradone, piccola, nera,
nervosa, sebbene lo facesse con la sua solita determinazione, era
ferma. Ferma dentro ciò che la parente di sua madre stava facendo, ferma per la pena, ferma di sale come le statue di sale.
Aderente. Tutt'uno con Melina, che aveva sul palmo lo scuro
sapone tenero appena acquistato nello scantinato di don Carlo,
e ne prendeva con l'altra mano e se lo mangiava.

6.

Il giorno che la maestra Oliviero cadde dalla cattedra e andò a sbattere con uno zigomo contro il banco, io, come ho detto, la considerai morta, morta sul lavoro come mio nonno o il marito di Melina, e mi sembrò che di conseguenza sarebbe morta anche Lila per il castigo terribile che avrebbe ricevuto. Invece, per un periodo che non posso definire – breve, lungo –, non accadde nulla. Si limitarono a sparire entrambe, maestra e alunna, dai nostri giorni e dalla memoria.

Ma tutto era molto sorprendente, allora. La maestra Oliviero tornò a scuola viva e cominciò a occuparsi di Lila non per castigarla, come ci sarebbe sembrato naturale, ma per lodarla.

Questa nuova fase cominciò quando fu chiamata a scuola la madre di Lila, la signora Cerullo. Una mattina bussò il bidello e l'annunciò. Subito dopo entrò Nunzia Cerullo, irriconoscibile. Lei, che come la gran parte delle donne del rione viveva arruffata in ciabatte e vecchi abiti consunti, comparve in abito da cerimonia (matrimonio, comunione, cresima, funerale), tutta scura, una borsetta nera luccicante, scarpe con un po' di tacco che le tormentavano i piedi gonfi, e offrì alla maestra due sacchetti di carta, uno con lo zucchero e uno col caffè.

La maestra accettò di buon grado il dono e disse a lei e a tutta la classe, guardando Lila che invece fissava il banco, frasi il cui senso generale mi disorientò. Eravamo in prima elementare. Stavamo appena imparando l'alfabeto e i numeri da uno a dieci. La più brava in classe ero io, sapevo riconoscere tutte le lettere, sapevo dire uno due tre quattro eccetera, ero di continuo lodata per la calligrafia, vincevo le coccarde tricolori che cuciva la maestra. Tuttavia la Oliviero, a sorpresa, sebbene Lila l'avesse fatta cadere mandandola all'ospedale, disse che la migliore tra noi era lei. Vero che era la più cattiva. Vero che aveva fatto quella cosa terribile di tirare pezzi di carta assorbente sporchi di inchiostro addosso a noi. Vero che se quella bambina non si fosse comportata così indisciplinatamente, lei, la nostra maestra, non sarebbe caduta dalla cattedra ferendosi allo zigomo. Vero che era costretta a punirla di continuo con la bacchetta di legno o mandandola in ginocchio sul grano duro dietro la lavagna. Ma c'era un fatto che, in quanto maestra e anche in quanto persona, la riempiva di gioia, un fatto meraviglioso che aveva scoperto qualche giorno prima, casualmente.

Qui si fermò, come se le parole non le bastassero o come se volesse insegnare alla madre di Lila e a noi che quasi sempre, più delle parole, contano i fatti. Prese un pezzo di gesso e scrisse alla lavagna (ora non mi ricordo cosa, non sapevo ancora leggere: quindi la parola la invento) *sole*. Poi chiese a Lila:

«Cerullo, che c'è scritto qui?».

Nell'aula cadde un silenzio incuriosito. Lila fece un mezzo sorrisetto, quasi una smorfia, e si gettò di lato, tutta addosso alla sua compagna di banco, che diede molti segni di fastidio. Poi lesse con tono imbronciato:

«Sole».

Nunzia Cerullo guardò la maestra, e il suo sguardo era incerto, quasi spaventato. La Oliviero lì per lì sembrò non capire come mai in quegli occhi di madre non c'era il suo stesso entusiasmo. Ma poi dovette intuire che Nunzia non sapeva leggere o che comunque non era sicura che alla lavagna fosse scritto proprio *sole*, e si accigliò. Quindi un po' per chiarire la situazione alla Cerullo, un po' per lodare la nostra compagna, disse a Lila:

«Brava, c'è scritto proprio sole».

Poi le comandò:

«Vieni, Cerullo, vieni alla lavagna».

Lila svogliatamente andò alla lavagna, la maestra le porse il gesso.

«Scrivi» le disse, «gesso».

Lila, molto concentrata, con una grafia tremolante, collocando le lettere una più su, una più giù, scrisse: *geso*.

La Oliviero aggiunse la seconda "s" e la signora Cerullo, vedendo la correzione, disse desolata alla figlia:

«Hai sbagliato».

Ma la maestra subito la rassicurò:

«No no no: Lila si deve esercitare, questo sì, ma sa già leggere, sa già scrivere. Chi le ha insegnato?».

La signora Cerullo disse a occhi bassi:

«Io no».

«Ma a casa vostra o nel palazzo c'è qualcuno che può averlo fatto?».

Nunzia fece energicamente di no con la testa.

Allora la maestra si rivolse a Lila e con genuina ammirazione le chiese davanti a tutte noi:

«Chi ti ha insegnato a leggere e a scrivere, Cerullo?».

Cerullo, piccola, scura di capelli e di occhi e di grembiule, col fiocco rosa al collo e sei anni di vita soltanto, rispose:

«Io».

7.

Secondo Rino, il fratello più grande di Lila, la bambina aveva imparato a leggere intorno ai tre anni guardando le lettere e le figure del suo sillabario. Gli si metteva seduta accanto in cucina mentre faceva i compiti, e apprendeva più di quanto riuscisse ad apprendere lui.

Rino aveva quasi sei anni più di Lila, era un ragazzo coraggioso che brillava in tutti i giochi del cortile e della strada, soprattutto nel lancio dello strùmmolo. Ma leggere, scrivere, fare i conti, imparare le poesie a memoria, non erano cose per lui. A meno di dieci anni il padre, Fernando, per insegnargli il mestiere di risuolatore di scarpe aveva cominciato a portarselo ogni giorno nel suo bugigattolo di calzolaio in una viuzza oltre lo stradone. Noi bambine, quando lo incontravamo, gli sentivamo addosso l'odore dei piedi sporchi, della tomaia vecchia, del mastice, e lo prendevamo in giro, lo chiamavamo solapianelle. Forse per questo lui si vantava di essere all'origine della bravura di sua sorella. Ma in realtà non ce l'aveva mai avuto, il sillabario, e non era stato seduto nemmeno un minuto, mai, a fare i compiti. Impossibile dunque che Lila avesse imparato dalle sue fatiche scolastiche. Era più probabile che avesse capito precocemente come funzionava l'alfabeto grazie ai fogli di giornale dentro cui i clienti avvolgevano le scarpe vecchie e che certe volte il padre portava a casa per leggere alla famiglia i fatti di cronaca più interessanti.

Comunque, che le cose fossero andate in un modo o nell'altro, il dato di fatto era quello: Lila sapeva leggere e scrivere, e di quella mattina grigia in cui la maestra ce lo rivelò mi è rimasto in mente soprattutto il senso di debolezza che quella notizia mi lasciò addosso. La scuola, fin dal primo giorno, mi era subito sembrata un posto assai più bello di casa mia. Era il luogo del rione in cui mi sentivo più al sicuro, ci andavo molto emozionata. Stavo attenta alle lezioni, eseguivo con la massima cura tutto quello che mi si diceva di eseguire, imparavo. Ma soprattutto mi piaceva piacere alla maestra, mi piaceva piacere a tutti. A casa ero la preferita di mio padre e anche i miei fratelli mi volevano bene. Il problema era mia madre, con lei le cose non andavano mai per il verso giusto. Mi pareva che, già allora che avevo poco più di sei anni, facesse di tutto per farmi capire che nella sua vita ero superflua. Non le ero simpatica e nemmeno lei era simpatica a me. Mi repelleva il suo corpo, cosa che probabilmente intuiva. Era biondastra, pupille azzurre, opulenta. Ma aveva l'occhio destro che non si sapeva mai da che parte guardasse. E anche la gamba destra non le funzionava, la chiamava la gamba offesa. Zoppicava e il suo passo mi inquietava, specie di notte, quando non poteva dormire e si muoveva per il corridoio, andava in cucina, tornava indietro, ricominciava. A volte la sentivo schiacciare con colpi rabbiosi di tacco gli scarafaggi che arrivavano dalla porta d'ingresso, e me la immaginavo con occhi furiosi come quando se la prendeva con me.

Di sicuro non era felice, le fatiche di casa la logoravano e i soldi non bastavano mai. Si arrabbiava spesso con mio padre, usciere al comune, gli urlava che doveva inventarsi qualcosa, che così non si poteva andare avanti. Litigavano. Ma poiché mio padre non alzava la voce nemmeno quando perdeva la pazienza, io parteggiavo sempre per lui contro di lei, anche se a volte la picchiava e con me sapeva essere minaccioso. Era stato lui e non mia madre a dirmi, il primo giorno di scuola: «Lenuccia, fa' la brava con la maestra e noi ti facciamo studiare. Ma se non sei brava, se non sei la più brava, papà ha bisogno di aiuto e vai a lavorare». Quelle parole mi avevano spaventato molto, eppure, pur pronunciandole lui, le avevo sentite come se fosse stata mia madre a suggerirgliele, a imporgliele. Avevo promesso a entrambi che avrei fatto la brava. E le cose erano andate subito così bene che la maestra mi diceva spesso:

«Greco, vieniti a sedere vicino a me».

Era un gran privilegio. La Oliviero aveva accanto a sé, sempre, una sedia vuota dove chiamava le più brave, per premio. Io, nei primi tempi, le sedevo accanto in continuazione. Lei mi esortava con molte parole incoraggianti, lodava i miei boccoli biondi e così rafforzava in me la voglia di far bene: tutt'al contrario di mia madre che, quando ero a casa, mi copriva così spesso di rimproveri, a volte di insulti, da farmi desiderare di rincantucciarmi in un angolo buio e sperare che non mi trovasse più. Poi successe che venne in classe la signora Cerullo e la maestra Oliviero ci rivelò che Lila era molto più avanti di noi. Non solo: chiamò più spesso lei che me a sederle accanto. Cosa mi causasse dentro quel declassamento non lo so, trovo difficile, oggi, dire con fedeltà e chiarezza ciò che provai. Lì per lì forse niente, un po' di gelosia come tutte. Ma di sicuro proprio in quel periodo mi cominciò una preoccupazione. Pensai che, sebbene le mie gambe funzionassero bene, corressi di continuo il rischio di diventare zoppa. Mi svegliavo con quell'idea in testa e mi alzavo subito dal letto per vedere se le mie gambe erano ancora in ordine. Perciò forse mi fissai con Lila, che aveva gambette magrissime, scattanti, e le muoveva sempre, scalciava anche quando era seduta accanto alla maestra, tanto che quella si innervosiva e presto la mandava a posto. Qualcosa mi convinse, allora, che se fossi andata sempre dietro a lei, alla sua andatura, il passo di mia madre, che mi era entrato nel cervello e non se ne usciva più, avrebbe smesso di minacciarmi. Decisi che dovevo regolarmi su quella bambina, non perderla mai di vista, anche se si fosse infastidita e mi avesse scacciata.

8.

È probabile che questa sia stata la mia maniera di reagire all'invidia, all'odio, e soffocarli. O, forse, travestii a quel modo il senso di subalternità, la fascinazione che subivo. Certo mi addestrai ad accettare di buon grado la superiorità di Lila in tutto, e anche le sue angherie.

Per di più la maestra si comportò in maniera molto accorta. Vero che chiamava spesso Lila a sedersi accanto a lei, ma pareva che lo facesse più per tenerla buona che per premiarla. Continuò, di fatto, a lodare Marisa Sarratore, Carmela Peluso e soprattutto me. Mi lasciò brillare di una luce vivida, mi incoraggiò a diventare sempre più disciplinata, sempre più diligente, sempre più acuta. Quando Lila usciva dalle sue turbolenze e mi superava senza sforzo, la Oliviero lodava prima me con moderazione e poi passava a esaltare la bravura di lei. Sentivo maggiormente il veleno della sconfitta quando a superarmi erano Sarratore o Peluso. Se invece risultavo seconda dopo Lila, facevo un'espressione mite di consenso. In quegli anni credo di aver temuto una sola cosa: non essere più abbinata, nelle gerarchie stabilite dalla Oliviero, a Lila; non sentire più la maestra che diceva con orgoglio: Cerullo e Greco sono le più brave. Se un giorno avesse detto: le migliori sono Cerullo e Sarratore, o Cerullo e Peluso, sarei morta sul colpo. Perciò impiegai tutte le mie energie di bambina non per diventare la prima della classe – mi pareva impossibile riuscirci – ma per non scivolare al terzo, al quarto, all'ultimo posto. Mi dedicai allo studio e a molte altre cose difficili, lontane da me, solo per restare al passo con quella bambina terribile e sfolgorante.

Sfolgorante per me. Per tutti gli altri scolari Lila era solo terribile. Dalla prima alla quinta elementare fu, per colpa del direttore e un po' anche della maestra Oliviero, la bambina più detestata della scuola e del rione.

Almeno due volte all'anno il direttore obbligava le classi a gareggiare tra loro, in modo da individuare gli alunni più brillanti e di conseguenza i maestri più competenti. Alla Oliviero questa competizione piaceva. In conflitto permanente con i suoi colleghi, con i quali a volte sembrava prossima a venire alle mani, la maestra usava Lila e me come la prova lampante di quanto era brava lei, la più brava maestra della scuola elementare del nostro rione. Perciò accadeva spesso che ci portasse nelle classi, anche a prescindere dalle occasioni volute dal direttore, a gareggiare con altri bambini, femmine e maschi. Io, di solito, ero mandata in avanscoperta per sondare il livello di competenza del nemico. In genere vincevo, ma senza esagerare, senza umiliare né maestri né alunni. Ero una bambina con i boccoli biondi, bellina, felice di esibirmi ma non sfrontata, e comunicavo un'impressione di delicatezza che inteneriva. Se quindi risultavo la più brava a dire le poesie, a recitare le tabelline, a fare le divisioni e le moltiplicazioni, a elencare che le Alpi erano marittime, cozie, graie, pennine eccetera, gli altri insegnanti mi facevano comunque una carezza, gli scolari sentivano quanta fatica avevo fatto per mandare a memoria tutta quella roba e perciò non mi odiavano.

Diverso era il caso di Lila. Già in prima elementare era al di là di ogni possibile competizione. La maestra anzi diceva che con un po' d'impegno sarebbe stata pronta a dare subito l'esame di seconda e a meno di sette anni andare in terza. In seguito il divario crebbe. Lila faceva a mente calcoli complicatissimi, nei suoi dettati non c'era nemmeno un errore, parlava sempre in dialetto come noi tutti ma all'occorrenza sfoderava un italiano da libro, ricorrendo anche a parole come *avvezzo, lussureggiante, ben volentieri.* Sicché, quando la maestra mandava in campo lei o a dire modi e tempi dei verbi o a risolvere problemi, saltava per aria ogni possibilità di fare buon viso a cattivo gioco, gli animi si inasprivano. Lila era troppo per chiunque.

In più non offriva spiragli alla benevolenza. Riconoscere la sua bravura significava per noi bambini ammettere che non ce l'avremmo mai fatta e che era inutile gareggiare, per i maestri e le maestre confessarsi di essere stati bambini mediocri. La sua prontezza mentale sapeva di sibilo, di guizzo, di morso letale. E non c'era niente nel suo aspetto che agisse da correttivo. Era arruffata, sporca, alle ginocchia e ai gomiti aveva sempre croste di ferite che non facevano mai in tempo a risanare. Gli occhi grandi e vivissimi sapevano diventare fessure dietro cui, prima di ogni risposta brillante, c'era uno sguardo che pareva non solo poco infantile, ma forse non umano. Ogni suo movimento comunicava che farle del male non serviva perché, comunque si fossero messe le cose, lei avrebbe trovato il modo di fartene di più.

L'odio dunque era tangibile, io me ne accorgevo. Ce l'avevano con lei sia le femmine che i maschi, ma i maschi più scopertamente. Per un motivo suo segreto, infatti, la maestra Oliviero godeva a portarci soprattutto nelle classi dove si potevano umiliare non tanto scolare e maestre, quanto scolari e maestri. E il direttore, per motivi suoi altrettanto segreti, favoriva soprattutto gare di quel tipo. In seguito ho pensato che nella scuola si scommettessero soldi, forse anche parecchi, su quei nostri incontri. Ma esageravo: forse era solo un modo per dare sfogo a vecchie ruggini o per consentire al direttore di tenere sotto il tacco i maestri meno bravi o meno obbedienti. Fatto sta che una mattina noi due, che allora eravamo in seconda, fummo portate nientemeno in una quarta, la quarta del maestro Ferraro, dove c'erano sia Enzo Scanno, il malvagio figlio della fruttivendola, che Nino Sarratore, il fratello di Marisa che io amavo.

Enzo lo conoscevano tutti. Era ripetente e almeno un paio di volte era stato trascinato in giro per le classi con al collo un cartello su cui il maestro Ferraro, un uomo coi capelli grigi a spazzola, lungo e magrissimo, il viso piccolo e molto segnato, occhi allarmati, aveva scritto *asino*. Nino invece era così buono, così mite, così silenzioso, che era noto e caro soprattutto a me. Naturalmente Enzo era meno che zero, scolasticamente parlando, lo tenevamo d'occhio solo perché era manesco. I nostri avversari, nelle cose di intelligenza, erano Nino e – scoprimmo lì per lì – Alfonso Carracci, terzo figlio di don Achille, un bambino molto curato, uno di seconda come noi, che pareva più piccolo dei sette anni che aveva. Si vedeva che il maestro lo aveva chiamato lì in quarta perché faceva più affidamento su di lui che su Nino, di quasi due anni più grande.

Ci fu un po' di maretta tra la Oliviero e Ferraro per quella convocazione imprevista di Carracci, poi la gara cominciò davanti alle classi riunite in un'aula sola. Ci chiesero i verbi, ci chiesero le tabelline, ci chiesero le quattro operazioni, prima alla lavagna e poi a mente. Di quella particolare circostanza mi sono rimaste in mente tre cose. La prima è che il piccolo Alfonso Carracci mi sgominò subito, era calmo e preciso, ma aveva di buono che non godeva a sopraffarti. La seconda è che Nino Sarratore, a sorpresa, non rispose quasi mai alle domande, restò imbambolato come se non capisse cosa gli chiedevano i due maestri. La terza è che Lila tenne testa al figlio di don Achille svogliatamente, come se non le importasse che potesse batterla. Il quadro si animò solo quando si passò ai calcoli a mente, addizioni, sottrazioni, moltiplicazioni e divisioni. Alfonso, malgrado la svogliatezza di Lila che a volte se ne stava zitta come se non avesse sentito la domanda, cominciò a perdere colpi, sbagliava soprattutto le moltiplicazioni e le divisioni. D'altra parte, se il figlio di don Achille cedeva, anche Lila non era all'altezza e quindi sembravano più o meno pari. Ma a un certo punto successe un fatto imprevisto. Per ben due volte, quando Lila non rispondeva o Alfonso sbagliava, si sentì piena di disprezzo la voce di Enzo Scanno che, dagli ultimi banchi, diceva il risultato giusto.

Questo stupì la classe, i maestri, il direttore, me e Lila. Com'era possibile che uno come Enzo, svogliato, incapace e delinquente, sapesse fare calcoli complicati a mente meglio di me, di Alfonso Carracci, di Nino Sarratore? Di colpo fu come se Lila si svegliasse. Alfonso finì fuori gioco rapidamente e, col consenso fiero del maestro, che cambiò prontamente campione, cominciò un duello tra Lila ed Enzo.

I due si tennero testa a lungo. A un certo punto il direttore, scavalcando il maestro, chiamò alla cattedra, accanto a Lila, il figlio della fruttivendola. Enzo lasciò l'ultimo banco con risatelle nervose sue e dei suoi accoliti, ma poi si dispose accanto alla lavagna, di fronte a Lila, cupo, a disagio. Il duello continuò con calcoli a mente sempre più difficili. Il bambino dava il risultato in dialetto, come se stesse per strada e non in un'aula, e il maestro gli correggeva la dizione, ma la cifra era sempre giusta. Di quel momento di gloria Enzo sembrò fierissimo, lui stesso meravigliato di com'era bravo. Poi cominciò a cedere, perché Lila s'era svegliata definitivamente e ora aveva quegli occhi a fessura, molto determinati, rispondeva con precisione. Enzo alla fine perse. Perse ma senza rassegnazione. Cominciò a bestemmiare, a gridare oscenità terribili. Il maestro lo mandò dietro la lavagna, in ginocchio, ma lui non ci volle andare. Fu preso a bacchettate sulle nocche e poi trascinato per le orecchie nell'angolo del castigo. La giornata scolastica finì così.

Ma da allora la banda dei maschi cominciò a lanciarci le pietre.

9.

Quella mattina del duello tra lei ed Enzo è importante, nella nostra lunga storia. Lì si avviarono molti comportamenti di ardua decifrazione. Per esempio si vide con chiarezza che Lila poteva, volendo, dosare l'uso delle sue capacità. Era ciò che aveva fatto col figlio di don Achille. Non solo non aveva voluto batterlo, aveva anche calibrato silenzi e risposte in modo da non farsi battere. Allora non eravamo ancora amiche e non potevo chiederle perché avesse tenuto quel comportamento. In realtà non c'era bisogno di fare domande, la ragione ero in grado di intuirla. Come me, anche lei aveva il divieto di fare torti non solo a don Achille, ma anche a tutta la sua famiglia.

Era così. Non sapevamo da dove derivasse quel timore-astio-odio-acquiescenza che i nostri genitori manifestavano nei confronti dei Carracci e che ci trasmettevano, ma c'era, era un dato di fatto, come il rione, le sue case bianchicce, l'odore miserabile dei pianerottoli, la polvere delle strade. Con tutta probabilità anche Nino Sarratore era rimasto muto per permettere ad Alfonso di dare il meglio di sé. Aveva balbettato poche cose, bello, ben pettinato, le ciglia lunghissime, sottile e nervoso, e infine aveva taciuto. Per continuare ad amarlo, volli pensare che le cose fossero andate così. Ma sotto sotto nutrivo dei dubbi. La sua era stata una scelta, come quella di Lila? Non ne ero sicura. Io mi ero fatta da parte perché Alfonso era davvero più bravo di me. Lila avrebbe potuto batterlo subito, tuttavia aveva scelto di puntare al pareggio. E lui? C'era stato qualcosa che mi aveva confusa, forse persino addolorata: non una sua incapacità, nemmeno una rinuncia, ma, oggi direi, un cedimento. Quel balbettio, il pallore, il viola che gli aveva all'improvviso mangiato gli occhi: com'era bello, così languido, e tuttavia quanto mi era dispiaciuto il suo languore.

Anche Lila a un certo punto mi era sembrata bellissima. In genere ero io quella bella, lei invece era secca come un'alice sala-

ta, mandava un odore di selvatico, aveva un viso lungo, stretto
alle tempie, chiuso tra due bande di capelli lisci e nerissimi. Ma
quando aveva deciso di spazzar via sia Alfonso che Enzo, si era
illuminata come una santa guerriera. Le era salito un rossore alle
guance che era il segno di una vampa sprigionata da ogni angolo del corpo, tanto che per la prima volta avevo pensato: Lila è
più bella di me. Ero dunque seconda in tutto. Mi ero augurata
che nessuno se ne accorgesse mai.

Ma la cosa più importante di quella mattinata fu la scoperta
che una formula che usavamo spesso per sottrarci alle punizio-
ni custodiva qualcosa di vero, quindi di ingovernabile, quindi di
pericoloso. La formula era: *non l'ho fatto apposta*. Enzo infatti
si era inserito non di proposito nella gara in atto e non di proposito aveva sconfitto Alfonso. Lila di proposito aveva sconfitto
Enzo ma non di proposito aveva sconfitto anche Alfonso e non
di proposito lo aveva umiliato, era stato solo un passaggio necessario. I fatti che ne derivarono ci convinsero che conveniva
fare ogni cosa apposta, premeditatamente, in modo da sapere
cosa c'era da aspettarsi.

Infatti ciò che accadde in seguito ci investì in modo inatteso.
Poiché quasi niente era stato fatto apposta, ci venne addosso
una lava di molte cose improvvise, l'una dietro l'altra. Alfonso
tornò a casa in lacrime per via della sconfitta. Suo fratello
Stefano, di quattordici anni, apprendista salumiere nella salumeria (l'ex bottega del falegname Peluso) di cui era proprietario
suo padre, che però non ci metteva mai piede, il giorno dopo
venne sotto scuola e disse a Lila bruttissime cose, arrivando a
minacciarla. A un certo punto lei gli gridò un insulto molto
osceno, lui la spinse contro un muro e cercò di afferrarle la lingua, gridando che gliela voleva pungere con uno spillo. Lila
tornò a casa e raccontò tutto a suo fratello Rino, che più lei parlava, più diventava rosso e con gli occhi lucidi. Nel frattempo
Enzo, mentre in serata tornava a casa senza la sua banda della
campagna, fu bloccato da Stefano e preso a schiaffi, pugni e

calci. Rino, al mattino, andò a cercare Stefano e fecero a botte, dandosele di santa ragione in modo più o meno paritario. Qualche giorno dopo bussò alla porta dei Cerullo la moglie di don Achille, zia Maria, e fece a Nunzia una scenata con urla e insulti. Passò poco tempo e una domenica, dopo la messa, Fernando Cerullo il calzolaio, padre di Lila e di Rino, un uomo piccolo, magrissimo, accostò timidamente don Achille e gli chiese scusa senza mai dire per che cosa si scusava. Io non lo vidi, o almeno non me lo ricordo, ma si disse che le scuse erano state fatte ad alta voce e in modo che tutti sentissero, anche se don Achille era passato oltre come se lo scarparo non parlasse con lui. Poco tempo dopo io e Lila ferimmo alla caviglia Enzo con una pietra ed Enzo lanciò un sasso che colpì Lila alla testa. Mentre io strillavo di paura e Lila si rialzava con il sangue che le gocciolava da sotto i capelli, Enzo venne giù dal terrapieno, anche lui sanguinante, e nel vedere Lila in quello stato, in modo del tutto imprevisto, e ai nostri occhi incomprensibile, si mise a piangere. Passò poco e Rino, il fratello adorato di Lila, arrivò sotto scuola e diede molte mazzate a Enzo, che si difese appena. Rino era più grande, più grosso e più motivato. Non solo: Enzo non disse niente delle botte ricevute né alla sua banda né a sua madre né a suo padre né ai suoi fratelli né ai cugini, che lavoravano tutti in campagna e vendevano frutta e verdura con la carretta. A quel punto, grazie a lui, finirono le vendette.

10.

Lila andò per un po' in giro, fieramente, con la testa fasciata. Poi si tolse la fasciatura e mostrò a chiunque glielo chiedesse la ferita nera, arrossata ai bordi, che sbucava sulla fronte da sotto l'attaccatura dei capelli. Infine si dimenticò di ciò che le era successo e se qualcuno le guardava fisso il segno biancastro che le era rimasto sulla pelle, faceva un gesto aggressivo che

significava: cosa guardi, fatti i fatti tuoi. A me non disse mai
nulla, nemmeno una parola di ringraziamento per le pietre che
le avevo passato, per come le avevo asciugato il sangue col
lembo del grembiule. Ma da quel momento cominciò a sotto-
pormi a prove di coraggio che non avevano più a che fare con la
scuola.

Ci vedevamo in cortile sempre più spesso. Ci mostravamo
le nostre bambole ma senza darlo a vedere, l'una nei dintorni
dell'altra, come se fossimo da sole. A un certo punto le facemmo incontrare per prova, per vedere se andavano d'accordo. E
così arrivò il giorno che stavamo accanto alla finestra dello
scantinato col reticolo scollato e facemmo uno scambio, lei
tenne un po' la mia bambola e io un po' la sua, e Lila di punto
in bianco fece passare Tina attraverso l'apertura nella rete e la
lasciò cadere.

Provai un dolore insopportabile. Tenevo alla mia bambola
di celluloide come alla cosa più preziosa che avessi. Lo sapevo
che Lila era una bambina molto cattiva, ma non mi sarei mai
aspettata che mi facesse una cosa così malvagia. Per me la bambola era viva, saperla in fondo allo scantinato, in mezzo alle
mille bestie che ci vivevano, mi gettò nella disperazione. Ma in
quell'occasione imparai un'arte in cui poi sono diventata molto
brava. Trattenni la disperazione, la trattenni sul bordo degli
occhi lucidi, tanto che Lila mi disse in dialetto:

«Non te ne importa?».

Non risposi. Provavo un dolore violentissimo, ma sentivo
che più forte ancora sarebbe stato il dolore di litigare con lei.
Ero come strozzata da due sofferenze, una già in atto, la perdita della bambola, e una possibile, la perdita di Lila. Non dissi
nulla, feci solo un gesto senza dispetto, come se fosse naturale,
anche se naturale non era e sapevo che stavo rischiando molto.
Mi limitai a gettare nello scantinato la sua Nu, la bambola che
mi aveva appena dato.

Lila mi guardò incredula.

«Quello che fai tu, faccio io» recitai subito ad alta voce, spaventatissima.

«Adesso me la vai a prendere».

«Se tu vai a prendere la mia».

Andammo insieme. Nell'ingresso della palazzina, a sinistra, c'era la porticina che introduceva agli scantinati, la conoscevamo bene. Scardinata com'era – uno dei battenti si reggeva su un solo ganghero –, la porta era bloccata da un catenaccio che teneva insieme in malo modo le due ante. Ogni bambino era tentato e insieme terrorizzato dalla possibilità di forzare la porticina quel tanto che avrebbe reso possibile passare dall'altro lato. Noi lo facemmo. Ci ricavammo uno spazio sufficiente perché i nostri corpi esili e flessibili sgattaiolassero nello scantinato.

Una volta dentro, prima Lila, poi io, scendemmo per cinque gradini di pietra in un luogo umido, mal rischiarato dalle piccole aperture a livello stradale. Avevo paura, cercai di tener dietro a Lila, che però sembrava arrabbiata e puntava diritto a ritrovare la sua bambola. Avanzai a tentoni. Sentivo sotto le suole dei sandali oggetti che scricchiolavano, vetro, pietrisco, insetti. Intorno c'erano cose non identificabili, masse scure, puntute o squadrate o tondeggianti. La poca luce che attraversava il buio a volte cadeva su cose riconoscibili: lo scheletro di una sedia, l'asta di un lampadario, cassette della frutta, fondi e fiancate d'armadi, bandelle di ferro. Provai un grande spavento per quella che mi sembrò una faccia floscia dai grandi occhi di vetro che si allungava in un mento a forma di scatola. La vidi appesa su un trabiccolino di legno con un'espressione desolata e gridai, la indicai a Lila. Lei si girò di scatto, si avvicinò piano voltandomi la schiena, allungò una mano con cautela, la staccò dal trabiccolo. Poi si girò. S'era messa la faccia dagli occhi di vetro sopra la sua e ora aveva un viso enorme, orbite tonde senza pupille, niente bocca, solo quella bazza nera che le ciondolava sul petto.

Sono attimi che mi sono rimasti bene impressi nella memoria. Non ne sono certa, ma mi dovette uscire dal petto un vero urlo di terrore, perché lei si affrettò a dire con una voce rimbombante che era solo una maschera, una maschera antigas: suo padre la chiamava così, ne aveva una identica nel ripostiglio di casa. Seguitai a tremare e mugolare di paura, cosa che evidentemente la convinse a strapparsela dal viso e a gettarla in un angolo, con un gran fracasso e molta polvere che si addensò tra le lingue di luce dei finestrini.

Mi calmai. Lila si guardò intorno, individuò l'apertura da dove avevamo fatto cadere Tina e Nu. Ci accostammo alla parete ruvida, grumosa, guardammo nell'ombra. Le bambole non c'erano. Lila ripeteva in dialetto: non ci stanno, non ci stanno, non ci stanno, e frugava per terra con le mani, cosa che io non avevo il coraggio di fare.

Passarono minuti lunghissimi. Una sola volta mi sembrò di vedere Tina e con un tuffo al cuore mi chinai a prenderla, ma era solo un vecchio foglio di giornale appallottolato. Non ci stanno, ripeté Lila e si allontanò verso l'uscita. Allora mi sentii persa, incapace di restare lì da sola seguitando a cercare, incapace di andar via con lei se non avessi trovato la bambola.

In cima ai gradini disse:

«Se l'è pigliate don Achille, se l'è messe nella borsa nera».

E io in quello stesso momento lo sentii, don Achille: strisciava, si strusciava, tra le forme indistinte delle cose. Allora abbandonai Tina al suo destino, scappai per non perdere Lila che già si torceva agile, sgusciando oltre la porta sgangherata.

11.

Credevo a tutto quello che lei mi diceva. M'è rimasta in mente la massa informe di don Achille che corre per cunicoli sotterranei a braccia pendule, trattenendo con le dita larghe da un lato la testa di Nu, dall'altro quella di Tina. Soffrii molto. Mi ammalai di febbri di crescenza, guarii, mi ammalai di nuovo. Fui presa da una sorta di disfunzione tattile, certe volte avevo l'impressione che, mentre ogni essere animato intorno accelerava i ritmi della sua vita, le superfici solide mi diventassero molli sotto le dita o si gonfiassero lasciando spazi vuoti tra la loro massa interna e la sfoglia di superficie. Mi sembrò che lo stesso mio corpo, a tastarlo, risultasse tumefatto e questo mi intristiva. Ero certa di avere guance a palloncino, mani riempite di segatura, lobi delle orecchie che parevano sorbe mature, piedi a forma di pagnotta. Quando ritornai per le strade e a scuola, sentii che anche lo spazio era cambiato. Pareva incatenato tra due poli scuri, da un lato la bolla d'aria sotterranea che premeva alle radici delle case, la torva caverna dentro cui erano cadute le bambole; dall'altro il globo in alto, al quarto piano della palazzina dove abitava don Achille che ce le aveva rubate. Le due palle erano come avvitate alle estremità di una sbarra di ferro, che nella mia immaginazione attraversava obliquamente gli appartamenti, le strade, la campagna, il tunnel, i binari, e li compattava. Mi sentivo stretta dentro quella morsa insieme alla massa di cose e di persone d'ogni giorno, e avevo un sapore brutto in bocca, provavo un senso permanente di nausea che mi sfiniva, come se il tutto, così compresso, sempre più stretto, mi macinasse riducendomi a una crema ripugnante.

Fu un malessere resistente, forse durò anni, fin oltre la prima adolescenza. Ma proprio quando era appena incominciato, insperatamente ebbi la mia prima dichiarazione d'amore.

Io e Lila non avevamo ancora provato a salire su da don Achille, il lutto per la perdita di Tina era ancora insopportabile. Ero andata svogliatamente a comprare il pane. Mi ci aveva mandato mia madre e stavo tornando a casa con il resto ben stretto in pugno per non perderlo e la palata ancora calda contro il petto, quando mi accorsi che dietro di me arrancava Nino Sarratore con il suo fratellino per mano. La madre, Lidia, nei giorni d'estate lo faceva uscire di casa sempre in compagnia di Pino, che all'epoca non aveva più di cinque anni, con l'obbligo di non lasciarlo mai. In prossimità di un angolo di strada, poco dopo la salumeria dei Carracci, Nino fece per superarmi, ma invece di passare oltre mi tagliò la strada, mi spinse contro il muro, appoggiò la mano libera alla parete come una sbarra che mi doveva impedire di scappare, e con l'altra si tirò accanto il fratello, testimone silenzioso della sua impresa. Disse tutto affannato qualcosa che non capii. Era pallido, prima sorrideva, poi diventava serio, poi tornava a sorridere. Alla fine scandì nell'italiano della scuola:

«Quando ci facciamo grandi ti voglio sposare».

Poi mi chiese se nel frattempo mi volevo fidanzare con lui. Era un po' più alto di me, magrissimo, il collo lungo, le orecchie un po' scostate dalla testa. Aveva capelli ribelli, occhi intensi con ciglia lunghe. Era commovente lo sforzo che stava facendo per contenere la sua timidezza. Sebbene volessi sposarlo anch'io mi venne di rispondergli:

«No, non posso».

Lui restò a bocca aperta, Pino gli diede uno strattone. Scappai via.

Da quel momento cominciai a svicolare tutte le volte che lo vedevo. Eppure mi sembrava bellissimo. Quante volte ero rimasta nei paraggi di sua sorella Marisa solo per avvicinarlo e fare insieme a loro la strada per tornare a casa. Ma evidentemente mi fece la dichiarazione in un momento sbagliato. Non poteva sapere come mi sentivo sbandata, quanta angoscia mi dava la sparizione di Tina, come mi logorava lo sforzo di star dietro a Lila, fino a che punto mi toglieva il fiato lo spazio compreso del cortile, delle palazzine, del rione. Dopo molti lunghi sguardi spauriti che mi lanciava da lontano, anche lui cominciò a evitarmi. Per un po' dovette temere che dicessi alle altre bambine, e innanzitutto a sua sorella, della proposta che mi aveva fatto. Si sapeva che Gigliola Spagnuolo, la figlia del pasticciere, si era comportata così quando Enzo le aveva chiesto di fidanzarsi. Ed Enzo lo aveva saputo e s'era arrabbiato, le aveva gridato sotto scuola che era una bugiarda, l'aveva anche minacciata di ammazzarla con un coltello. Fui tentata di raccontare ogni cosa anch'io, ma poi lasciai perdere, non lo dissi a nessuno, nemmeno a Lila quando diventammo amiche. Piano piano io stessa me ne dimenticai.

La cosa mi tornò in mente quando, qualche tempo dopo, l'intera famiglia Sarratore si trasferì. Una mattina comparvero nel cortile la carretta e il cavallo che appartenevano al marito di Assunta, Nicola: con quella stessa carretta e quello stesso cavallo vecchio vendeva insieme alla moglie la frutta e la verdura girando per le vie del rione. Nicola aveva una bella faccia larga e gli stessi occhi azzurri, gli stessi capelli biondi di suo figlio Enzo. Si occupava, oltre che di vendere frutta e verdura, anche di traslochi. E infatti lui, Donato Sarratore, Nino stesso e anche Lidia cominciarono a portar giù di tutto, carabattole d'ogni genere, materassi, mobili, e sistemarono ogni cosa sulla carretta.

Le donne, appena sentirono il rumore delle ruote nel cortile, si affacciarono alle finestre, anche mia madre, anch'io. C'era una gran curiosità. Pareva che Donato avesse avuto una casa nuova direttamente dalle Ferrovie dello stato, nei dintorni di una piazza che si chiamava piazza Nazionale. Oppure – disse mia madre – la moglie l'ha obbligato a traslocare per sfuggire alle persecuzioni di Melina, che le vuole togliere il marito. Probabile. Mia madre vedeva sempre il male dove con mio grande fastidio si scopriva presto o tardi che il male c'era davvero, e il suo occhio strabico pareva fatto apposta per individuare i movimenti segreti del rione. Come avrebbe reagito Melina? Era vero, come avevo sentito sussurrare, che aveva fatto un bambino con Sarratore e poi l'aveva ucciso? Ed era possibile che si sarebbe messa a urlare bruttissime cose, tra cui anche quella? Tutte, grandi e piccole, eravamo affacciate alla finestra, forse per salutare con la mano la famigliola che se ne andava, forse per assistere allo spettacolo della rabbia di quella donna brutta, secca e vedova. Vidi che anche Lila e sua madre Nunzia si sporgevano per vedere.

Cercai lo sguardo di Nino, ma lui sembrava avere altro da fare. Mi prese allora, come al solito senza un motivo preciso, uno sfinimento che rendeva debole ogni cosa intorno. Pensai che forse mi aveva fatto la dichiarazione perché sapeva già che se ne sarebbe andato e prima voleva dirmi ciò che sentiva per me. Lo guardai mentre s'affannava a trasportare cassette zeppe di cose e sentii la colpa, il dolore di avergli detto no. Ora se ne fuggiva come un uccellino.

Alla fine la processione di mobili e masserizie cessò. Nicola e Donato cominciarono a passarsi corde per fissare tutto sulla carretta. Lidia Sarratore comparve vestita come per andare a una festa, s'era messa anche un cappellino estivo, di paglia blu. Spingeva la carrozzella col figlio maschio piccolo e di lato aveva le due femmine, Marisa che aveva la mia età, otto-nove anni, e Clelia di sei. Si sentì all'improvviso un rumore di cose rotte al secondo piano. Quasi nello stesso momento Melina cominciò a gridare. Erano grida di tale strazio che, vidi, Lila si mise le mani sulle orecchie. Risuonò anche la voce addoloratissima di Ada, la seconda figlia di Melina, che gridava: mammà, no, mammà. Dopo un attimo d'incertezza mi tappai le orecchie anch'io. Ma intanto cominciarono a volare oggetti dalla finestra e fu tale la curiosità che mi liberai i timpani, come se avessi bisogno di suoni nitidi per capire. Melina però non gridava parole ma solo aaah, aaah, come se fosse ferita. Non la si vedeva, di lei non compariva nemmeno un braccio o una mano che lanciava le cose. Pentole di rame, bicchieri, bottiglie, piatti parevano volare dalla finestra per volontà propria e in strada Lidia Sarratore filava a testa china, la schiena curva sulla carrozzella, le figlie dietro, e Donato s'arrampicava sulla carretta tra le sue proprietà, e don Nicola tratteneva il cavallo per il morso e intanto le cose urtavano sull'asfalto, rimbalzavano, si spezzavano schizzando schegge tra le zampe nervose della bestia.

Cercai Lila con lo sguardo. Vidi adesso un'altra faccia, una faccia di smarrimento. Si dovette accorgere che la guardavo e sparì subito dalla finestra. La carretta intanto si mosse. Rasente il muro, senza un saluto per nessuno, sgusciarono verso il cancello anche Lidia e i quattro figli più piccoli, mentre Nino pareva senza voglia di andarsene, come ipnotizzato dallo spreco di oggetti fragili contro l'asfalto.

Per ultimo vidi volare dalla finestra una sorta di macchia nera. Era una ferro da stiro, ferro puro: il manico di ferro, la base di ferro. Quando ancora avevo Tina e giocavo in casa, usavo quello di mia madre, identico, con la forma a prua, fingendo che fosse una barca nella tempesta. L'oggetto venne giù in picchiata e fece un buco per terra con un tonfo secco, a pochi centimetri da Nino. Per poco – pochissimo – non lo uccise.

12.

Nessun bambino mai dichiarò a Lila il suo amore e lei non mi ha mai detto se ne soffrì. Gigliola Spagnuolo riceveva di continuo proposte di fidanzamento e anch'io ero molto richiesta. Lila invece non piaceva, innanzitutto perché era uno stecco, sporca e sempre con qualche ferita, ma anche perché aveva la lingua affilata, inventava soprannomi umilianti e pur sfoggiando con la maestra vocaboli della lingua italiana che nessuno conosceva, con noi parlava solo un dialetto sferzante, pieno di male parole, che stroncava sul nascere ogni sentimento d'amore. Solo Enzo fece una cosa che, se non era proprio una richiesta di fidanzamento, era comunque un segnale di ammirazione e di rispetto. Parecchio dopo che le aveva rotto la testa con la pietra e prima, mi pare, di essere respinto da Gigliola Spagnuolo, lui ci rincorse per lo stradone e, sotto i miei occhi increduli, tese a Lila un serto di sorbe.

«Che ci faccio?».

«Te le mangi».

«Acerbe?».

«Le fai maturare».

«Non le voglio».

«Buttale».

Tutto qui. Enzo girò le spalle e corse a lavorare. Io e Lila ci mettemmo a ridere. Parlavamo poco, ma per ogni cosa che ci capitava avevamo una risata. Le dissi solo, con tono divertito:

«A me piacciono, le sorbe».

In realtà mentivo, era un frutto che non amavo. Mi attraeva il colore rossogiallastro di quando erano acerbe, la loro compattezza che risplendeva nelle giornate di sole. Ma quando maturavano sui balconi e diventavano marroni e molli come piccole pere vizze, e la pelle si staccava facilmente mostrando una polpa granulosa non di cattivo sapore, ma disfatta in un modo che mi ricordava le carogne dei topi lungo lo stradone, allora nemmeno le toccavo. Dissi quella frase quasi per prova, sperando che Lila me le tendesse: tieni, prendile tu. Sentii che se mi avesse dato il dono che le aveva fatto Enzo sarei stata contenta più che se mi avesse dato una cosa sua. Ma non lo fece, e ricordo ancora l'impressione di tradimento quando se le portò a casa. Lei stessa piantò il chiodo alla finestra. La vidi mentre vi appendeva il serto.

13.

Enzo non le fece mai più altri regali. Dopo la lite con Gigliola, che aveva detto a tutti della dichiarazione che lui le aveva fatto, lo vedemmo sempre meno. Pur essendosi mostrato bravissimo coi calcoli a mente era troppo svogliato, sicché il maestro non lo propose per l'esame d'ammissione alle medie e lui non se ne rammaricò, anzi ne fu contento. S'iscrisse alla scuola di avviamento al lavoro, ma di fatto già lavorava coi genitori. Si svegliava prestissimo per andare col padre al mercato ortofrutticolo o a girare con la carretta vendendo per il rione i prodotti della campagna, e quindi con la scuola presto chiuse.

A noi invece, quando stavamo per finire la quinta, fu comunicato che eravamo fatte per continuare a studiare. La maestra chiamò a turno i genitori miei, di Gigliola e di Lila per dir loro che assolutamente dovevamo sostenere, oltre che l'esame di licenza elementare, anche l'esame di ammissione alla scuola media. Io le studiai tutte per fare in modo che mio padre non mandasse dalla maestra mia madre, claudicante, con l'occhio ballerino e soprattutto sempre rabbiosa, ma ci venisse lui, che era usciere e sapeva usare modi cortesi. Non ce la feci. Andò lei, parlò con la maestra e tornò a casa molto cupa.

«La maestra vuole soldi. Dice che le deve fare delle lezioni in più perché l'esame è difficile».

«Ma a che serve questo esame?» chiese mio padre.

«A farle studiare il latino».

«E perché?».

«Perché hanno detto che è brava».

«Ma se è brava, perché la maestra le deve fare queste lezioni a pagamento?».

«Per stare meglio lei e peggio noi».

Discussero molto. All'inizio mia madre era contraria e mio padre incerto; poi mio padre diventò cautamente favorevole e mia madre si rassegnò a essere un po' meno contraria; infine decisero di farmi fare l'esame, ma sempre col patto che se io non fossi stata bravissima mi avrebbero tolto subito dalla scuola.

A Lila invece i genitori dissero di no. Nunzia Cerullo fece qualche tentativo poco convinto, ma il padre non volle neanche discutere e anzi diede uno schiaffo a Rino che gli aveva detto che sbagliava. I genitori propendevano addirittura per non andare dalla maestra, che però li fece chiamare dal direttore, e allora Nunzia dovette andare per forza. Di fronte al timido ma netto rifiuto di quella donna spaurita, la Oliviero, arcigna ma calma, sfoderò i temi meravigliosi di Lila, le soluzioni brillanti di problemi ardui e persino i disegni coloratissimi che in classe, quando si applicava, ci incantavano tutte perché, rubacchiando pastelli Giotto, tratteggiava molto realisticamente principesse con pettinature, gioielli, vestiti, scarpe che non s'erano mai visti in nessun libro e nemmeno al cinema parrocchiale. Quando però il rifiuto fu confermato, la Oliviero perse la calma e trascinò dal direttore la madre di Lila come se fosse un'alunna indisciplinata. Ma Nunzia non poteva cedere, non aveva il permesso del marito. Di conseguenza ripeté no fino allo sfinimento suo, della maestra, del direttore.

Il giorno dopo, mentre andavamo a scuola, Lila mi disse col tono suo solito: tanto io l'esame lo faccio lo stesso. Le credetti, proibirle una cosa era inutile, lo sapevamo tutti. Sembrava la più forte di noi bambine, più forte di Enzo, di Alfonso, di Stefano, più forte di suo fratello Rino, più forte dei nostri genitori, più forte di tutti i grandi compresa la maestra e i carabinieri che ti potevano mettere in prigione. Sebbene fragile nell'aspetto, ogni divieto davanti a lei perdeva consistenza. Sapeva come passare il limite senza mai subirne veramente le conseguenze. Alla fine la gente cedeva e addirittura, per quanto a malincuore, era costretta a lodarla.

14.

Anche andare da don Achille era proibito, ma lei decise di farlo ugualmente e io le andai dietro. Anzi, fu in quell'occasione che mi convinsi che niente potesse fermarla, e che anzi ogni sua disobbedienza avesse sbocchi che per la meraviglia toglievano il fiato.

Volevamo che don Achille ci restituisse le nostre bambole. Perciò andammo su per le scale, a ogni gradino ero sul punto di girare le spalle e tornare in cortile. Sento ancora la mano di Lila che afferra la mia, e mi piace pensare che si decise a farlo non solo perché intuì che non avrei avuto il coraggio di arrivare fino all'ultimo piano, ma anche perché lei stessa con quel gesto cercava la forza d'animo per continuare. Così, l'una accanto all'altra, io dalla parte del muro e lei dalla parte della ringhiera, le mani strette con i palmi sudati, facemmo le ultime rampe. Davanti alla porta di don Achille il cuore mi batteva fortissimo, me lo sentivo nelle orecchie, ma mi consolai pensando che fosse il rumore anche del cuore di Lila. Dall'appartamento arrivavano voci, forse di Alfonso o Stefano o Pinuccia. Lila, dopo una lunghissima sosta muta davanti alla porta, girò la chiavetta del campanello. Ci fu silenzio, poi un ciabattare. Ci aprì la porta donna Maria, aveva una vestaglia verde stinto. Quando parlò, le vidi in bocca un dente d'oro molto brillante. Credette che cercassimo Alfonso, era un po' stupita. Lila le disse in dialetto:

«No, vogliamo don Achille».

«Di' a me».

«Dobbiamo parlare con lui».

La donna gridò:

«Achì».

Altro ciabattare. Comparve dalla penombra una figura tarchiata. Aveva il busto lungo, le gambe corte, le braccia che scendevano fino alle ginocchia e la sigaretta in bocca, si vedeva la brace. Chiese roco:

«Chi è?».

«La figlia dello scarparo insieme alla figlia grande di Greco».

Don Achille venne alla luce e, per la prima volta, lo vedemmo bene. Niente minerali, niente scintillio di vetri. Il viso era di carne, lungo, e i capelli gli si arruffavano solo sulle orecchie, al centro della testa era tutto lucido. Aveva occhi lucenti, con il bianco venato di torrentelli rossi, la bocca larga e sottile, il mento grosso con una fossa al centro. Mi sembrò brutto ma non quanto mi ero immaginata.

«Beh?».

«Le bambole» disse Lila.

«Che bambole?».

«Le nostre».

«Qua non ci servono le bambole vostre».

«Ve le siete prese giù allo scantinato».

Don Achille si girò e gridò verso l'interno dell'appartamento: «Pinù, tu ti sei presa la bambola della figlia dello scarparo?».

«Io no».

«Alfò, te la sei presa tu?».

Risate.

Lila disse ferma, non so da dove le veniva tutto quel coraggio: «Ve le siete prese voi, vi abbiamo visto».

Ci fu un momento di silenzio.

«Voi io?» chiese don Achille.

«Sì, e le avete messe nella vostra borsa nera».

L'uomo, nell'udire quelle ultime parole, corrugò la fronte infastidito.

Non potevo crederci che eravamo lì, davanti a don Achille, e Lila gli parlasse a quel modo e lui la fissasse perplesso, e nel fondo si intravedessero Alfonso e Stefano e Pinuccia e donna Maria che apparecchiava la tavola per la cena. Non potevo crederci che era una persona comune, un po' basso, un po' calvo, un po' sproporzionato, ma comune. Perciò aspettavo che da un momento all'altro si trasformasse.

Don Achille ripeté, come per capire bene il senso delle parole:

«Io mi sono preso le vostre bambole e le ho messe nella borsa nera?».

Sentii che non era arrabbiato ma all'improvviso sofferente, come se stesse avendo la conferma di una cosa che già sapeva. Disse qualcosa in dialetto che non capii, Maria gridò:

«Achì, è pronto».

«Vengo».

Don Achille portò un mano grossa e larga alla tasca di dietro dei calzoni. Noi ci stringemmo forte la mano, aspettandoci che tirasse fuori un coltello. Invece estrasse il portafoglio, lo aprì, guardò dentro e tese a Lila dei soldi, non mi ricordo quanto.

«Compratevele, le bambole» disse.

Lila arraffò i soldi e mi trascinò giù per la rampa. Lui borbottò affacciandosi alla ringhiera:

«E ricordatevi che ve le ho regalate io».

Dissi in italiano, attenta a non cadere per le scale:

«Buonasera e buon appetito».

15.

Gigliola Spagnuolo e io, subito dopo Pasqua, cominciammo ad andare a casa della maestra per prepararci all'esame di ammissione. La maestra abitava proprio di lato alla parrocchia della Sacra Famiglia, le sue finestre affacciavano sui giardinetti e di lì si vedevano, oltre la campagna fitta, i tralicci della ferrovia. Gigliola passava sotto le mie finestre e mi chiamava. Io ero già pronta, uscivo di corsa. Mi piacevano quelle lezioni private, due a settimana, mi pare. La maestra, a fine lezione, ci offriva dolcetti secchi a forma di cuore e una gassosa.

Lila non venne mai, i suoi genitori non avevano accettato di pagare la maestra. Ma lei, visto che ormai eravamo molto amiche, continuò a dirmi che avrebbe fatto l'esame e sarebbe venuta in prima media nella mia stessa classe.

«E i libri?».

«Me li presti tu».

Intanto però, coi soldi di don Achille, comprò un romanzo: *Piccole donne*. Si decise a farlo perché lo conosceva già e le era piaciuto moltissimo. La Oliviero, in quarta, aveva dato a noi più brave libri da leggere. A lei era toccato *Piccole donne* con la seguente frase di accompagnamento: «Questo è per le grandi ma per te va bene», e a me il libro *Cuore,* senza nemmeno una parola che mi spiegasse di cosa si trattava. Lila si era letta sia *Piccole donne* che *Cuore*, in pochissimo tempo, e diceva che non c'era confronto, secondo lei *Piccole donne* era bellissimo. Io non ero riuscita a leggerlo, a stento avevo finito *Cuore* entro i termini stabiliti dalla maestra per la restituzione. Ero una lettrice lenta, tuttora sono così. Lila, quando aveva dovuto ridare il libro alla Oliviero, si era rammaricata sia di non poter rileggere di continuo *Piccole donne*, sia di non poterne parlare con me. Perciò una mattina si decise. Mi chiamò dalla strada, andammo agli stagni, nel posto dove avevamo seppellito dentro una scatoletta di metallo i soldi di don Achille, prendemmo il denaro e andammo a chiedere a Iolanda la cartolaia, che esponeva in vetrina chissà da quando una copia di *Piccole donne* ingiallita dal sole, se bastava. Bastava. Appena diventammo proprietarie del libro cominciammo a vederci in cortile per leggerlo o a mente, l'una vicina all'altra, o ad alta voce. Ce lo leggemmo per mesi, così tante volte che il libro diventò sudicio, sbrindellato, perse il dorso, cominciò a cacciare fili, a sgangherare i quinterni. Ma era il nostro libro, lo amammo molto. Ne ero io la custode, lo tenevo a casa tra quelli di scuola, perché Lila non se la sentiva di tenerlo in casa sua. Il padre, negli ultimi tempi, si arrabbiava se solo la pescava a leggere.

Rino invece la proteggeva. Quando ci fu la questione dell'esame di ammissione, tra lui e il padre esplosero litigi di continuo. Rino a quell'epoca aveva all'incirca sedici anni, era un ragazzo molto nervoso e aveva cominciato una sua battaglia per essere pagato per il lavoro che faceva. Il suo ragionamento era: mi alzo alle sei; vengo al negozio e lavoro fino alle otto di sera; voglio un salario. Ma quelle parole scandalizzavano sia il padre che la madre. Rino aveva un letto dove dormire, aveva di che mangiare, perché voleva soldi? Il suo compito era aiutare la famiglia, non impoverirla. Ma il ragazzo insisteva, trovava ingiusto sgobbare quanto il padre e non ricevere un centesimo. A quel punto Fernando Cerullo gli rispondeva con apparente pazienza: «Io ti pago già, Rino, ti pago profumatamente insegnandoti il mestiere completo: tu presto non saprai solo rifare i tacchi o l'orlo o rimettere la mezza piantella; tuo padre tutto quello che sa te lo sta passando e presto arriverai a fare, a regola d'arte, una scarpa intera». Ma quel pagamento a base d'istruzione a Rino non bastava e quindi battibeccavano, specialmente a cena. Si cominciava parlando di soldi e si finiva a litigare per Lila.

«Se tu mi paghi ci penso io a farla studiare» diceva Rino.

«Studiare? Perché, io ho studiato?».

«No».

«E tu hai studiato?».

«No».

«Allora perché deve studiare tua sorella che è femmina?».

La cosa finiva quasi sempre con uno schiaffo in faccia a Rino, che in un modo o in un altro, anche senza volerlo, aveva mancato di rispetto al padre. Il ragazzo, senza piangere, chiedeva scusa con voce cattiva.

Lila taceva durante quelle discussioni. Non me l'ha mai detto, ma a me è rimasta l'impressione che mentre io odiavo mia madre, e la odiavo davvero, profondamente, lei malgrado tutto non ce l'avesse affatto con suo padre. Diceva che era pieno di gentilezze, diceva che quando lui doveva fare i conti se li faceva fare da lei, diceva che l'aveva sentito dire agli amici che sua figlia era la persona più intelligente del rione, diceva che quand'era il suo onomastico le portava lui stesso la cioccolata calda a letto e quattro biscotti. Ma c'era poco da fare, non rientrava nel suo modo di vedere che lei continuasse a studiare. E non rientrava nemmeno nelle sue possibilità economiche: la famiglia era numerosa, si vivacchiava tutti sulla botteguccia, anche due sorelle nubili di Fernando, anche i genitori di Nunzia. Perciò su quella cosa dello studio era come parlare al muro, e sua madre tutto sommato era della stessa opinione. Solo il fratello la pensava in modo diverso e si batteva coraggiosamente contro il padre. E Lila, per ragioni che non capivo, si mostrava convinta che

Rino avrebbe vinto. Avrebbe ottenuto il suo salario e l'avrebbe mandata a scuola con i soldi suoi.

«Se bisogna pagare una tassa, me la paga lui» mi spiegava.

Era sicura che il fratello le avrebbe dato i soldi anche per i libri di scuola e persino per le penne, il portapenne, i pastelli, il mappamondo, il grembiule e il fiocco. Lo adorava. Mi disse che, dopo aver studiato, voleva guadagnare molti soldi al solo scopo di rendere suo fratello la persona più ricca del rione.

La ricchezza, in quell'ultimo anno delle elementari, diventò un nostro chiodo fisso. Ne parlavamo come nei romanzi si parla della ricerca di un tesoro. Dicevamo: quando diventeremo ricche faremo questo, faremo quello. A sentirci, pareva che la ricchezza fosse nascosta in qualche posto del rione, dentro forzieri che una volta aperti mandavano bagliori, e aspettasse solo che noi la trovassimo. Poi, non so perché, le cose cambiarono e cominciammo ad associare lo studio ai soldi. Pensammo che studiare molto ci avrebbe fatto scrivere libri e che i libri ci avrebbero rese ricche. La ricchezza era sempre un luccicore di monete d'oro chiuse dentro innumerevoli casse, ma per arrivarci bastava studiare e scrivere un libro.

«Ne scriviamo uno insieme» disse Lila una volta e la cosa mi riempì di gioia.

Forse l'idea prese piede quando lei scoprì che l'autrice di *Piccole donne* aveva fatto così tanti soldi che aveva dato un po' delle sue ricchezze alla famiglia. Ma non ci giurerei. Ne ragionammo, dissi che potevamo cominciare subito dopo l'esame di ammissione. Acconsentì, però non seppe resistere. Mentre io avevo molto da studiare anche per via delle lezioni pomeridiane con Spagnuolo e la maestra, lei era più libera, si mise al lavoro e scrisse un romanzo senza di me.

Ci rimasi male quando me lo portò perché lo leggessi, ma non dissi niente, anzi trattenni la delusione e le feci molte feste. Erano una decina di fogli a quadretti, ripiegati e fermati con uno spillo da sarta. C'era una copertina disegnata coi pastelli, mi ricordo il titolo. Si chiamava *La fata blu*, e com'era appassionante, quante parole difficili c'erano. Le dissi di farlo leggere alla maestra. Non volle. La pregai, mi offrii di darglielo io. Poco convinta, fece cenno di sì.

Una volta che stavo a casa della Oliviero per la lezione, approfittai di quando Gigliola stava nel bagno per tirar fuori *La fata blu*. Dissi che era un romanzo bellissimo scritto da Lila e che Lila voleva farglielo leggere. Ma la maestra, che negli ultimi cinque anni era stata sempre entusiasta di tutto ciò che faceva Lila a parte le cattiverie, replicò freddamente:

«Di' a Cerullo che farebbe bene a studiare per la licenza, invece di perdere tempo». E pur tenendosi il romanzo di Lila, lo lasciò sul tavolo senza dargli nemmeno uno sguardo.

Quell'atteggiamento mi disorientò. Cosa era successo? S'era arrabbiata con la madre di Lila? Aveva esteso l'arrabbiatura a Lila stessa? Era dispiaciuta per i soldi che i genitori della mia amica non avevano voluto darle? Non capii. Qualche giorno dopo cautamente le chiesi se aveva letto *La fata blu*. Mi rispose con un tono insolito, oscuramente, come se solo io e lei ci potessimo veramente capire.

«Lo sai cos'è la plebe, Greco?».

«Sì: la plebe, i tribuni della plebe, i Gracchi».

«La plebe è una cosa assai brutta».

«Sì».

«E se uno vuole restare plebe, lui, i suoi figli, i figli dei suoi figli, non si merita niente. Lascia perdere Cerullo e pensa a te».

La maestra Oliviero non disse mai niente sulla *Fata blu*. Lila mi chiese notizie un paio di volte, poi lasciò perdere. Disse cupa:

«Appena ho tempo ne scrivo un altro, quello non era buono».

«Era bellissimo».

«Faceva schifo».

Ma diventò meno vivace, specialmente in classe, probabilmente perché si accorse che la Oliviero non la lodava più, anzi

certe volte si mostrava infastidita dai suoi eccessi di bravura.
Quando ci fu la gara di fine anno risultò comunque la migliore, ma senza la sfrontatezza di una volta. A conclusione della
giornata, il direttore sottopose a chi era rimasto in gara – in
effetti a Lila, a Gigliola e a me – un problema difficilissimo che
aveva inventato lui in persona. Gigliola e io ci affaticammo senza risultato. Lila ridusse come al solito i suoi occhi a due fessure, ci si applicò. Fu l'ultima a capitolare. Disse con un tono
timido, inusuale per lei, che il problema non si poteva risolvere perché c'era qualcosa di sbagliato nel testo, ma non sapeva
cosa. Apriti cielo, la Oliviero le fece una grandissima lavata di
testa. Vedevo Lila esile, alla lavagna, col gesso in mano, molto
pallida, e investita da raffiche di frasi cattive. Ne sentivo la sofferenza, non riuscivo a sopportare il tremolio del suo labbro
inferiore e fui quasi per scoppiare in lacrime.

«Quando non si sa risolvere un problema» concluse la Oliviero gelida, «non si dice: il problema è sbagliato, si dice: io
non sono capace di risolverlo».

Il direttore restò in silenzio. Per quel che ricordo, la giornata finì lì.

16.

Poco prima dell'esame di licenza elementare Lila mi spinse
a fare un'altra delle tante cose che da sola non avrei mai avuto
il coraggio di fare. Decidemmo di non andare a scuola e passammo i confini del rione.

Non era mai successo. Da quando avevo memoria non mi
ero mai allontanata dalle palazzine bianche a quattro piani, dal
cortile, dalla parrocchia, dai giardinetti, né avevo mai sentito la
spinta a farlo. Passavano treni di continuo oltre la campagna,
passavano auto e camion su e giù per lo stradone, eppure non
riesco a ricordare nemmeno un'occasione in cui chiedo a me

stessa, a mio padre, alla maestra: dove vanno le auto, i camion, i treni, in quale città, in quale mondo?

Anche Lila non s'era mai mostrata particolarmente interessata, però quella volta organizzò ogni cosa. Mi disse di raccontare a mia madre che dopo la scuola saremmo andate tutte a casa della maestra per una festa di fine anno scolastico, e sebbene io cercassi di ricordarle che le maestre non avevano mai invitato tutte noi bambine a casa loro per far festa, lei disse che proprio per questo dovevamo dire così. L'avvenimento sarebbe sembrato tanto eccezionale che nessuno dei nostri genitori avrebbe avuto la faccia tosta di andare a chiedere a scuola se era vero o no. Mi fidai come al solito, e andò proprio come aveva detto lei. A casa mia ci credettero tutti, non solo mio padre e i miei fratelli, ma anche mia madre.

La notte precedente non riuscii a dormire. Cosa c'era oltre il rione, oltre il suo perimetro stranoto? Alle nostre spalle si levavano una collinetta fittamente alberata e qualche rara costruzione a ridosso di binari luccicanti. Davanti a noi, oltre lo stradone, s'allungava una via tutta buche che costeggiava gli stagni. A destra, uscendo dal cancello, si distendeva il filo di una campagna senza alberi sotto un cielo enorme. A sinistra c'era un tunnel a tre bocche, ma se ci si arrampicava su fino ai binari della ferrovia, nelle belle giornate si vedeva, al di là di certe case basse e muri di tufo e una fitta vegetazione, una montagna celeste con una vetta più bassa e una un po' più alta, che si chiamava Vesuvio ed era un vulcano.

Ma niente di ciò che avevamo sotto gli occhi tutti i giorni, o che si poteva vedere inerpicandosi su per la collina, ci impressionava. Abituate dai libri di scuola a parlare con molta competenza di ciò che non avevamo mai visto, era l'invisibile che ci eccitava. Lila diceva che, proprio nella direzione del Vesuvio, c'era il mare. Rino, che c'era andato, le aveva raccontato che era acqua azzurra, sbrilluccicante, uno spettacolo bellissimo. La domenica, specialmente d'estate, ma spesso anche d'inverno, lui correva con gli amici a farci il bagno, e le aveva promesso di portarcela. Non era il solo, naturalmente, ad aver visto il mare, l'avevano visto anche altri che conoscevamo. Una volta ce ne avevano parlato Nino Sarratore e sua sorella Marisa, con il tono di chi trovava normale che ci si andasse ogni tanto a mangiare i taralli e i frutti di mare. Anche Gigliola Spagnuolo c'era stata. Lei, Nino, Marisa avevano, per loro fortuna, genitori che portavano i figli a fare passeggiate molto lontano, non solo quattro passi ai giardinetti davanti alla parrocchia. I nostri non erano così, mancava il tempo, mancavano i soldi, mancava la voglia. Era vero che mi pareva di avere del mare una vaga memoria azzurrina, mia madre sosteneva di avermici portata da piccola, quando doveva fare le sabbiature alla gamba offesa. Ma a mia madre credevo poco e con Lila, che non ne sapeva niente, ammettevo di non saperne niente nemmeno io. Così lei progettò di fare come Rino, mettersi in cammino e andarci da sola. Mi convinse ad accompagnarla. Domani.

Mi alzai presto, feci tutto come se dovessi andare a scuola, la zuppa di pane nel latte caldo, la cartella, il grembiule. Aspettai come al solito Lila davanti al cancello, solo che, invece di prendere a destra, attraversammo lo stradone e andammo a sinistra, verso il tunnel.

Era mattina presto e faceva già caldo. C'era un odore forte di terra ed erba che si asciugavano al sole. Salimmo tra arbusti alti, per sentieri incerti che andavano verso i binari. Arrivate a un pilone dell'elettricità ci togliemmo i grembiuli e li mettemmo nelle cartelle, che nascondemmo tra i cespugli. Quindi filammo per la campagna, la conoscevamo benissimo e volammo eccitatissime per una china che ci portò a ridosso del tunnel. La bocca di destra era nerissima, non ci eravamo mai infilate dentro quell'oscurità. Ci prendemmo per mano e andammo. Era un passaggio lungo, il cerchio luminoso dell'uscita pareva lontano. Una volta abituate alla penombra vedemmo, stordite dal rimbombo dei passi, le righe d'acqua argentata che scivolavano lungo le pareti, le grandi pozzanghere. Procedemmo tesissime. Poi Lila lanciò un grido e rise per come il suono esplodeva violento. Subito dopo gridai io e risi a mia volta. Da quel momento non facemmo che gridare, insieme e separatamente: risate e grida, grida e risate, per il piacere di sentirle amplificate. La tensione si allentò, cominciò il viaggio.

Avevamo davanti a noi tante ore in cui nessuno dei nostri familiari ci avrebbe cercato. Quando penso al piacere di essere liberi, penso all'inizio di quella giornata, a quando uscimmo dal tunnel e ci trovammo su una strada tutta dritta a perdita d'occhio, la strada che, secondo ciò che aveva detto Rino a Lila, a farla tutta si arrivava al mare. Mi sentii esposta all'ignoto con gioia. Niente di paragonabile alla discesa negli scantinati o all'ascesa fino alla casa di don Achille. C'era un sole nebuloso, un forte odore di bruciato. Camminammo a lungo tra muri crollati invasi dalle erbacce, edifici bassi da cui venivano voci in dialetto, a volte un clangore. Vedemmo un cavallo che calava cautamente giù da un terrapieno e attraversava la strada nitrendo. Vedemmo una donna giovane, affacciata a un balconcino, che si pettinava col pettine stretto per i pidocchi. Vedemmo molti bambini mocciosi che smisero di giocare e ci guardarono minacciosamente. Vedemmo anche un uomo grasso in canottiera che sbucò da una casa diroccata, si aprì i calzoni e ci mostrò il suo pene. Ma non ci spaventammo di niente: don Nicola, il padre di Enzo, a volte ci faceva accarezzare il suo cavallo, i bambini erano minacciosi anche nel nostro cortile e c'era il vecchio don Mimì che ci mostrava il suo coso schifoso tutte le volte che tornavamo da scuola. Per almeno tre ore di cammino lo stradone che stavamo percorrendo non ci sembrò diverso dal segmento su cui ci affacciavamo ogni giorno. E non sentii mai la responsabilità della via giusta. Ci tenevamo per mano, avanzavamo fianco a fianco, ma per me, secondo il solito, era come se Lila fosse dieci passi più avanti e sapesse di preciso cosa fare, dove andare. Ero abituata a sentirmi la seconda in tutto e perciò ero sicura che a lei, che da sempre era la prima, fosse tutto chiaro: l'andatura, il computo del tempo a disposizione per andare e tornare, il percorso per arrivare al mare. La sentivo come se avesse tutto ordinato nella testa in modo tale che il mondo intorno non sarebbe riuscito mai a mettere disordine. Mi abbandonai con allegria. Ricordo una luce soffusa che pareva venire non dal cielo ma dalla profondità della terra, la quale però, a vederla in superficie, era povera, laida.

Poi cominciammo a essere stanche, ad aver sete e fame. A quello non avevamo pensato. Lila rallentò, rallentai anch'io. La sorpresi due o tre volte mentre mi guardava come se si fosse pentita di farmi una cattiveria. Cosa stava succedendo? Mi accorsi che si girava spesso indietro e presi a girarmi anch'io. La sua mano cominciò a sudare. Da tempo alle spalle non avevamo più il tunnel, che era il confine col rione. La strada già percorsa ci era ormai poco familiare, come quella che continuava ad aprirsi davanti a noi. La gente pareva del tutto indifferente alla nostra sorte. E intanto ci cresceva intorno un paesaggio d'abbandono: bidoni ammaccati, legna bruciacchiata, carcasse d'auto, ruote di carretta coi raggi spezzati, mobili semidistrutti, ferraglia rugginosa. Perché Lila guardava indietro? Perché aveva smesso di parlare? Cosa c'era che non andava?

Guardai meglio. Il cielo, che all'inizio era molto alto, si era come abbassato. Alle nostre spalle stava diventando tutto nero, c'erano nuvole grosse, pesanti, che poggiavano sopra gli alberi, i pali della luce. Davanti a noi, invece, la luce era ancora abbagliante, ma come incalzata ai lati da un grigiore violaceo che tendeva a soffocarla. Si sentirono tuoni lontani. Ebbi paura, ma ciò che mi spaventò di più fu l'espressione di Lila, per me nuova. Aveva la bocca aperta, gli occhi spalancati, guardava nervosamente avanti, indietro, di lato, e mi stringeva la mano molto forte. Possibile, mi chiesi, che abbia paura? Cosa le sta succedendo?

Arrivarono i primi goccioloni, colpirono la polvere della strada lasciando piccole macchie marrone.

«Torniamo» disse Lila.

«E il mare?».

«È troppo lontano».

«E casa?».

«Anche».

«Allora andiamo al mare».

«No».

«Perché?».

La vidi agitata come non l'avevo mai vista. C'era qualcosa – qualcosa che aveva sulla punta della lingua ma non si decideva a dirmi – che all'improvviso le imponeva di trascinarmi in fretta a casa. Non capivo: perché non proseguivamo? C'era tempo, il mare non doveva essere distante, e che tornassimo a casa o seguitassimo ad andare avanti, ci saremmo bagnate lo stesso, se fosse venuta la pioggia. Era uno schema di ragionamento che avevo appreso da lei e mi stupivo che non lo applicasse.

Una luce violacea spaccò il cielo nero, tuonò più forte. Lila mi diede uno strattone, mi ritrovai poco convinta a correre nella direzione del rione. Si levò il vento, i goccioloni diventarono più fitti, nel giro di pochi secondi si trasformarono in una cascata d'acqua. A nessuna di noi venne in mente di cercarci un riparo. Corremmo accecate dalla pioggia, gli abiti subito zuppi, i piedi nudi dentro sandali consunti che facevano poca presa sul terreno ormai fangoso. Corremmo finché avemmo fiato.

Poi non ce la facemmo più, rallentammo. Lampi, tuoni, una lava d'acqua piovana correva ai bordi dello stradone, camion rumorosissimi passavano veloci sollevando ondate di fanghiglia. Facemmo la strada a passo svelto, il cuore in tumulto, prima sotto grandi rovesci, poi sotto una pioggia sottile, infine sotto un cielo grigio. Eravamo zuppe, i capelli incollati al cranio, le labbra livide, gli occhi spaventati. Riattraversammo il tunnel, andammo su per la campagna. Gli arbusti carichi di pioggia ci sfioravano facendoci rabbrividire. Ritrovammo le cartelle, mettemmo sugli abiti bagnati i grembiuli asciutti, ci avviammo verso casa. Tesa, gli occhi sempre bassi, Lila non mi diede più la mano.

Capimmo presto che niente era andato come avevamo previsto. Il cielo s'era fatto nero sopra il rione in concomitanza con l'uscita da scuola. Mia madre era andata sotto scuola con l'ombrello per accompagnarmi alla festa dalla maestra. Aveva scoperto che non c'ero, che non c'era nessuna festa. Da ore mi stava cercando. Quando vidi da lontano la sua figura penosamente claudicante lasciai subito Lila perché non se la prendesse con lei e le corsi incontro. Non mi fece nemmeno parlare. Mi colpì a schiaffi e anche con l'ombrello, urlando che m'avrebbe ucciso se avessi fatto ancora una cosa del genere.

Lila se la batté, a casa sua nessuno si era accorto di niente.

In serata mia madre riferì tutto a mio padre e lo obbligò a picchiarmi. Lui si innervosì, di fatto non voleva, finirono col litigare. Prima le tirò uno schiaffo, poi, arrabbiato con se stesso, me le diede di santa ragione. Per tutta la notte cercai di capire cosa fosse realmente successo. Dovevamo andare al mare e non ci eravamo andate, le avevo buscate per niente. Si era verificata una misteriosa inversione di atteggiamenti: io, malgrado la pioggia, avrei continuato il cammino, mi sentivo lontana da tutto e da tutti, e la lontananza – avevo scoperto per la prima volta – mi estingueva dentro ogni legame e ogni preoccupazione; Lila s'era bruscamente pentita del suo stesso piano, aveva rinunciato al mare, era voluta tornare dentro i confini del rione. Non mi ci raccapezzavo.

Il giorno dopo non l'aspettai al cancello, andai sola a scuola. Ci vedemmo ai giardinetti, lei mi scoprì i lividi sulle braccia e mi chiese cos'era successo. Feci spallucce, ormai era andata così.

«T'hanno solo picchiata?».

« E cosa mi dovevano fare?».

«Ti mandano ancora a studiare il latino?».

La guardai perplessa.

Era possibile? Mi aveva trascinata con sé augurandosi che i miei genitori per punizione non mi mandassero più alla scuola media? O mi aveva riportata indietro in fretta e furia proprio per evitarmi quella punizione? O – mi chiedo oggi – aveva voluto in momenti diversi tutt'e due le cose?

17.

Facemmo insieme l'esame di licenza elementare. Quando si rese conto che avrei dato anche quello di ammissione, perse energia. Accadde così una cosa che sorprese tutti: io superai entrambi gli esami con tutti dieci; Lila prese la licenza con tutti nove e otto in aritmetica.

Non mi disse nemmeno una parola di rabbia o di scontento. Cominciò invece a fare comunella con Carmela Peluso, la figlia del falegname-giocatore, come se non le bastassi più. Nel giro di pochi giorni diventammo un trio, nel quale però io, che ero risultata la prima a scuola, tendevo a essere quasi sempre terza. Parlavano e scherzavano di continuo tra loro o, per meglio dire, Lila parlava e scherzava, Carmela ascoltava e si divertiva. Quando uscivamo a passeggio tra la parrocchia e lo stradone, Lila stava sempre al centro e noi due ai lati. Se mi accorgevo che lei tendeva ad accostarsi di più a Carmela, ne soffrivo e mi veniva voglia di tornarmene a casa.

In quell'ultima fase era come stordita, sembrava vittima di un colpo di sole. Faceva già molto caldo e ci bagnavamo spesso la testa alla fontanella. Me la ricordo coi capelli e la faccia sgocciolante che voleva parlare di continuo di quando saremmo andate a scuola l'anno seguente. Era diventato il suo argomento preferito e lo affrontava come se fosse uno dei racconti che aveva intenzione di scrivere per diventare ricca. Quando parlava, adesso, di preferenza si rivolgeva a Carmela Peluso, che aveva preso la licenza con tutti sette e nemmeno lei aveva fatto l'esame di ammissione.

Lila era molto abile a raccontare, sembrava tutto vero, la scuola dove saremmo andate, i professori, e mi faceva ridere, mi faceva preoccupare. Una mattina però la interruppi.

«Lila» le dissi, «tu non puoi andare alla scuola media, non hai fatto l'esame di ammissione. Né tu né Peluso ci potete andare».

Si arrabbiò. Disse che ci sarebbe andata ugualmente, esame o non esame.

«Anche Carmela?».

«Anche».

«Non è possibile».

«E poi vedrai».

Ma quelle mie parole dovettero darle uno scrollone forte. Da allora smise coi racconti sul nostro futuro scolastico e ridiventò silenziosa. Poi, con una repentina determinazione, si mise a tormentare tutti i suoi familiari gridando che voleva studiare il latino come l'avremmo studiato io e Gigliola Spagnuolo. Se la prese soprattutto con Rino, che aveva promesso di aiutarla ma non l'aveva fatto. Era inutile spiegarle che ormai non c'era più niente da fare, diventava ancora più irragionevole e più cattiva.

All'inizio dell'estate mi cominciò un sentimento difficile da ordinare in parole. La vedevo nervosa, aggressiva com'era sempre stata, ed ero contenta, la riconoscevo. Ma sentivo anche, dietro i suoi vecchi modi, una pena che mi infastidiva. Soffriva, e il suo dolore non mi piaceva. La preferivo quand'era diversa da me, molto lontana dalle mie ansie. E il disagio che mi dava scoprirla fragile si mutava per vie segrete in un bisogno mio di superiorità. Appena potevo, cautamente, in specie quando con noi c'era Carmela Peluso, trovavo il modo di ricordarle che avevo preso una pagella migliore della sua. Appena potevo, cautamente, le segnalavo che io sarei andata alla scuola media e lei no. Smettere di essere seconda, superarla, per la prima volta mi sembrò un successo. Dovette accorgersene e diventò ancora più aspra, ma non con me, con i suoi familiari.

Spesso, mentre aspettavo che venisse giù in cortile, sentivo i suoi strilli che arrivavano dalle finestre. Lanciava insulti nel dialetto peggiore della strada, così grevi che a sentirli mi venivano pensieri d'ordine e di rispetto, non mi pareva giusto che trattasse i grandi a quel modo, anche suo fratello. Certo, il padre, Fernando lo scarparo, quando gli prendevano i cinque minuti diventava cattivo. Ma a tutti i padri venivano le furie. Tanto più che il suo, quando lei non lo provocava, era un uomo gentile, simpatico, gran lavoratore. Assomigliava di faccia a un attore che si chiamava Randolph Scott, ma senza alcuna finezza. Era più grezzo, niente colori chiari, aveva una barbaccia nera che gli cresceva fin sotto gli occhi e certe mani larghe e corte solcate di sporco a ogni piega e sotto le unghie. Scherzava volentieri. Le volte che andavo a casa di Lila mi prendeva il naso tra indice e medio e fingeva di staccarmelo. Voleva farmi credere che me l'avesse rubato e che ora il naso gli si agitasse prigioniero tra le dita con l'intenzione di scappare e tornarmi in faccia. Questo lo trovavo divertente. Ma se Rino o Lila o gli altri figli lo facevano arrabbiare, a sentirlo dalla strada mi spaventavo anch'io.

Non so cosa successe, un pomeriggio. Nella stagione calda restavamo all'aperto fino all'ora di cena. Quella volta Lila non si faceva vedere, andai a chiamarla sotto le sue finestre, che erano a pianterreno. Gridavo: «Lì, Lì, Lì», e la mia voce si sommava a quella altissima di Fernando, a quella alta di sua moglie, a quella insistente della mia amica. Sentii con chiarezza che era in atto qualcosa che mi atterriva. Dalle finestre arrivava un napoletano sguaiato e il fracasso di oggetti spaccati. All'apparenza non era niente di diverso da quello che accadeva in casa

mia quando mia madre si arrabbiava perché i soldi non bastavano e mio padre si arrabbiava perché lei aveva già speso la
parte di stipendio che le aveva dato. In realtà c'era una differenza sostanziale. Mio padre si conteneva persino quando era
furioso, diventava violento in sordina, impedendo alla voce di
esplodere anche se gli si gonfiavano ugualmente le vene del
collo e gli si infiammavano gli occhi. Fernando invece urlava,
rompeva cose, e la rabbia si autoalimentava, non riusciva a fermarsi, anzi i tentativi che faceva la moglie per bloccarlo lo rendevano più furibondo e se pure non ce l'aveva con lei finiva per
picchiarla. Insistevo, quindi, nel chiamare Lila anche per tirarla fuori da quella tempesta di grida, di oscenità, di rumori della
devastazione. Gridavo: «Lì, Lì, Lì» ma lei – la sentii – non
smise di insultare suo padre.

Avevamo dieci anni, a momenti ne avremmo fatti undici. Io
stavo diventando sempre più piena, Lila restava piccola di statura, magrissima, era leggera e delicata. All'improvviso le grida
cessarono e pochi attimi dopo la mia amica volò dalla finestra,
passò sopra la mia testa e atterrò sull'asfalto alle mie spalle.

Restai a bocca aperta. Fernando si affacciò continuando a
strillare minacce orribili contro la figlia. L'aveva lanciata come
una cosa.

La guardai esterrefatta mentre provava a risollevarsi e mi diceva con una smorfia quasi divertita:

«Non mi sono fatta niente».

Ma sanguinava, si era spezzata un braccio.

18.

I padri potevano fare quello e altro alle bambine petulanti.
Dopo, Fernando diventò più cupo, più lavoratore del solito.
Per tutta l'estate capitò spesso che io, Carmela e Lila passassimo
davanti alla sua botteguccia, ma mentre Rino ci faceva sem-

pre un cenno allegro di saluto, lo scarparo, finché la figlia ebbe il braccio ingessato, nemmeno la guardò. Si vedeva che era dispiaciuto. Le sue violenze di padre erano poca cosa se confrontate con la violenza diffusa nel rione. Al bar Solara, col caldo, tra perdite al gioco e ubriachezze moleste, si arrivava spesso alla disperazione (parola che in dialetto significava aver perso ogni speranza, ma anche, insieme, essere senza un soldo) e quindi alle mazzate. Silvio Solara, il padrone, grosso, una pancia imponente, occhi blu e la fronte altissima, aveva un bastone scuro dietro il banco con cui non esitava a colpire chi non pagava le consumazioni, chi aveva chiesto prestiti e alla scadenza non voleva restituirli, chi faceva patti di qualche genere ma non li manteneva, e spesso era aiutato dai suoi figli, Marcello e Michele, ragazzi dell'età del fratello di Lila, che però colpivano ancora più duramente del padre. Lì le mazzate si davano, si ricevevano. Poi gli uomini tornavano a casa inaspriti dalle perdite al gioco, dall'alcol, dai debiti, dalle scadenze, dalle botte, e alla prima parola storta picchiavano i familiari, una catena di torti che generava torti.

Nel bel mezzo di quella stagione lunghissima successe un fatto che sconvolse tutti, ma che su Lila ebbe un effetto particolare. Don Achille, il terribile don Achille, fu ammazzato in casa sua nel primo pomeriggio di una giornata d'agosto sorprendentemente piovosa.

Era in cucina, aveva appena aperto la finestra per far entrare l'aria fresca della pioggia. S'era alzato dal letto apposta, interrompendo la controra. Indossava un pigiama celeste molto usurato, ai piedi aveva solo calzini d'un colore gialliccio annerito ai calcagni. Appena aprì la finestra gli arrivò in faccia uno sbuffo di pioggia e sul lato destro del collo, proprio a mezza strada tra la mandibola e la clavicola, un colpo di coltello.

Il sangue gli schizzò dal collo e colpì una pentola di rame appesa alla parete. Il rame era così luccicante che il sangue pareva una macchia di inchiostro da cui – ci raccontava Lila –

con andamento incerto, colava una riga nera. L'assassino – ma lei propendeva per un'assassina – era entrato senza scasso, in un'ora in cui i bambini e i ragazzi erano per strada e i grandi, se non si trovavano al lavoro, riposavano. Aveva aperto sicuramente con una chiave falsa. Sicuramente aveva intenzione di colpirlo al cuore mentre dormiva, ma l'aveva trovato sveglio e gli aveva dato quel colpo alla gola. Don Achille s'era girato, con la lama tutta immersa nel collo, gli occhi sbarrati e il sangue che gli usciva a fiumi e colava sul pigiama. Quindi era caduto in ginocchio e poi faccia a terra.

L'assassinio aveva così impressionato Lila, che quasi ogni giorno, seria, aggiungendo sempre nuovi dettagli, ce ne imponeva il racconto come se fosse stata presente. Sia io che Carmela Peluso, a sentirla, ci spaventavamo, Carmela addirittura non ci dormiva la notte. Nei momenti più terribili, quando la riga nera di sangue colava lungo la pentola di rame, gli occhi di Lila diventavano due fessure feroci. Di sicuro s'immaginava che il colpevole fosse femmina solo perché le veniva più facile immedesimarsi.

In quel periodo andavamo spesso a casa dei Peluso a giocare a dama e a tris, a Lila era venuta quella passione. La madre di Carmela ci faceva entrare in camera da pranzo, dove tutti i mobili erano stati fatti dal marito quando don Achille non gli aveva ancora tolto i suoi arnesi di falegname e la bottega. Ci mettevamo sedute al tavolo, che era collocato tra due buffè con specchi, e giocavamo. Carmela mi era sempre più antipatica, ma facevo finta di essere sua amica almeno quanto lo ero di Lila, anzi, in qualche circostanza lasciavo credere addirittura di tenere più a lei. In compenso mi era molto simpatica la signora Peluso. Lavorava alla Manifattura del tabacco, ma da qualche mese aveva perso il lavoro e stava sempre in casa. Era comunque nella buona e nella cattiva sorte una persona allegra, grassa, con un gran seno, le guance accese da due vampe rosse, e sebbene i soldi scarseggiassero aveva sempre qualcosa di buono da offrirci. Anche il marito pareva un po' più tranquillo. Adesso faceva il cameriere in una pizzeria, e si sforzava di non andare più al bar Solara a perdere a carte il poco che guadagnava.

Una mattina stavamo nella camera da pranzo a giocare a dama, io e Carmela contro Lila. Eravamo sedute al tavolo, noi due da un lato, lei dall'altro. Sia alle spalle di Lila che alle spalle mie e di Carmela c'erano i mobili con gli specchi, identici. Erano di legno scuro e con la cornice a volute. Guardavo noi tre riflesse all'infinito e non riuscivo a concentrarmi sia per tutte quelle immagini nostre che non mi piacevano, sia per le grida di Alfredo Peluso, che quel giorno era molto nervoso e se la prendeva con la moglie Giuseppina.

A un certo punto bussarono alla porta e andò ad aprire la signora Peluso. Esclamazioni, grida. Noi tre ci affacciammo nel corridoio e vedemmo i carabinieri, figure che temevamo molto. I carabinieri afferrarono Alfredo e se lo portarono via. Lui si sbracciava, urlava, chiamava per nome i figli, Pasquale, Carmela, Ciro, Immacolata, si afferrava ai mobili fatti con le sue mani, alle sedie, a Giuseppina, giurava che non aveva ammazzato don Achille, che era innocente. Carmela piangeva disperata, piangevano tutti, mi misi a piangere anch'io. Lila no, Lila fece quello sguardo che aveva fatto anni prima per Melina, ma con qualche differenza: ora, pur restando ferma, pareva essere in movimento insieme ad Alfredo Peluso che lanciava urla roche, aaaah, spaventose.

Fu la cosa più terribile a cui assistemmo nel corso della nostra infanzia, mi impressionò molto. Lila si preoccupò di Carmela, la consolò. Le diceva che, se davvero era stato suo padre, aveva fatto benissimo a uccidere don Achille, ma che a parer suo non era stato lui: di sicuro era innocente e presto sarebbe scappato di prigione. Parlottavano insieme continuamente e se mi accostavo se ne andavano un po' più in là per evitare che sentissi.

ADOLESCENZA
Storia delle scarpe

1.

Il 31 dicembre del 1958 Lila ebbe il suo primo episodio di smarginatura. Il temine non è mio, lo ha sempre utilizzato lei forzando il significato comune della parola. Diceva che in quelle occasioni si dissolvevano all'improvviso i margini delle persone e delle cose. Quando quella notte, in cima al terrazzo dove stavamo festeggiando l'arrivo del 1959, fu investita bruscamente da una sensazione di quel tipo, si spaventò e si tenne la cosa per sé, ancora incapace di nominarla. Solo anni dopo, una sera del novembre 1980 – avevamo entrambe trentasei anni, ormai, eravamo sposate, con figli –, mi raccontò minutamente cosa le era accaduto in quella circostanza, cosa ancora le accadeva, e ricorse per la prima volta a quel vocabolo.

Eravamo all'aperto, in cima a una delle palazzine del rione. Sebbene facesse molto freddo avevamo messo abiti leggeri e scollati per sembrare belle. Guardavamo i maschi, che erano allegri, aggressivi, figure nere travolte dalla festa, dal cibo, dallo spumante. Accendevano le micce dei fuochi d'artificio per festeggiare l'anno nuovo, rito alla cui realizzazione Lila, come poi racconterò, aveva collaborato moltissimo, tanto che ora si sentiva contenta, guardava le strisce di fuoco nel cielo. Ma all'improvviso – mi disse –, malgrado il freddo aveva cominciato a coprirsi di sudore. Le era sembrato che tutti gridassero troppo e che si muovessero troppo velocemente. Questa sensazione si era accompagnata a una nausea e lei aveva avuto l'impressione che qualcosa di assolutamente materiale, presente intorno a lei e intorno a tutti e a tutto da sempre, ma senza che si riuscisse a percepirlo, stesse spezzando i contorni di persone e cose rivelandosi.

Il cuore le si era messo a battere in modo incontrollato. Aveva cominciato a provare orrore per le urla che uscivano dalle gole di tutti quelli che si muovevano per il terrazzo tra i fumi, tra gli scoppi, come se la loro sonorità obbedisse a leggi nuove e sconosciute. Le era montata la nausea, il dialetto aveva perso ogni consuetudine, le era diventato insopportabile il modo secondo cui le nostre gole umide bagnavano le parole nel liquido della saliva. Un senso di repulsione aveva investito tutti i corpi in movimento, la loro struttura ossea, la frenesia che li scuoteva. Come siamo mal formati, aveva pensato, come siamo insufficienti. Le spalle larghe, le braccia, le gambe, le orecchie, i nasi, gli occhi, le erano sembrati attributi di esseri mostruosi, calati da qualche recesso del cielo nero. E il ribrezzo, chissà perché, si era concentrato soprattutto sul corpo di suo fratello Rino, la persona che pure le era più familiare, la persona che amava di più.

Le era sembrato di vederlo per la prima volta come realmente era: una forma animale tozza, tarchiata, la più urlante, la più feroce, la più avida, la più meschina. Il tumulto del cuore l'aveva sopraffatta, si era sentita soffocare. Troppo fumo, troppo malodore, troppo lampeggiare di fuochi nel gelo. Lila aveva cercato di calmarsi, si era detta: devo afferrare la scia che mi sta attraversando, devo gettarla via da me. Ma a quel punto aveva sentito, tra le urla di giubilo, una specie di ultima detonazione e accanto le era passato qualcosa come un soffio d'ala. Qualcuno stava sparando non più razzi e trictrac, ma colpi di pistola. Suo fratello Rino gridava insopportabili oscenità in direzione dei lampi giallastri.

Nell'occasione in cui mi fece quel racconto, Lila disse anche che la cosa che chiamava smarginatura, pur essendole arrivata addosso in modo chiaro solo in quella occasione, non le era del tutto nuova. Per esempio, aveva già avuto spesso la sensazione di trasferirsi per poche frazioni di secondo in una persona o una cosa o un numero o una sillaba, violandone i contorni. E il giorno che suo padre l'aveva buttata dalla finestra si era sentita assolutamente certa, proprio mentre volava verso l'asfalto, che piccoli animali rossastri, molto amichevoli, stessero dissolvendo la composizione della strada trasformandola in una materia liscia e morbida. Ma quella notte di Capodanno le era accaduto per la prima volta di avvertire entità sconosciute che spezzavano il profilo del mondo e ne mostravano la natura spaventosa. Questo l'aveva sconvolta.

2.

Quando a Lila fu tolto il gesso e le riapparve un braccino bianchiccio ma perfettamente funzionante, suo padre Fernando arrivò a una mediazione con se stesso e senza pronunciarsi direttamente, ma per bocca di Rino e della moglie Nunzia, le concesse di frequentare una scuola non so bene per imparare che cosa, stenodattilografia o computisteria o economia domestica, o tutt'e tre le discipline.

Lei ci andò di malavoglia. Nunzia fu convocata dai professori perché la figlia era spesso assente ingiustificata, disturbava la lezione, se interrogata si rifiutava di rispondere, se doveva fare le esercitazioni le faceva in cinque minuti e poi dava fastidio alle compagne. A un certo punto si prese un'influenza bruttissima, lei che non si ammalava mai, e sembrò accoglierla con una sorta di abbandono, tanto che il virus le tolse presto ogni energia. Passavano i giorni e non riusciva a ristabilirsi. Appena provava a tornare in circolazione, più bianca del solito, le veniva di nuovo la febbre. Un giorno la vidi per strada e mi sembrò uno spirito, lo spirito di una bambina che aveva mangiato bacche velenose come l'avevo visto disegnato in un libro della maestra Oliviero. Dopo si sparse la voce che sarebbe morta presto, cosa che mi diede un'ansia insopportabile. Invece si riprese, quasi suo malgrado. Ma a scuola, con la scusa che non era in forze, ci andò sempre meno e alla fine dell'anno fu bocciata.

Anch'io non mi trovai bene in prima media. In principio ebbi grandi aspettative, e anche se non me lo dicevo con chiarezza ero contenta di esserci arrivata insieme a Gigliola Spagnuolo anziché insieme a Lila. Da qualche parte, molto segreta, di me pregustavo una scuola a cui lei non avrebbe mai avuto accesso, nella quale in sua assenza sarei risultata la migliore, e della quale all'occasione avrei potuto parlarle vantandomi. Ma cominciai subito ad arrancare, in parecchi si rivelarono più bravi di me. Finii insieme a Gigliola in una specie di palude, eravamo animaletti spaventati dalla nostra stessa mediocrità, e lottammo tutto l'anno per non trovarci tra gli ultimi. Ci restai malissimo. Cominciò a spuntare in sordina l'idea che senza Lila non avrei mai più provato il piacere di appartenere al gruppo ristrettissimo dei migliori.

Ogni tanto, all'entrata, incontravo Alfonso, il figlio piccolo di don Achille, ma facevamo come se non ci conoscessimo. Io non sapevo cosa dirgli, pensavo che Alfredo Peluso avesse fatto bene ad ammazzargli il padre e non mi venivano parole di conforto. Non riuscivo nemmeno a commuovermi per la sua condizione di orfano, era come se dello spavento che mi aveva fatto don Achille per anni lui portasse un po' la colpa. Aveva una fascia nera cucita sulla giacchetta, non rideva mai, se ne stava sempre per i fatti suoi. Era in una classe diversa dalla mia e correva voce che fosse bravissimo. A fine anno si seppe che era stato promosso con la media dell'otto, e la cosa mi depresse molto. Gigliola fu rimandata in latino e matematica, io me la cavai con tutti sei.

All'uscita dei quadri la professoressa convocò mia madre, le disse in mia presenza che mi ero salvata in latino solo grazie alla sua generosità, ma che senza lezioni private l'anno seguente di sicuro non ce l'avrei fatta. Provai una doppia umiliazione: mi vergognai perché non ero stata in grado di essere brava come alle elementari, e mi vergognai per la differenza tra la figura armoniosa, dignitosamente abbigliata della professoressa, tra il suo italiano che assomigliava un poco a quello dell'*Iliade*, e la figura storta di mia madre, le scarpe vecchie, i capelli senza luce, il dialetto piegato a un italiano sgrammaticato.

Anche mia madre dovette sentire il peso di quell'umiliazione. Tornò a casa torva, disse a mio padre che i professori non erano contenti di me, che lei aveva bisogno di aiuto in casa e che dovevo smettere di studiare. Discussero molto, litigarono e alla fine mio padre decise che, poiché ero stata comunque promossa mentre Gigliola era stata rimandata in ben due materie, mi meritavo di continuare.

Trascorsi un'estate torpida, nel cortile, agli stagni, in genere in compagnia di Gigliola che mi parlava spesso del giovane studente universitario che veniva a casa sua a farle ripetizione e che, secondo lei, l'amava. Io la stavo a sentire ma mi annoiavo. Ogni tanto vedevo Lila a spasso con Carmela Peluso, anche lei aveva fatto una scuola di non so cosa e anche lei era stata bocciata. Sentivo che Lila non voleva essere più mia amica e quell'idea mi dava una stanchezza come se avessi sonno. A volte, sperando che mia madre non mi vedesse, mi andavo a sdraiare sul letto e dormicchiavo.

Un pomeriggio mi addormentai davvero e al risveglio mi sentii bagnata. Andai nel cesso a vedere cosa avevo e scoprii che le mutande erano sporche di sangue. Atterrita da non so bene cosa, forse da un possibile rimprovero di mia madre per essermi fatta male tra le gambe, me le lavai ben bene, le strizzai e me le rimisi addosso bagnate. Quindi uscii nel calore del cortile. Mi batteva il cuore per la paura.

Incontrai Lila e Carmela, andai a passeggio con loro fino alla parrocchia. Sentii che mi stavo bagnando di nuovo, ma cercai di acquietarmi pensando che fosse l'umido delle mutandine. Quando la paura diventò insopportabile sussurrai a Lila:

«Ti devo dire una cosa».

«Cosa?».

«La voglio dire solo a te».

Le presi un braccio cercando di tirarla via da Carmela, ma Carmela ci seguì. Era tale la preoccupazione che alla fine mi confessai a entrambe, ma rivolgendomi solo a Lila.

«Cosa può essere?» chiesi.

Carmela sapeva tutto. A lei il sangue veniva già da un anno, ogni mese.

«È normale» disse. «Le femmine ce l'hanno per natura: si sanguina per qualche giorno, ti fa male la pancia e la schiena, ma poi passa».

«Sicuro?».

«Sicuro».

Il silenzio di Lila mi sospinse verso Carmela. La naturalezza con cui mi aveva detto quel poco che sapeva mi rassicurò e me la rese simpatica. Passai tutto il pomeriggio a parlare con lei, fino all'ora di cena. Per quella ferita non si moriva, appurai. Anzi «significa che sei grande e che puoi fare i bambini, se un maschio ti mette nella pancia il suo coso».

Lila ci stette a sentire senza dire niente o quasi. Le chiedemmo se lei aveva il sangue come noi e la vedemmo esitare, poi malvolentieri ci rispose di no. Di colpo mi sembrò piccola, più piccola di come l'avevo sempre vista. Era sei o sette centimetri più bassa, tutta pelle e ossa, pallidissima malgrado le giornate all'aperto. Ed era stata bocciata. E non sapeva nemmeno cos'era il sangue. E nessun maschio le aveva mai fatto la dichiarazione.

«Verrà pure a te» le dicemmo entrambe con un tono finto di consolazione.

«Che me ne fotte» disse, «io non ce l'ho perché non lo voglio avere, mi fa ribrezzo. E mi fa ribrezzo pure chi ce l'ha».

Fece per andarsene ma poi si fermò e mi chiese:

«Com'è il latino?».

«Bello».

«Sei brava?».

«Molto».

Ci pensò su e borbottò:

«Io mi sono fatta bocciare apposta. Non voglio andare più a nessuna scuola».

«E che farai?».

«Quello che piace a me».

Ci piantò lì in mezzo al cortile e se ne andò.

Per il resto dell'estate non si fece più vedere. Io diventai molto amica di Carmela Peluso che, sebbene oscillasse fastidiosamente tra troppe risate e troppe lagne, aveva subìto l'influenza di Lila in una forma così potente da diventarne a tratti una specie di surrogato. Carmela parlava imitandone i toni, usava certe sue espressioni ricorrenti, gesticolava in un modo simile e quando camminava cercava di muoversi come lei, anche se fisicamente era più simile a me: graziosa e paffuta, scoppiava di salute. Quella sorta di appropriazione indebita un po' mi dispiaceva un po' mi attraeva. Oscillavo tra l'irritazione per un rifacimento che mi sembrava una caricatura e la fascinazione perché, anche se annacquati, i modi d'essere di Lila m'incantavano comunque. Fu con quei modi che Carmela alla fine mi legò a sé. Raccontò di quanto era stata brutta la nuova scuola: tutti le facevano i dispetti e i professori non la potevano vedere. Raccontò di quando andava a Poggioreale con la mamma e i fratelli per far visita a suo padre, e i pianti che si facevano. Raccontò che suo padre era innocente, che a uccidere don Achille era stato un essere nerognolo, un po' maschio ma soprattutto femmina, che viveva insieme ai topi e usciva dalle saittelle delle fognature anche di giorno e faceva ciò che di terribile doveva fare per poi scapparsene sottoterra. Raccontò all'improvviso, con un sorrisetto fatuo, che era innamorata di Alfonso Carracci. Subito dopo dal sorriso passò alle lacrime: era un amore che la tormentava e la sfiniva, la figlia dell'assassino s'era innamorata del figlio della vittima. Le bastava vederlo mentre attraversava il cortile o lungo lo stradone per sentirsi svenire.

Fu una confidenza, quest'ultima, che mi colpì molto e che consolidò la nostra amicizia. Carmela giurò che non ne aveva mai parlato con nessuno, nemmeno con Lila: se aveva deciso di aprirsi con me era perché non ce la faceva più a tenersi tutto dentro. Mi piacquero i suoi toni drammatici. Esaminammo tutte le possibili conseguenze di quella passione finché le scuole non riaprirono e io non ebbi più tempo per starla a sentire.

Che storia. Nemmeno Lila, forse, avrebbe saputo costruire un racconto così.

3.

Cominciò un periodo di malessere. Ingrassai, in petto mi spuntarono sotto la pelle due polloni durissimi, fiorirono i peli dalle ascelle e sul pube, diventai triste e insieme nervosa. A scuola feci più fatica degli anni precedenti, gli esercizi di matematica non davano quasi mai il risultato previsto dal libro di testo, le frasi di latino mi parevano senza capo né coda. Appena potevo mi chiudevo nel cesso e mi guardavo allo specchio, nuda. Non sapevo più chi ero. Cominciai a sospettare che sarei cambiata sempre più, fino a che da me sarebbe spuntata davvero mia madre, zoppa, con l'occhio storto, e nessuno mi avrebbe più voluto bene. Piangevo spesso, all'improvviso. Il petto, intanto, da duro che era diventò più grosso e più morbido. Mi sentii in balìa di forze oscure che agivano dal di dentro del mio corpo, ero sempre in ansia.

Una mattina, all'uscita di scuola, Gino, il figlio del farmacista, mi inseguì per strada e mi disse che secondo i suoi compagni i miei seni non erano veri, che mi ci mettevo l'ovatta. Parlava e rideva. Disse anche che lui invece pensava che fossero veri, ci aveva scommesso sopra venti lire. Disse infine che, nel caso avesse vinto, dieci lire se le sarebbe tenute lui e dieci le avrebbe date a me, ma gli dovevo dimostrare che non avevo l'ovatta.

Quella richiesta mi fece molta paura. Poiché non sapevo come comportarmi, ricorsi consapevolmente al tono sfrontato di Lila:

«Dammi le dieci lire».

«Perché, ho ragione io?».

«Sì».

Scappò via, io me ne andai delusa. Ma poco dopo mi raggiunse in compagnia di un tale della sua classe, uno magrissimo di cui non ricordo il nome, con una peluria scura sul labbro. Gino mi disse:

«Dev'essere presente anche lui, se no gli altri non ci credono che ho vinto».

Ricorsi ancora al tono di Lila:

«Prima i soldi».

«E se hai l'ovatta?».

«Non ce l'ho».

Mi diede dieci lire e salimmo tutt'e tre, in silenzio, fino all'ultimo piano di una palazzina che stava a pochi metri dai giardinetti. Lì, accanto alla porticina di ferro che dava sul terrazzo, disegnata in modo netto da sottili segmenti di luce, sollevai la maglietta e mostrai i seni. I due restarono fermi a guardare come se non credessero a ciò che avevano sotto gli occhi. Poi si girarono e scapparono giù per le scale.

Tirai un sospiro di sollievo e andai al bar Solara a comprarmi un gelato.

Quell'episodio mi è rimasto impresso nella memoria: sperimentai per la prima volta la forza di calamita che il mio corpo esercitava sui maschi, ma soprattutto mi resi conto che Lila agiva non solo su Carmela ma anche su di me come un fantasma esigente. Se in una circostanza come quella avessi dovuto prendere una decisione nel puro disordine delle emozioni, cosa avrei fatto? Sarei scappata via. E se mi fossi trovata in compagnia di Lila? L'avrei tirata per un braccio, le avrei sussurrato: andiamo via, e poi come al solito sarei rimasta, solo perché lei, come al solito, avrebbe deciso di restare. Invece, in sua assenza, dopo una breve esitazione mi ero messa al posto suo. O meglio, le avevo fatto posto in me. Se ripensavo al momento in cui Gino aveva avanzato la sua richiesta, sentivo con precisione come avevo ricacciato indietro me stessa, come avevo mimato sguardo e tono e gesto di Cerullo in situazioni di conflitto sfrontato, e ne ero molto contenta. Ma a tratti mi chiedevo un po' in ansia: faccio come Carmela? Mi pareva di no, mi pareva di essere diversa, ma non sapevo spiegarmi in che senso e mi guastavo la contentezza. Quando passai col gelato davanti alla bottega di Fernando e vidi Lila intenta a ordinare scarpe su una lunga mensola, fui tentata di chiamarla e raccontarle tutto, sentire cosa pensava. Ma lei non mi vide e passai oltre.

4.

Aveva sempre da fare. Quell'anno Rino la obbligò a reiscriversi a scuola ma di nuovo non ci andò quasi mai e di nuovo si fece bocciare. La madre le chiedeva di aiutarla in casa, il padre le chiedeva di stare nel negozio, e lei di punto in bianco, invece di far resistenza, sembrò addirittura contenta di sgobbare per entrambi. Le rare volte che ci capitò di vederci – la domenica dopo la messa o a passeggio tra i giardinetti e lo stradone – non mostrò mai nessuna curiosità per la mia scuola, attaccava subito a parlare fitto fitto e con ammirazione del lavoro che facevano il padre e il fratello.

Aveva saputo che suo padre da ragazzo s'era voluto emancipare, era sfuggito alla bottega del nonno, pure lui ciabattino, ed era andato a lavorare in un calzaturificio di Casoria dove aveva fatto scarpe per tutti, anche per chi andava alla guerra. Aveva scoperto che Fernando sapeva fabbricare a mano una calzatura dall'inizio alla fine, ma conosceva benissimo anche le macchine ed era capace di usarle tutte, la trinciatrice, l'orlatrice, la smerigliatrice. Mi parlò di cuoio, di tomaie, di pellettieri e pelletterie, del tacco intero e del mezzo tacco, della preparazione del filo, delle piantine e di come si applicava la suola e la si colorava e la si lucidava. Usò tutte quelle parole del mestiere come se fossero magiche e il padre le avesse apprese in un mondo fatato – Casoria, la fabbrica – da cui poi era tornato come un esploratore sazio, così sazio che ora preferiva la botteguccia di famiglia, il banchetto quieto, il martello, il piede di ferro, l'odore buono della colla mescolato a quello delle scarpe usurate. E mi tirò dentro a quel vocabolario con un tale energico entusiasmo, che il padre e Rino, grazie a quell'abilità che avevano di chiudere i piedi della gente dentro scarpe solide, comode, mi sembrarono le persone migliori del rione. Soprattutto, ogni volta me ne tornai a casa con l'impressione che, non trascorrendo le mie giornate nella bottega di un calzolaio, avendo anzi per padre un banalissimo usciere, fossi esclusa da un privilegio raro.

In classe cominciai a sentirmi inutilmente presente. Per mesi e mesi mi sembrò che dai libri di testo fosse fuggita via ogni promessa, ogni energia. All'uscita di scuola, stordita dall'infelicità, passavo davanti alla bottega di Fernando solo per vedere Lila al posto suo di lavoro, seduta a un tavolino, nel fondo, con il suo busto magrissimo senza ombra di seno, il collo sottile, il viso emaciato. Non so cosa facesse di preciso, ma era lì, attiva, oltre la porta a vetri, incastonata tra la testa china del padre e la testa china del fratello, niente libri, niente lezioni, niente compiti a casa. A volte mi fermavo a guardare in vetrina le scatole di cromatina, le vecchie scarpe risuolate di fresco, quelle nuove messe in una forma che ne dilatava il cuoio e le allargava rendendole più comode, come se fossi una cliente e avessi interesse alla merce. Mi allontanavo solo, e malvolentieri, quando lei mi vedeva e mi salutava, e io rispondevo al saluto, e lei tornava a concentrarsi sul lavoro. Ma spesso era Rino ad accorgersi per primo di me e mi faceva smorfie buffe per farmi ridere. Imbarazzata, correvo via senza aspettare lo sguardo di Lila.

Una domenica mi sorpresi a parlare appassionatamente di scarpe con Carmela Peluso. Lei comprava *Sogno* e divorava fotoromanzi. All'inizio mi pareva tempo perso, poi avevo cominciato a buttarci uno sguardo anch'io, e ora leggevamo insieme, ai giardinetti, e commentavamo le storie e le battute dei singoli personaggi, scritte in lettere bianche su fondo nero. Carmela, più di me, tendeva a passare senza soluzione di continuità dai commenti ai racconti d'amore finti ai commenti al racconto del suo amore vero, quello per Alfonso. Io, per non essere da meno, una volta le dissi del figlio del farmacista, Gino, sostenni che mi amava. Non ci credette. Il figlio del farmacista ai suoi occhi era una specie di principe inarrivabile, erede futuro della farmacia, un signore che non avrebbe mai sposato la figlia di un usciere, e allora fui lì lì per dirle di quando mi aveva chiesto di fargli vedere il petto e io l'avevo fatto e ci avevo guadagnato dieci lire. Ma tenevamo ben spiegato sulle ginocchia *Sogno* e lo sguardo mi cadde sulle bellissime scarpe col tacco di una delle attrici. Mi sembrò un argomento di grande effetto, più della storia delle mammelle, e non riuscii a resistere, cominciai a lodarle e a lodare chi le aveva fatte così belle e ad almanaccare che se avessimo portato scarpe così, né Gino né Alfonso ci avrebbero resistito. Più parlavo, però, più mi accorgevo con imbarazzo che cercavo di far mia la nuova passione di Lila. Carmela mi ascoltò distrattamente, poi disse che doveva andare. Di calzature e calzolai le importava poco o niente. A differenza di me, lei, pur imitando i modi di Lila, si teneva ben stretta alle sole cose che l'avvincevano: i fotoromanzi, l'amore.

5.

Tutto quel periodo ebbe questo andamento. Dovetti ammettere presto che ciò che facevo io, da sola, non riusciva a farmi battere il cuore, solo ciò che Lila sfiorava diventava importante. Ma se lei si allontanava, se la sua voce si allontanava dalle cose, le cose si macchiavano, si impolveravano. La scuola media, il latino, i professori, i libri, la lingua dei libri mi sembrarono definitivamente meno suggestivi della finitura di una scarpa, e questo mi depresse.

Ma una domenica tutto cambiò di nuovo. Eravamo andate, Carmela, Lila e io, al catechismo, dovevamo prepararci alla prima comunione. All'uscita Lila disse che aveva da fare e se ne andò. Ma vidi che non si dirigeva verso casa: con mia grande sorpresa entrò nell'edificio delle scuole elementari.

Mi incamminai con Carmela, ma poiché mi annoiavo a un certo punto la salutai, feci il giro del palazzo e tornai indietro. Di domenica le scuole erano chiuse, come mai Lila era entrata nell'edificio? Mi avventurai tra mille titubanze oltre il portone, nell'atrio. Non ero mai più entrata nella mia vecchia scuola e provai una forte emozione, ne riconobbi l'odore, che si trascinò dietro una sensazione d'agio, un senso di me che non avevo più. Infilai l'unica porta aperta al pianterreno. C'era una sala ampia, illuminata dai neon, le pareti erano coperte di scaffali carichi di vecchi libri. Contai una decina di adulti, numerosi bambini e ragazzini. Prendevano volumi, li sfogliavano, li rimettevano a posto, ne sceglievano uno. Poi si mettevano in fila davanti a una scrivania oltre la quale era seduto un vecchio nemico della maestra Oliviero, il maestro Ferraro, magro, coi capelli grigi tagliati a spazzola. Ferraro esaminava il testo prescelto, segnava qualcosa nel registro e le persone se ne uscivano con uno o più libri.

Mi guardai intorno: Lila non c'era, forse era già andata via. Cosa faceva, non frequentava più la scuola, si appassionava a scarpe e scarpacce, e tuttavia, senza dirmi niente, veniva in quel posto a prendere libri? Le piaceva quello spazio? Perché non mi invitava ad accompagnarla? Perché mi aveva lasciata con Carmela? Perché mi parlava di come si smerigliavano le suole e non di ciò che leggeva?

Mi arrabbiai, scappai via.

Per un po' il tempo scolastico mi sembrò più insignificante del solito. Poi fui risucchiata dalla folla di compiti e interrogazioni di fine anno, temevo i brutti voti, studiavo sciattamente ma molto. E in più altre preoccupazioni mi incalzavano. Mia madre mi disse che ero indecente con tutto quel petto che m'era venuto e mi portò a comprare un reggipetto. Era più brusca del solito. Pareva vergognarsi che avessi il seno, che mi fosse venuto il marchese. Le ruvide istruzioni che mi dava erano rapide e insufficienti, appena bofonchiate. Non facevo in tempo a farle qualche domanda che già mi dava le spalle e si allontanava col suo passo sghembo.

Col reggiseno il petto diventò ancora più visibile. Negli ultimi mesi di scuola fui assillata dai maschi e capii presto perché. Gino e il suo compagno avevano diffuso la voce che mostravo com'ero fatta senza problemi e ogni tanto arrivava qualcuno che mi chiedeva di ripetere lo spettacolo. Svicolavo, mi comprimevo il petto tenendoci sopra le braccia incrociate, mi sentivo misteriosamente colpevole e sola con la mia colpa. I maschi insistevano, anche per strada, anche in cortile. Ridevano, mi prendevano in giro. Provai a respingerli una o due volte con modi alla Lila, ma non mi riuscirono bene, e allora non resistei e scoppiai a piangere. Per paura che mi importunassero mi autoreclusi in casa. Studiavo moltissimo, uscivo ormai solo per andare molto malvolentieri a scuola.

Una mattina di maggio Gino mi rincorse e mi chiese senza spavalderia, anzi stravolto, se ci volevamo fidanzare. Gli dissi di no, per astio, per vendetta, per imbarazzo, fiera tuttavia che il figlio del farmacista mi volesse. Il giorno dopo me lo domandò di nuovo e non smise mai di domandarmelo, fino a giugno, quando, con un po' di ritardo dovuto alla vita complicata dei nostri genitori, facemmo la prima comunione, in abito bianco come spose.

Così vestite, ci attardammo sul sagrato a far subito peccato parlando d'amore. Carmela non ci poteva credere che io rifiutassi il figlio del farmacista e lo disse a Lila. Lei, stupendomi, invece di filar via con l'aria di chi dice: chi se ne frega, s'interessò alla cosa. Ne parlammo tutte e tre.

«Perché gli dici di no?» mi chiese Lila in dialetto.

Risposi all'improvviso in italiano, per farle impressione, per farle capire che, anche se passavo il tempo a ragionare di fidanzati, non ero da trattare come Carmela:

«Perché non sono sicura dei miei sentimenti».

Era una frase che avevo imparato leggendo *Sogno* e Lila mi sembrò colpita. Cominciammo, come se fosse una delle gare delle elementari, una conversazione nella lingua dei fumetti e dei libri, cosa che ridusse Carmela a pura e semplice ascoltatrice. Quei momenti mi accesero il cuore e la testa: io e lei con tutte quelle parole ben architettate. Alla scuola media non succedeva niente del genere, né coi compagni né coi professori; fu bellissimo. Di passaggio in passaggio Lila mi convinse che in amore un po' di sicurezza si ottiene solo sottoponendo a prove durissime il proprio pretendente. E quindi, tornando di colpo al dialetto, mi consigliò sì di fidanzarmi con Gino, ma a patto che per tutta l'estate lui accettasse di comprare il gelato a me, a lei e a Carmela.

«Se non accetta vuol dire che non è vero amore».

Feci come mi aveva detto e Gino sparì. Non era vero amore, dunque, e tuttavia non ne soffrii. Lo scambio con Lila mi aveva dato un piacere così intenso che progettai di dedicarmi a lei integralmente, specie d'estate, quando avrei avuto più tempo libero. Intanto volevo che quella conversazione diventasse il modello di tutti i nostri prossimi incontri. Mi ero sentita di nuovo brava, come se qualcosa mi avesse urtato la testa facendo insorgere immagini e parole.

Però quell'episodio non ebbe il seguito che mi aspettavo. Invece di riconsolidare e rendere esclusivo il rapporto tra me e Lila, richiamò intorno a lei molte altre ragazzine. La conversazione, il consiglio che lei mi aveva dato, il suo effetto, avevano colpito così tanto Carmela Peluso che finì col raccontarli a chiunque. Il risultato fu che la figlia dello scarparo, che non aveva seno e nemmeno le mestruazioni e nemmeno un corteggiatore, diventò nel giro di pochi giorni la più accreditata dispensatrice di consigli sulle faccende di cuore. E lei, di nuovo sorprendendomi, accettò quel ruolo. Se non era impegnata a casa o nella bottega, la vedevo parlottare ora con quella, ora con quell'altra. Le passavo accanto, la salutavo, ma era così concentrata che non mi sentiva. Coglievo sempre frasi che mi parevano bellissime e ne soffrivo.

6.

Furono giorni desolanti, al culmine dei quali mi arrivò addosso un'umiliazione che avrei dovuto prevedere e che invece avevo fatto finta di non mettere in conto: Alfonso Carracci fu promosso con la media dell'otto, Gigliola Spagnuolo fu promossa con la media del sette e io ebbi tutti sei e quattro in latino. Fui rimandata a settembre in quell'unica materia.

Questa volta fu mio padre stesso a dire che era inutile che continuassi. I libri scolastici erano già costati molto. Il vocabolario di latino, il Campanini e Carboni, anche se comprato usato era stato una grossa spesa. Non c'erano soldi per mandarmi a ripetizione durante l'estate. Ma soprattutto era ormai evidente che non ero brava: il figlio piccolo di don Achille ce l'aveva fatta e io no, la figlia di Spagnuolo il pasticciere ce l'aveva fatta e io no: bisognava rassegnarsi.

Piansi notte e giorno, mi imbruttii di proposito per punirmi. Ero la primogenita, dopo di me c'erano due maschi e un'altra femmina, la piccola Elisa: Peppe e Gianni, i due maschi, venivano a turno a consolarmi, ora portandomi un po' di frutta, ora chiedendomi di giocare con loro. Ma io mi sentivo ugualmente sola, con un brutto destino, e non riuscivo ad acquietarmi. Poi un pomeriggio mi sentii arrivare alle spalle mia madre. Disse in dialetto, col suo solito tono scabro:

«Le lezioni non te le possiamo pagare, ma puoi provare a studiare da sola e vedere se superi l'esame». La guardai incerta. Era sempre la stessa: i capelli scialbi, l'occhio ballerino, il naso grosso, il corpo pesante. Aggiunse: «Non sta scritto da nessuna parte che non ce la puoi fare».

Disse questo e basta, o almeno è ciò che ricordo. Dal giorno dopo cominciai a studiare, imponendomi di non andare mai in cortile o ai giardinetti.

Ma una mattina mi sentii chiamare dalla strada. Era Lila, che da quando avevamo finito le elementari aveva perso del tutto quell'abitudine.

«Lenù» chiamava.

Mi affacciai.

«Ti devo dire una cosa».

«Cosa?».

«Vieni giù».

Andai giù malvolentieri, mi seccava confessarle che ero stata rimandata. Vagammo un po' per il cortile, sotto il sole. Chiesi svogliatamente cosa c'era di nuovo in fatto di fidanzamenti. Mi ricordo che le domandai esplicitamente se c'erano stati sviluppi tra Carmela e Alfonso.

«Quali sviluppi?».

«Lei gli vuole bene».

Strinse gli occhi. Quando faceva così, seria, senza un sorriso, come se lasciare alle pupille solo una fessura le permettesse di vedere in modo più concentrato, mi ricordava gli uccelli rapaci che avevo visto nei film al cinema parrocchiale. Ma in quell'occasione mi sembrò che avesse individuato qualcosa che la faceva arrabbiare e insieme la spaventava.

«T'ha detto niente di suo padre?» mi domandò.

«Che è innocente».

«E chi sarebbe l'assassino?».

«Uno mezzo maschio e mezzo femmina che sta nascosto nelle fogne ed esce dalle saittelle come i topi».

«Allora è vero» disse, all'improvviso quasi in pena, e aggiunse che Carmela prendeva per buono tutto quello che lei diceva, che nel cortile facevano tutte così. «Non ci voglio parlare più, non voglio parlare con nessuno» borbottò imbronciata e sentii che non lo diceva con disprezzo, che l'influenza esercitata su di noi non la inorgogliva, tanto che per un po' non capii: io al posto suo mi sarei molto insuperbita, in lei invece non c'era nessuna superbia, ma una specie di insofferenza mista alla paura della responsabilità.

«È bello» mormorai, «parlare con gli altri».

«Sì, ma solo se quando parli c'è uno che risponde».

Mi sentii in petto uno sbuffo di gioia. Che richiesta c'era in quella bella frase? Mi stava dicendo che voleva parlare soltanto con me perché non prendevo per buono tutto quello che le usciva di bocca ma le rispondevo? Mi stava dicendo che soltanto io sapevo star dietro alle cose che le passavano per la testa?

Sì. E me lo stava dicendo con un tono che non le conoscevo, fievole, sebbene come al solito brusco. Le ho suggerito, mi raccontò, che in un romanzo o in un film la figlia dell'assassino si innamorerebbe del figlio della vittima. Era una possibilità: per diventare un fatto vero, sarebbe dovuto nascere un amore vero. Ma Carmela non l'aveva capito e già il giorno dopo era andata dicendo a tutti che si era innamorata di Alfonso; una bugia per farsi bella con le altre, che però chissà quali conseguenze avrebbe potuto avere. Ne ragionammo. Avevamo dodici anni, ma camminammo a lungo per le vie bollenti del rione, tra la polvere e le mosche che si lasciavano alle spalle i vecchi camion di passaggio, come due vecchiette che fanno il punto delle loro vite piene di delusioni e si tengono strette l'una all'altra. Nessuno ci capiva, solo noi due – pensavo – ci capivamo. Noi, insieme, soltanto noi, sapevamo come la cappa che gravava sul rione da sempre, cioè fin da quando avevamo memoria, cedeva almeno un poco se Peluso, l'ex falegname, non aveva affondato il coltello nel collo di don Achille, se a farlo era stato l'abitante delle fogne, se la figlia dell'assassino sposava il figlio della vittima. C'era qualcosa di insostenibile nelle cose, nelle persone, nelle palazzine, nelle strade, che solo reinventando tutto come in un gioco diventava accettabile. L'essenziale, però, era saper giocare e io e lei, io e lei soltanto, sapevamo farlo.

Mi chiese a un certo punto, senza un nesso evidente ma come se tutti quei discorsi non potessero che arrivare a quella domanda:

«Siamo ancora amiche?».

«Sì».

«Allora me lo fai un piacere?».

Avrei fatto per lei qualsiasi cosa, in quella mattina di riavvicinamento: fuggire di casa, lasciare il rione, dormire nei cascinali, nutrirci di radici, discendere nelle fogne attraverso le saittelle, non tornare più indietro, nemmeno se faceva freddo, nemmeno se pioveva. Ma ciò che mi chiese mi sembrò niente e lì per lì mi deluse. Voleva semplicemente che ci vedessimo una volta al giorno, ai giardinetti, anche solo per un'ora, prima di cena, e che portassi i libri di latino.

«Non ti darò fastidio» disse.

Sapeva già che ero stata rimandata e voleva studiare insieme con me.

7.

In quegli anni della scuola media molte cose ci cambiarono sotto gli occhi, ma giorno per giorno, tanto che non ci sembrarono veri cambiamenti.

Il bar Solara si ampliò, diventò una fornitissima pasticceria – il cui pasticciere provetto era il padre di Gigliola Spagnuolo – che la domenica si affollava di uomini giovani e anziani che compravano paste per le loro famiglie. I due figli di Silvio Solara, Marcello che era intorno ai vent'anni e Michele appena più piccolo, si comprarono un Millecento bianco e blu e la domenica si pavoneggiavano andando avanti e indietro per le vie del rione.

L'ex falegnameria di Peluso, che una volta nelle mani di don Achille era diventata una salumeria, si riempì di cose buone che occuparono anche un po' di marciapiede. A passarci davanti si sentiva un odore di spezie, d'olive, di salami, di pane fresco, di cicoli e sugna, che metteva fame. La morte di don Achille aveva lentamente allontanato la sua ombra truce da quel luogo e dall'intera famiglia. La vedova, donna Maria, aveva assunto toni molto cordiali e ora gestiva lei in persona il negozio insieme a Pinuccia, la figlia quindicenne, e a Stefano, che non era più il ragazzino infuriato che aveva cercato di strappare la lingua a Lila, ma s'era fatto compassato, lo sguardo accattivante, il sorriso mite. La clientela era molto aumentata. Mia madre stessa mi mandava lì a fare la spesa, e mio padre non si opponeva, anche perché quando non c'erano soldi Stefano segnava tutto su un libricino e pagavamo a fine mese.

Assunta, che vendeva frutta e verdura per le strade insieme a suo marito Nicola, s'era dovuta ritirare per un brutto mal di schiena, e dopo qualche mese una polmonite aveva quasi ammazzato il suo consorte. Tuttavia quei due infortuni s'erano rivelati un bene. Adesso, ad andare in giro ogni mattina per le vie del rione con la carretta tirata dal cavallo, d'estate e d'inverno, con la pioggia e col sole, era il figlio grande, Enzo, che non aveva quasi più niente del bambino che ci tirava i sassi, era diventato un ragazzo tarchiato, l'aria forte e sana, i capelli biondi arruffati, gli occhi azzurri, una voce spessa con cui vantava la sua merce. Il ragazzo aveva ottimi prodotti e comunicava anche solo coi gesti un'onesta, rassicurante disposizione a servire le clienti. Maneggiava la bilancia con grande perizia. Mi piaceva molto la velocità con cui faceva correre il peso lungo l'asta fino a trovare l'equilibrio giusto e poi via, rumor di ferro che striscia veloce contro ferro, incartava le patate o la frutta e correva a metterle nel paniere della signora Spagnuolo o in quello di Melina, o di mia madre.

In tutto il rione fiorivano iniziative. Alla merceria, dove Carmela Peluso aveva cominciato da poco a lavorare da commessa, di punto in bianco s'era associata una giovane sarta e il negozio s'era ampliato, puntava a trasformarsi in un'ambiziosa sartoria per signore. L'officina dove lavorava il figlio di Melina, Antonio, grazie al figlio del vecchio proprietario, Gentile Gorresio, stava cercando di diventare una fabbrichetta di ciclomotori. Tutto insomma tremolava, si inarcava come per cambiare i connotati, non farsi riconoscere negli odi accumulati, nelle tensioni, nelle brutture, e mostrare invece una faccia nuova. Mentre io e Lila studiavamo latino ai giardinetti, anche il puro e semplice spazio che avevamo intorno, la fontanella, il cespuglio, una buca di lato alla strada, cambiò. C'era un odore costante di pece, scoppiettava la macchina fumante col rullo compressore che avanzava lento sopra la stesa, lavoratori a torso nudo o in canottiera asfaltavano le strade e lo stradone. Si modificarono anche i colori. Il fratello grande di Carmela, Pasquale, fu preso per andare a tagliare le piante a ridosso della ferrovia. Quante ne tagliò, sentimmo il rumore dell'annientamento per giorni: le piante fremevano, emanavano un odore di legno fresco e verdura, fendevano l'aria, urtavano la terra dopo un lungo fruscio che sembrava un sospiro, e lui e altri segavano, spaccavano, estirpavano radici che emanavano un odore di sotterraneo. La macchia verde svanì e al suo posto comparve una spianata giallastra. Pasquale aveva trovato quel lavoro grazie a un colpo di fortuna. Qualche tempo prima un amico gli aveva detto che era venuta gente al bar Solara in cerca di ragazzi che andassero a tagliare di notte gli alberi di una piazza del centro di Napoli. Lui – anche se Silvio Solara e i suoi figli non gli piacevano, era in quel bar che suo padre s'era rovinato – poiché doveva mantenere la famiglia c'era andato. Era tornato stanchissimo, all'alba, le narici piene dell'odore del legno vivo, delle foglie martoriate e del mare. Poi da cosa nasce cosa, era stato chiamato ancora per lavori di quel genere. E ora stava nel cantiere a ridosso della ferrovia e lo vedevamo a volte arrampicato sulle impalcature degli edifici nuovi che levavano pilastri piano dietro piano, o col cappello fatto di giornale, sotto il sole, a mangiare il pane con la salsiccia e i friarielli durante la pausa del pranzo.

Lila si arrabbiava se guardavo Pasquale e mi distraevo. Fu chiaro presto, con mia grande meraviglia, che sapeva già molto latino. Le declinazioni, per esempio, le conosceva tutte, e anche i verbi. Le domandai cautamente come mai e lei, col suo piglio cattivo di ragazzina che non vuole perdere tempo, ammise che già quando ero andata in prima media aveva preso una grammatica in prestito alla biblioteca circolante, quella gestita dal maestro Ferraro, e se l'era studiata per curiosità. La biblioteca per lei era una grande risorsa. Chiacchiera dietro chiacchiera, mi mostrò fieramente tutte le tessere che aveva, quattro: una sua, una intestata a Rino, una a suo padre e una a sua madre. Con ciascuna prendeva un libro in prestito, così da averne quattro tutti insieme. Li divorava e la domenica successiva li riportava e ne prendeva altri quattro.

Non le chiesi mai che libri avesse letto e che libri leggesse, non ci fu tempo, dovevamo studiare. Mi interrogava e s'infuriava se non sapevo. Una volta mi diede uno schiaffo su un braccio, forte, con le sue mani lunghe e magre, e non mi chiese scusa, anzi disse che se sbagliavo ancora mi avrebbe picchiato di nuovo e più forte. Era incantata dal vocabolario di latino, così grosso, tante e tante pagine, pesante, non ne aveva mai visto uno. Vi cercava continuamene parole, non solo quelle presenti negli esercizi, ma anche tutte quelle che le venivano in mente.

Assegnava i compiti col tono che aveva appreso dalla nostra maestra Oliviero. M'imponeva di tradurre trenta frasi al giorno, venti dal latino in italiano e dieci dall'italiano in latino. Le traduceva anche lei, molto più velocemente di me. Alla fine dell'estate, quando l'esame era vicino, dopo aver osservato scettica come io cercavo le parole che non conoscevo sul vocabolario, nello stesso ordine secondo cui le trovavo disposte nella frase da tradurre, e mi appuntavo i significati principali, e solo allora mi sforzavo di capire il senso, disse cautamente:

«T'ha detto la professoressa di fare così?».

La professoressa non diceva mai niente, assegnava solo gli esercizi. Ero io che mi regolavo a quel modo.

Tacque per un po', quindi mi consigliò:

«Leggiti prima la frase in latino, poi va' a vedere dov'è il verbo. A seconda della persona del verbo capisci qual è il soggetto. Una volta che hai il soggetto ti cerchi i complementi: il complemento oggetto se il verbo è transitivo, o se no altri complementi. Prova così».

Provai. Tradurre all'improvviso mi sembrò facile. A settembre andai all'esame, feci lo scritto senza nemmeno un errore e all'orale seppi rispondere a tutte le domande.

«Chi ti ha fatto lezione?» chiese la professoressa, un po' accigliata.

«Una mia amica».

«Universitaria?».

Non sapevo cosa significasse. Risposi sì.

Lila mi stava aspettando fuori, all'ombra. Quando uscii l'abbracciai, le dissi che ero andata benissimo e le chiesi se volevamo studiare insieme per tutto l'anno seguente. Poiché era stata lei per prima a propormi di vederci solo per lo studio, invitarla a continuare mi sembrò un modo bello per dirle la mia gioia e la mia gratitudine. Si sottrasse con un gesto quasi di fastidio. Disse che voleva solo capire cos'era il latino che studiavano quelli bravi.

«E allora?».

«L'ho capito, basta».

«Non ti piace?».

«Sì. Mi prenderò qualche libro in biblioteca».

«In latino?».

«Sì».

«Ma c'è ancora molto da studiare».

«Studia tu per me, e se trovo difficoltà mi aiuti. Io adesso ho una cosa da fare con mio fratello».

«Cosa?».

«Poi ti faccio vedere».

8.

Ricominciarono le scuole e andai subito bene in tutte le materie. Non vedevo l'ora che Lila mi chiedesse di aiutarla in latino o altro e perciò, credo, non studiavo tanto per la scuola, quanto per lei. Diventai la prima della classe, neanche alle elementari ero stata così brava.

In quell'anno mi sembrò di dilatarmi come la pasta per le pizze. Diventai sempre più piena di petto, di cosce, di sedere. Una domenica che stavo andando ai giardinetti, dove avevo appuntamento con Gigliola Spagnuolo, mi si accostarono i fratelli Solara in Millecento. Marcello, il più grande, stava al volante, Michele, il più piccolo, gli sedeva accanto. Erano tutt'e due belli, coi capelli nerissimi e luccicanti, un sorriso bianco. Ma quello dei due che mi piaceva di più era Marcello, assomigliava a Ettore com'era raffigurato nella copia scolastica dell'*Iliade*. Mi accompagnarono per tutta la strada, io sul marciapiede e loro a lato, in Millecento.

«Ci sei mai andata in automobile?».

«No».

«Sali, ti facciamo fare un giro».

«Mio padre non vuole».

«E noi non glielo diciamo. Quando ti capita più di salire su una macchina come questa?».

Mai, io pensai. Ma intanto dissi no e continuai a dire no fino ai giardinetti, quando l'auto accelerò e sparì in un lampo oltre le palazzine in costruzione. Dissi no perché se mio padre fosse venuto a sapere che ero salita su quell'automobile, anche se era un uomo buono e caro, anche se mi voleva assai bene, mi avrebbe uccisa di mazzate subito, mentre in parallelo i miei due fratellini, Peppe e Gianni, sebbene piccoli d'età, si sarebbero sentiti obbligati, adesso e negli anni futuri, a cercare di ammazzare i fratelli Solara. Non c'erano regole scritte, si sapeva che era così e basta. Anche i Solara lo sapevano, tant'è vero che erano stati gentili, s'erano limitati solo a invitarmi a salire.

Non lo furono, qualche tempo dopo, con Ada, la figlia grande di Melina Cappuccio, vale a dire la vedova pazza che aveva dato scandalo quando i Sarratore avevano traslocato. Ada aveva quattordici anni. La domenica, di nascosto dalla madre, si metteva il rossetto e con le sue gambe lunghe e diritte, coi seni più grossi dei miei, sembrava grande e bella. I fratelli Solara le dissero parole volgari, Michele arrivò ad afferrarla per un braccio, ad aprire lo sportello della macchina, a tirarla dentro. La riportarono un'ora dopo nello stesso posto e Ada un po' era arrabbiata, un po' rideva.

Ma tra quelli che la videro tirata a forza in macchina ci fu chi lo riferì ad Antonio, il fratello maggiore che faceva il meccanico nell'officina di Gorresio. Antonio era un gran lavoratore, disciplinato, timidissimo, visibilmente ferito sia dalla morte precoce del padre, sia dagli squilibri della madre. Senza dire una sola parola ad amici e parenti andò davanti al bar Solara ad aspettare Marcello e Michele, e quando i due fratelli si fecero vivi li affrontò a pugni e calci senza dire nemmeno una parola di preambolo. Per qualche minuto se la cavò bene, ma poi vennero fuori Solara padre e uno dei baristi. In quattro pestarono Antonio a sangue e nessuno dei passanti, nessuno degli avventori, intervenne per aiutarlo.

Noi ragazzine ci dividemmo, su questo episodio. Gigliola Spagnuolo e Carmela Peluso parteggiarono per i due Solara, ma solo perché erano belli e avevano il Millecento. Io tentennai. In presenza delle mie due amiche propendevo per i Solara e facevamo la gara a chi li adorava di più, visto che effettivamente erano bellissimi e ci era impossibile non immaginarci la figura che avremmo fatto sedute accanto a uno di loro in automobile. Ma sentivo anche che quei due si erano comportati molto male con Ada e che Antonio, anche se non era una bellezza, anche se non era muscoloso come loro che andavano in palestra tutti i giorni a sollevare pesi, aveva avuto coraggio ad affrontarli. Perciò in presenza di Lila, che esprimeva senza mezzi termini quella mia stessa posizione, avanzavo anch'io qualche riserva.

Una volta la discussione diventò così accesa che Lila, forse perché non era sviluppata come noi e non conosceva il piacere-spavento di avere addosso lo sguardo dei Solara, diventò più pallida del solito e disse che, se le fosse successo quello che era successo a Ada, per evitare guai a suo padre e a suo fratello Rino ci avrebbe pensato di persona, a quei due.

«Tanto Marcello e Michele a te nemmeno ti guardano» disse Gigliola Spagnuolo, e pensammo che Lila si sarebbe arrabbiata. Invece rispose seria:

«Meglio così».

Era esile come sempre, ma tesa in ogni fibra. Le guardavo le mani meravigliata: in poco tempo le erano diventate come quelle di Rino, di suo padre, con la pelle dei polpastrelli gialliccia e spessa. Anche se nessuno la obbligava – non era quello il suo compito, nella bottega – s'era messa a fare lavoretti, preparava il filo, scuciva, incollava, anche orlava, e ora maneggiava gli strumenti di Fernando quasi come il fratello. Ecco perché di latino, quell'anno, non mi domandò mai niente. A un certo punto, invece, mi raccontò il progetto che aveva in mente, una cosa che non aveva nulla a che fare coi libri: stava cercando di convincere il padre a mettersi a fabbricare scarpe nuove. Ma Fernando non ne voleva sapere. «Fare le scarpe a mano» le diceva, «è un'arte senza futuro: oggi ci stanno le macchine e le macchine costano soldi e i soldi o stanno in banca o dagli usurai, non nelle tasche della famiglia Cerullo». Allora lei insisteva, lo riempiva di lodi sincere: «Come sai fare le scarpe tu, papà, non le sa fare nessuno». E lui rispondeva che, se anche era vero, ormai tutto si faceva nelle fabbriche, in serie, a basso costo, e poiché nelle fabbriche ci aveva lavorato, sapeva bene che schifezze finivano sul mercato; ma c'era poco da fare, la gente le volte che aveva bisogno di scarpe nuove non andava più dal ciabattino del rione, andava nei negozi del Rettifilo, sicché anche a voler fare a regola d'arte il prodotto artigianale, non lo vendevi, buttavi soldi e fatica, ti rovinavi.

Lila non s'era lasciata convincere e come al solito aveva tirato Rino dalla sua parte. Il fratello prima s'era schierato col padre, seccato dal fatto che lei mettesse bocca in cose di fatica, dove non era più questione di libri e l'esperto era lui. Poi s'era piano piano lasciato incantare e ora litigava con Fernando un giorno sì e uno no, ripetendo quello che gli aveva messo in testa lei.

«Facciamo almeno un tentativo».

«No».

«Hai visto l'automobile che hanno i Solara, hai visto come va bene la salumeria dei Carracci?».

«Ho visto che la merciaia che voleva fare la sartoria ci ha rinunciato e ho visto che Gorresio, per la stupidità del figlio, ha fatto il passo più lungo della gamba con la sua officina».

«Ma i Solara si stanno allargando sempre di più».

«Pensa ai fatti tuoi e lascia stare i Solara».

«Vicino alla ferrovia sta nascendo il rione nuovo».

«Chi se ne fotte».

«Papà, la gente guadagna e vuole spendere».

«La gente spende in cose da mangiare perché bisogna mangiare tutti i giorni. Invece le scarpe primo non si mangiano, e secondo, quando si rompono te le fai aggiustare e ti possono durare venti anni. Il nostro lavoro, oggi come oggi, è aggiustare le scarpe e basta».

Mi piaceva come quel ragazzo, sempre gentile con me ma capace di durezze che facevano un po' paura anche a suo padre, sostenesse sempre, in ogni circostanza, la sorella. Invidiavo a Lila quel fratello così solido e a volte pensavo che la differenza vera tra me e lei era che io avevo solo fratelli piccoli, quindi nessuno che avesse la forza di incoraggiarmi e sostenermi contro mia madre rendendomi libera di testa, mentre Lila poteva contare su Rino, che era capace di difenderla contro chiunque, qualsiasi cosa le venisse in mente. Ciò detto, io pensavo che Fernando avesse ragione, mi sentivo dalla sua parte. E ragionando con Lila, scoprii che lo pensava anche lei.

Una volta mi stava facendo vedere i disegni delle scarpe che voleva realizzare insieme al fratello, sia per maschi che per femmine. Erano disegni bellissimi, fatti su fogli a quadretti, ricchi di dettagli colorati con precisione, come se avesse avuto l'occasione di esaminare scarpe di quel tipo da vicino in qualche mondo parallelo al nostro e poi le avesse fissate sulla carta. In realtà le aveva inventate lei nel loro insieme e in ogni particolare, come faceva alle elementari quando disegnava principesse, tanto che, pur essendo normalissime scarpe, non assomigliavano a quelle che si vedevano nel rione, e nemmeno a quelle delle attrici dei fotoromanzi.

«Ti piacciono?».

«Sono molto eleganti».

«Rino dice che sono difficili».

«Ma le sa fare?».

«Giura di sì».

«E tuo padre?».

«Lui sicuramente è capace».

«Allora fatele».

«Papà non le vuole fare».

«Perché?».

«Ha detto che finché gioco io bene, ma lui e Rino non possono perdere tempo con me».

«Che significa?».

«Significa che per fare veramente le cose ci vuole tempo e spesa».

Fu sul punto di mostrarmi anche i conti che aveva buttato giù, di nascosto da Rino, per capire quanto denaro serviva veramente per realizzarle. Poi si fermò, ripiegò i fogli smanacciati e mi disse che era inutile perdere tempo: suo padre aveva ragione.

«Ma allora?».

«Ci dobbiamo provare lo stesso».

«Fernando s'arrabbierà».

«Se uno non prova, non cambia niente».

Ciò che doveva cambiare, secondo lei, era sempre la stessa cosa: da povere dovevamo diventare ricche, da niente che avevamo dovevamo arrivare al punto che avevamo tutto. Provai ad accennarle al vecchio progetto di scrivere romanzi come aveva fatto l'autrice di *Piccole donne*. Ero ferma lì, ci tenevo. Stavo imparando il latino apposta e sotto sotto ero convinta che lei prendesse tanti libri dalla biblioteca circolante del maestro Ferraro solo perché, anche se non andava più a scuola, anche se ora s'era fissata con le scarpe, voleva comunque scrivere un romanzo insieme con me e guadagnare moltissimo. Invece fece spallucce al modo suo noncurante, aveva ridimensionato *Piccole donne*. «Adesso» mi spiegò, «per diventare veramente ricche ci vuole un'attività economica». Sicché pensava di cominciare con un unico paio di scarpe, tanto per dimostrare a suo padre com'erano belle e comode; poi, una volta convinto Fernando, bisognava avviare la produzione: due paia di scarpe oggi, quattro domani, trenta in un mese, quattrocen-

to in un anno, per arrivare, nel giro di poco tempo, a mettere
su, lei, il padre, Rino, la madre, gli altri fratelli, un calzaturificio con le macchine e almeno cinquanta operai: il calzaturificio Cerullo.

«Una fabbrica di scarpe?».

«Sì».

Me ne parlò con molta convinzione, come sapeva fare lei,
con frasi in italiano che mi dipingevano davanti agli occhi l'insegna della fabbrica: Cerullo; il marchio impresso sulle tomaie:
Cerullo; e poi le scarpe Cerullo per intero, tutte splendenti,
tutte elegantissime come nei suoi disegni, di quelle che una
volta messe ai piedi, disse, sono così belle e comode che la sera
vai a dormire senza togliertele.

Ridemmo, ci divertimmo.

Poi Lila si bloccò. Sembrò rendersi conto che stavamo giocando come con le bambole anni prima, con Tina e Nu davanti allo sfiatatoio dello scantinato, e mi disse, per un'urgenza di
concretezza, accentuando l'aria di bambina-vecchia che mi
pareva stesse diventando il suo tratto caratteristico:

«Lo sai perché i fratelli Solara si credono di essere i padroni del rione?».

«Perché sono prepotenti».

«No, perché hanno i soldi».

«Tu dici?».

«Certo. Hai visto che Pinuccia Carracci non l'hanno mai di-
sturbata?».

«Sì».

«E lo sai invece perché si sono comportati come si sono
comportati con Ada?».

«No».

«Perché Ada non ha padre, suo fratello Antonio non conta
niente, e lei aiuta Melina a pulire le scale delle palazzine».

Di conseguenza, o facevamo i soldi anche noi, più dei Solara,
o, per difenderci dai due fratelli bisognava passare a fargli molto

male. Mi mostrò un trincetto taglientissimo che aveva preso nella bottega di suo padre.

«A me non mi toccano perché sono brutta e non ho il marchese» disse, «ma a te può essere di sì. Se succede, dimmelo».

La guardai confusa. Non sapevamo niente, a quasi tredici anni, di istituzioni, leggi, giustizia. Ripetevamo, e casomai facevamo con convinzione, quello che avevamo sentito e visto intorno a noi fin dalla prima infanzia. La giustizia non si realizzava a mazzate? Peluso non aveva ucciso don Achille? Tornai a casa. Mi resi conto che con quelle ultime frasi aveva ammesso di tenere molto a me e mi sentii felice.

9.

Superai l'esame di licenza media con tutti otto, nove in italiano e nove in latino. Risultai la migliore della scuola: migliore di Alfonso, che ebbe la media dell'otto, e di gran lunga migliore di Gino. Per giorni e giorni mi gustai quel primato assoluto. Fui molto lodata da mio padre, che da quel momento cominciò a vantarsi con tutti di questa sua figlia primogenita che aveva avuto nove in italiano e nove, nientemeno, in latino. Mia madre, a sorpresa, mentre era in cucina in piedi accanto al lavandino a mondare verdura, mi disse senza girarsi:

«Ti puoi mettere il mio braccialetto d'argento, la domenica, ma non lo perdere».

Meno successo ebbi nel cortile. Lì contavano solo gli amori e i fidanzati. Quando dissi a Carmela Peluso che ero la migliore della scuola lei attaccò subito a parlarmi di come la guardava Alfonso quando passava. Gigliola Spagnuolo si amareggiò molto perché era stata rimandata in latino e matematica e cercò di recuperare prestigio raccontando che Gino le andava dietro ma lei non gli dava confidenza perché era innamorata di Marcello Solara e forse anche Marcello l'amava. Anche Lila non mostrò particolare contentezza. Quando le elencai i voti materia dietro materia, disse ridendo, col tono suo di cattiva:

«Dieci non te l'hanno messo?».

Ci restai male. Dieci si metteva solo in condotta, i professori non l'avevano dato a nessuno nelle materie importanti. Ma bastò quella frase perché un pensiero latente mi diventasse di colpo palese: se lei fosse venuta a scuola con me, nella mia stessa classe, se gliel'avessero permesso, adesso avrebbe avuto tutti dieci, e questo lo sapevo da sempre, e lo sapeva anche lei, e ora me lo faceva pesare.

Andai a casa covando il dolore di essere la prima senza essere veramente la prima. Per di più i miei genitori cominciarono a parlare tra loro di dove potevano collocarmi, ora che avevo nientemeno la licenza media. Mia madre voleva chiedere alla cartolaia di prendermi come aiutante: secondo lei, così brava com'ero, ero adatta a vendere penne, matite, quaderni e libri di scuola. Mio padre fantasticava di trafficare in futuro con le sue conoscenze al comune in modo da sistemarmi in un ruolo di prestigio. Sentii una tristezza dentro che, pur non definendosi, crebbe, crebbe, crebbe fino al punto che non mi andava di uscire nemmeno la domenica.

Non ero più contenta di me, tutto mi parve appannato. Mi guardavo allo specchio e non vedevo quello che mi sarebbe piaciuto vedere. I capelli da biondi erano diventati castani. Avevo un naso largo, schiacciato. Tutto il mio corpo continuava a dilatarsi ma senza crescere in altezza. E anche la pelle mi si stava guastando: sulla fronte, sul mento, intorno alle mascelle, si moltiplicavano arcipelaghi di gonfiori rossastri che poi diventavano violacei, infine mettevano punte giallicce. Cominciai per mia scelta ad aiutare mia madre a pulire la casa, a cucinare, a star dietro al disordine che si lasciavano alle spalle i miei fratelli, a occuparmi di Elisa, la piccola. Nei ritagli di tempo non uscivo, mi mettevo in un angolo e leggevo i romanzi che prendevo alla biblioteca: Grazia Deledda, Pirandello, Čechov,

Gogol', Tolstoj, Dostoevskij. A volte sentivo forte il bisogno di andare a cercare Lila alla bottega e parlarle di personaggi che mi erano molto piaciuti, di frasi che avevo imparato a memoria, ma poi lasciavo perdere: avrebbe detto qualcosa di cattivo; avrebbe attaccato a parlare dei progetti che faceva insieme a Rino, scarpe, calzaturificio, soldi, e io piano piano avrei sentito inutili i romanzi che leggevo e squallida la mia vita, il futuro, ciò che sarei diventata: una commessa grassa e brufolosa nella cartoleria di fronte alla parrocchia, un'impiegata comunale zitella, presto o tardi strabica e claudicante.

Una domenica, spinta da un invito arrivato per posta a mio nome, col quale il maestro Ferraro mi convocava in mattinata in biblioteca, decisi finalmente di reagire. Cercai di farmi bella come mi era sembrato di essere fin da piccola, come volevo credere ancora di essere, e uscii. Passai tempo a spremermi i brufoli col risultato di infiammarmi ancora più la faccia, misi il braccialetto d'argento di mia madre, mi sciolsi i capelli. Ma continuai a non piacermi. Depressa, nel caldo che in quella stagione si poggiava sul rione fin dal mattino come una mano gonfia di febbre, feci la strada fino alla biblioteca.

Capii subito, dalla piccola folla di genitori e ragazzini delle elementari e delle medie che stava affluendo attraverso l'ingresso principale, che qualcosa non funzionava come al solito. Entrai. C'erano file di sedie tutte già occupate, festoni colorati, il parroco, Ferraro, persino il direttore della scuola elementare e la Oliviero. Il maestro, scoprii, s'era inventato di premiare con un libro a testa i lettori che dai suoi registri risultavano i più assidui. Poiché la cerimonia stava per cominciare e il prestito era momentaneamente sospeso, mi sedetti nel fondo della saletta. Cercai Lila, ma vidi soltanto Gigliola Spagnuolo insieme a Gino e ad Alfonso. Mi agitai sulla sedia, a disagio. Dopo un po' presero posto accanto a me Carmela Peluso e suo fratello Pasquale. Ciao, ciao. Mi coprii meglio le guance irritate con i capelli.

La piccola cerimonia cominciò. I premiati furono: prima Raffaella Cerullo, secondo Fernando Cerullo, terza Nunzia Cerullo, quarto Rino Cerullo, quinta Elena Greco, cioè io.

A me venne da ridere e anche a Pasquale. Ci guardammo, soffocammo le risate, mentre Carmela sussurrava insistente: «Perché ridete?». Non le rispondemmo: ci guardammo di nuovo e ridemmo con la mano contro la bocca. Così, con la risata che mi sentivo ancora negli occhi, con un inatteso senso di benessere, dopo che il maestro ebbe chiesto a più riprese e inutilmente se qualcuno della famiglia Cerullo era in sala, fui chiamata io, quinta in classifica, a ritirare il mio premio. Ferraro mi consegnò con molte lodi *Tre uomini in barca* di Jerome K. Jerome. Ringraziai e chiesi in un soffio:

«Posso ritirare anche i premi della famiglia Cerullo, così glieli porto?».

Il maestro mi diede i libri-premio di tutti i Cerullo. Mentre uscivamo, mentre Carmela raggiungeva astiosa Gigliola che chiacchierava tutta felice con Alfonso e Gino, Pasquale mi disse in dialetto cose che mi fecero sempre più ridere su Rino che si consumava la vista sui libri, su Fernando lo scarparo che non dormiva la notte per leggere, sulla signora Nunzia che leggeva in piedi, accanto ai fornelli, mentre cucinava la pasta con le patate, in una mano un romanzo e in un'altra il mestolo. Era stato alle elementari nella stessa classe di Rino, nello stesso banco – mi disse, lacrime agli occhi per il divertimento – e tutt'e due insieme, lui e il suo amico, anche aiutandosi a vicenda, dopo sei o sette anni di scuola comprese le ripetenze, riuscivano a leggere al massimo: Sali e Tabacchi, Salumeria, Poste e Telegrafi. Quindi mi chiese qual era il premio del suo ex compagno di scuola.

«*Bruges la morta*».

«Ci stanno i fantasmi?».

«Non lo so».

«Posso venire con te quando glielo consegni? Anzi, glielo posso dare io, con le mie mani?».

Scoppiammo a ridere di nuovo.

«Sì».

«Gli hanno dato il premio, a Rinuccio. Cose da pazzi. È Lina che si legge tutto, madonna mia com'è brava quella ragazza».

Mi consolarono molto le attenzioni di Pasquale Peluso, mi piacque che mi facesse ridere. Forse non sono così brutta, pensai, forse sono io che non so vedermi.

In quel momento mi sentii chiamare, era la maestra Oliviero.

La raggiunsi, mi guardò col suo sguardo sempre valutativo e mi disse, quasi a confermarmi la legittimità di un giudizio più generoso sul mio aspetto:

«Come sei bella, come ti sei fatta grande».

«Non è vero, maestra».

«È vero, sei una stella, in salute, bella grassa. E anche brava. Ho saputo che sei stata la migliore della scuola».

«Sì».

«Adesso che farai?».

«Andrò a lavorare».

Si adombrò.

«Non se ne parla nemmeno, tu devi continuare a studiare».

La guardai sorpresa. Cosa c'era ancora da studiare? Non sapevo niente degli ordinamenti scolastici, non sapevo di preciso cosa c'era dopo la licenza media. Parole tipo liceo, università per me erano prive di sostanza, come tantissime parole che incontravo nei romanzi.

«Non posso, i miei genitori non mi mandano».

«Quanto ti ha dato in latino il professore di lettere?».

«Nove».

«Sicuro?».

«Sì».

«Allora ci parlo io coi tuoi genitori».

Feci per allontanarmi, devo dire un po' spaventata. Se la Oliviero fosse davvero andata da mio padre e mia madre a dir loro di farmi studiare ancora, avrebbe scatenato di nuovo litigi che non avevo voglia di affrontare. Preferivo le cose come stavano: aiutare mia madre, lavorare nella cartoleria, accettare la bruttezza e i brufoli, essere in salute, bella grassa, come diceva la Oliviero, e faticare nella miseria. Non lo faceva già Lila da almeno tre anni, a parte i suoi sogni pazzi di figlia e sorella di scarpari?

«Grazie, maestra» dissi, «arrivederci».

Ma la Oliviero mi trattenne per un braccio.

«Non perdere tempo con quello» disse accennando a Pasquale che mi stava aspettando. «Fa il muratore, non andrà mai oltre. E poi viene da una brutta famiglia, suo padre è comunista e ha ammazzato don Achille. Non ti voglio assolutamente vedere con lui, che sicuramente è comunista come il padre».

Feci un cenno di assenso e mi allontanai senza salutare Pasquale, che prima restò interdetto, poi sentii con piacere che mi veniva dietro a dieci passi di distanza. Non era un ragazzo bello, ma nemmeno io lo ero più. Aveva i capelli molto ricci e neri, era scuro di pelle e di sole, aveva la bocca larga ed era figlio di assassino, forse anche comunista.

Mi rigirai nella testa *comunista*, parola per me priva di senso, ma a cui la maestra aveva subito impresso un marchio di negatività. Comunista, comunista, comunista. Mi sembrò ammaliante. Comunista e figlio di assassino.

Intanto, voltato l'angolo, Pasquale mi raggiunse. Facemmo la strada insieme fino a pochi metri da casa e, riprendendo a ridere, ci demmo un appuntamento per il giorno dopo, quando saremmo andati alla bottega dello scarparo per consegnare i libri a Lila e a Rino. Prima di separarci Pasquale mi disse anche che la domenica seguente lui, sua sorella e chiunque volesse andavano a casa di Gigliola a imparare a ballare. Mi chiese se volevo andare anch'io, casomai insieme a Lila. Restai a bocca aperta, sapevo già che mia madre non mi ci avrebbe mai mandata. Ma dissi ugualmente: va bene, ci penso. Lui allora mi tese la mano e io, che non ero abituata a un gesto di quel tipo, esitai, gli sfiorai appena la sua, dura, rasposa, e mi ritrassi.

«Fai sempre il muratore?» gli chiesi, anche se sapevo già che lo faceva.

«Sì».

«E sei comunista?».

Mi guardò con uno sguardo perplesso.

«Sì».

«E ci vai a trovare tuo padre a Poggioreale?».

Diventò serio:

«Quando posso».

«Ciao».

«Ciao».

10.

La maestra Oliviero, quello stesso pomeriggio, si presentò a casa mia senza preavviso, gettando nella più totale angoscia mio padre e inasprendo mia madre. Si fece giurare da entrambi che mi avrebbero iscritto al liceo classico più vicino. Si offrì di trovarmi lei stessa i libri che mi sarebbero serviti. Riferì a mio padre, ma guardando me con severità, che mi aveva vista da sola con Pasquale Peluso, una compagnia del tutto inadeguata a me che ero di belle speranze.

I miei genitori non osarono contraddirla. Le giurarono anzi solennemente che mi avrebbero mandata in quarto ginnasio e mio padre disse nero: «Lenù, non t'azzardare mai più a parlare con Pasquale Peluso». Prima di accomiatarsi la maestra mi chiese di Lila, sempre in presenza dei miei genitori. Le risposi che aiutava il padre e il fratello, teneva in ordine i conti e il negozio. Ebbe una smorfia di dispetto, mi domandò:

«Lo sa che hai preso nove in latino?».

Feci cenno di sì.

«Dille che adesso studierai pure il greco. Diglielo».

Si accomiatò dai miei genitori tutta impettita.

«Questa ragazza» esclamò, «ci darà grandissime soddisfazioni».

La sera stessa, mentre mia madre, furiosa, diceva che ora bisognava mandarmi per forza nella scuola dei signori, altrimenti la Oliviero l'avrebbe sfinita dandole il tormento e avrebbe pure bocciato chissà quante volte la piccola Elisa per rappresaglia; mentre mio padre, come se fosse quello il problema principale, minacciava di spezzarmi tutt'e due le gambe se avesse saputo che ero stata ancora a tu per tu con Pasquale Peluso, si sentì un grido altissimo che ci tolse la parola. Era Ada, la figlia di Melina, che invocava aiuto.

Corremmo alle finestre, c'era un gran trambusto nel cortile. Si capì che Melina, la quale dopo il trasloco dei Sarratore si era in genere comportata bene – un po' malinconica certo, un po' svagata, ma nella sostanza le stranezze erano diventate rare e innocue, tipo cantare a voce altissima mentre lavava le scale delle palazzine o gettare secchiate d'acqua sporca in strada senza badare a chi passava –, stava avendo una crisi nuova di follia, una sorta di pazzia della felicità. Rideva, saltava sul letto di casa e si tirava su la gonna mostrando le cosce scarne e le mutande ai figli spaventati. Questo mia madre capì, interrogando dalla finestra le donne affacciate alle finestre. Io vidi che anche Nunzia Cerullo e Lila accorrevano per vedere cosa stava succedendo e provai a infilare la porta per raggiungerle, ma mia madre me lo impedì. Si ravviò i capelli e, col suo passo claudicante, andò lei a valutare la situazione.

Al ritorno era indignata. Qualcuno aveva recapitato a Melina un libro. Un libro, sì, un libro. A lei, che aveva al massimo la seconda elementare e non ne aveva mai letto uno in vita sua. Il libro portava in copertina il nome di Donato Sarratore. Dentro, sulla prima pagina, aveva una dedica a penna per Melina e c'erano segnate pure, con l'inchiostro rosso, le poesie che aveva scritto per lei.

Mio padre, a sentire quella stranezza, insultò in modo molto osceno il ferroviere-poeta. Mia madre disse che qualcuno si sarebbe dovuto incaricare di spaccare a quell'uomo di merda la testa di merda che aveva. Sentimmo per tutta la notte Melina che cantava di felicità, sentimmo le voci dei figli, specialmente Antonio e Ada, che provavano a calmarla ma non ci riuscivano.

Io invece ero travolta dalla meraviglia. Nella stessa giornata avevo attirato l'attenzione di un giovane tenebroso come Pasquale, mi si era spalancata davanti una nuova scuola e avevo scoperto che una persona fino a qualche tempo prima residente nel rione, proprio nella palazzina di fronte alla nostra, aveva pubblicato un libro. Cosa, quest'ultima, che dimostrava come Lila avesse avuto ragione a pensare che potesse succedere anche a noi. Certo, lei ormai ci aveva rinunciato, ma io forse, a forza di andare in quella scuola difficile che si chiamava ginnasio, corroborata nel caso dall'amore di Pasquale, avrei potuto scriverne uno da sola, come aveva fatto Sarratore. Chissà, se tutto fosse andato per il meglio sarei diventata ricca prima di Lila coi suoi disegni di scarpe e la sua fabbrica di calzature.

11.

Il giorno dopo andai segretamente all'appuntamento con Pasquale Peluso. Lui arrivò trafelato coi panni del lavoro, tutto sudato, chiazze bianche di calce dappertutto. Per strada gli raccontai la storia di Donato e Melina. Gli dissi che in quegli ultimi avvenimenti c'era la prova che Melina non era pazza, che Donato s'era veramente innamorato di lei e l'amava ancora. Ma già mentre parlavo, già mentre Pasquale mi dava ragione manifestando sensibilità per le cose d'amore, mi resi conto che, di quegli ultimi sviluppi, ciò che continuava ad accendermi più di ogni altra cosa era che Donato Sarratore aveva nientemeno pubblicato un libro. Quell'impiegato delle Ferrovie era diventato autore di un volume che il maestro Ferraro avrebbe potuto mettere benissimo nella biblioteca e darlo in prestito. Dunque, dissi a Pasquale, tutti noi avevamo conosciuto non un tipo qualsiasi, fragile per come si faceva mettere i piedi in testa dalla moglie Lidia, ma un poeta. Dunque, sotto i nostri occhi era nato un suo tragico amore, e a ispirarglielo era stata una persona che conoscevamo benissimo, vale a dire Melina. Mi eccitai molto, il cuore mi batteva forte. Ma mi accorsi che su quel tema Pasquale non riusciva a seguirmi, diceva sì solo per non contraddirmi. E infatti dopo un po' cominciò a svicolare, passò a farmi domande su Lila: com'era stata a scuola, che pensavo di lei, se eravamo molto amiche. Risposi volentieri: era la prima volta che qualcuno m'interrogava sulla mia amicizia con lei e ne parlai per tutto il tragitto con grande entusiasmo. Fu anche la prima volta che sentii come, dovendo cercare le parole per un tema per il quale non avevo parole pronte, tendessi a ridurre il rapporto tra me e Lila ad affermazioni tutte sopratono e di esclamativa positività.

Quando arrivammo al negozio dello scarparo ne stavamo ancora parlando. Fernando era andato a casa a fare la controra, ma Lila e Rino stavano l'uno accanto all'altro con facce cupe, chini su qualcosa che guardavano con ostilità, e appena ci videro oltre la porta a vetri misero tutto via. Consegnai alla mia amica i regali del maestro Ferraro, mentre Pasquale prendeva in giro l'amico aprendogli sotto il naso il suo premio e dicendogli: «Poi quando ti sei letto la storia di questa Bruges la morta mi dici se t'è piaciuto e casomai me lo leggo pure io». Risero molto tra loro e ogni tanto si sussurravano frasi all'orecchio su Bruges, frasi sicuramente oscene. Notai però a un certo punto che, pur scherzando con Rino, Pasquale lanciava sguardi furtivi a Lila. Perché la guardava così, cosa cercava, cosa ci vedeva? Erano sguardi lunghi e intensi di cui lei pareva non accorgersi nemmeno, mentre – mi sembrò – più ancora di me ci stava facendo caso Rino, che presto trascinò fuori in strada Pasquale come per evitare che sentissimo che cosa li diver-

tiva di Bruges, in realtà infastidito da come l'amico gli guardava la sorella.

Io accompagnai Lila nel retrobottega sforzandomi di vederle addosso ciò che aveva attratto l'attenzione di Pasquale. Mi
sembrò sempre la stessa ragazzina esile, pelle e ossa, esangue, a
parte forse il taglio più grande degli occhi e una piccola ondu-
lazione del petto. Lei sistemò i libri tra altri libri che aveva, in
mezzo alle scarpe vecchie e a certi quaderni con le copertine
molto malconce. Accennai alle pazzie di Melina, ma soprattutto cercai di trasmetterle tutto il mio entusiasmo perché finalmente potevamo dire che conoscevamo uno che aveva appena
pubblicato un libro, Donato Sarratore. Le mormorai in italiano:
«Pensa, suo figlio Nino era a scuola con noi; pensa, tutta la famiglia Sarratore forse diventerà ricca». Lei fece un mezzo sorriso scettico.

«Con questo?» disse. Allungò una mano e mi mostrò il libro
di Sarratore.

Glielo aveva dato Antonio, il figlio grande di Melina, per
levarlo per sempre dalla vista e dalle mani della madre. Lo
presi, esaminai il volumetto. S'intitolava *Prove di sereno*. Aveva
una copertina rossastra con un disegno di sole splendente in
cima a una montagna. Fu emozionante leggere proprio sopra il
titolo: Donato Sarratore. Lo aprii, recitai ad alta voce la dedica a penna: *A Melina che ha nutrito il mio canto. Donato. Napoli, 12 giugno 1958*. Mi emozionai, sentii un brivido dietro la
nuca, alla radice dei capelli. Dissi:

«Nino avrà una macchina più bella di quella dei Solara».

Ma Lila fece uno di quei suoi sguardi intensi e vidi che s'era
come saldata al libro che avevo tra le mani.

«Se succede si saprà» borbottò. «Per ora quelle poesie hanno fatto solo danno».

«Perché?».

«Sarratore non ha avuto il coraggio di andare di persona da
Melina e al posto suo le ha mandato il libro».

«E non è una cosa bella?».

«Chi lo sa. Adesso Melina lo aspetta e se Sarratore non viene soffrirà più di quanto ha sofferto fino a ora».

Che bei discorsi. Le guardai la pelle bianchissima, liscia, non una screpolatura. Le guardai le labbra, la forma delicata delle orecchie. Sì, pensai, forse sta cambiando, e non solo fisicamente, anche nel modo di esprimersi. Mi sembrò – formulato con parole d'oggi – che non solo sapesse dire bene le cose ma che stesse sviluppando un dono che già conoscevo: meglio di come faceva da bambina, prendeva i fatti e li rendeva con naturalezza carichi di tensione; rinforzava la realtà mentre la riduceva a parole, le iniettava energia. Ma mi accorsi anche, con piacere, che appena cominciava a farlo, ecco che mi sentivo anch'io la capacità di fare lo stesso e ci provavo e mi veniva bene. Questo – pensai contenta – mi distingue da Carmela e da tutte le altre: io m'infiammo insieme a lei, qui, nel momento stesso in cui mi parla. Che belle mani forti aveva, che bei gesti le venivano, che sguardi.

Ma mentre Lila ragionava d'amore, mentre ne ragionavo io, il piacere si incrinò e mi venne un brutto pensiero. Capii di colpo che mi ero sbagliata: Pasquale il muratore, il comunista, il figlio dell'assassino, aveva voluto accompagnarmi fin lì non per me, ma per lei, per avere l'occasione di vederla.

12.

Pensare quella cosa mi tolse il respiro per un attimo. Quando i due giovani rientrarono interrompendo i nostri discorsi, Pasquale confessò ridendo che era scappato dal cantiere senza dire niente al capomastro, ma doveva tornare subito a lavorare. Notai che guardava di nuovo Lila a lungo, intensamente, quasi contro la sua volontà, forse per segnalarle: sto correndo il rischio di essere licenziato solo per te. E intanto disse rivolgendosi a Rino:

«Domenica andiamo tutti a ballare da Gigliola, viene anche Lenuccia, ci venite pure voi?».

«Domenica è lontana, poi ci pensiamo» rispose Rino.

Pasquale lanciò un ultimo sguardo a Lila, che non gli prestò alcuna attenzione, poi filò via senza chiedermi se volevo andare con lui.

Provai un fastidio che mi rese nervosa. Cominciai a toccarmi le guance con le dita proprio nelle zone più infiammate, me ne accorsi e m'imposi di non farlo più. Mentre Rino recuperava da sotto il panchetto le cose a cui stava lavorando prima che arrivassimo, e se le studiava perplesso, riprovai a parlare con Lila di libri, di storie d'amore. Gonfiammo a dismisura Sarratore, la pazzia d'amore di Melina, il ruolo di quel libro. Cosa sarebbe accaduto? Che reazioni avrebbe scatenato non la lettura dei versi ma l'oggetto in sé, il fatto che la sua copertina, il titolo, il nome e il cognome avevano acceso di nuovo il cuore della donna? Parlammo così appassionatamente che Rino all'improvviso perse la pazienza e ci gridò:

«La smettete? Lila, vediamo di lavorare, se no torna papà e non si può fare più niente».

Smettemmo. Diedi uno sguardo a ciò che stavano facendo, una forma di legno assediata da un garbuglio di suolette, striscioline di pelle, pezzi di cuoio spesso tra coltelli e lesine e ferri di vario tipo. Lila mi disse che lei e Rino stavano provando a realizzare una scarpa maschile da viaggio e suo fratello, subito dopo, in ansia, mi fece giurare su mia sorella Elisa che di quella cosa non ne avrei parlato mai con nessuno. Stavano lavorando di nascosto da Fernando, Rino s'era procurato il cuoio e la pelle da un amico che si guadagnava la giornata in una conceria al Ponte di Casanova. Dedicavano alla realizzazione della scarpa cinque minuti adesso, dieci domani, perché non c'era stato modo di convincere il padre ad aiutarli, anzi ogni volta che tiravano fuori quel discorso Fernando mandava a casa Lila urlando che non voleva vederla più in bottega e intanto minacciava di uccidere Rino che s'era messo in testa a diciannove anni, mancandogli di rispetto, di poter essere da più di lui.

Feci finta di interessarmi alla loro impresa segreta, di fatto me ne rammaricai. Sebbene entrambi i fratelli mi avessero coinvolta scegliendomi a loro confidente, si trattava pur sempre di un'esperienza dentro cui potevo entrare soltanto come testimone: Lila per quella strada avrebbe fatto cose grandi da sola, io ero esclusa. Ma soprattutto, come poteva essere che, dopo i nostri discorsi intensi sull'amore e la poesia, lei mi accompagnasse alla porta come stava facendo, ritenendo ben più interessante quel clima di tensione intorno a una scarpa? Avevamo parlato così bene di Sarratore e di Melina. Non potevo credere che, pur accennandomi a quel coacervo di cuoi e pelle e arnesi, non le durasse dentro come a me l'ansia per la donna che soffriva d'amore. Che m'importava delle calzature. Avevo ancora intorno, negli occhi, i movimenti più segreti di quella vicenda di fedeltà violata, di passione, di canto che diventava libro, ed era come se lei e io avessimo letto insieme un romanzo, come se avessimo visto, lì nel retrobottega e non nella sala parrocchiale la domenica, un film molto drammatico. Mi sentii addolorata per lo sperpero, perché ero costretta ad andar via, perché lei preferiva l'avventura delle scarpe ai nostri discorsi, perché sapeva essere autonoma e invece io avevo bisogno di lei, perché aveva cose sue dentro cui non potevo entrare, perché Pasquale, uno grande d'età, non un ragazzino, di certo avrebbe cercato altre occasioni per guardarla e sollecitarla e cercare di convincerla a fidanzarsi in segreto con lui e a farsi baciare, toccare, come si diceva che si facesse quando ci si fidanzava; perché, insomma, mi avrebbe sentita sempre meno necessaria.

Perciò, quasi per cacciar via il senso di repulsione che mi causavano quei pensieri, quasi per sottolineare il mio valore e la mia indispensabilità, le dissi di getto che sarei andata al ginnasio. Glielo dissi sulla porta del negozio, quando anzi ero già in strada. Le raccontai che era stata la maestra Oliviero a impormelo ai miei genitori, promettendo di procurarmi lei stessa, gratis, i libri usati. Lo feci perché volevo che si rendesse conto che ero più unica che rara e che, se pure fosse diventata ricca fabbricando scarpe insieme a Rino, non avrebbe potuto fare a meno mai di me come io non potevo fare a meno di lei.

Mi guardò perplessa.

«Cos'è il ginnasio?» chiese.

«Una scuola importante che sta dopo la scuola media».

«E tu che ci vai a fare?».

«A studiare».

«Cosa?».

«Il latino».

«E basta?».

«Anche il greco».

«Il greco?».

«Sì».

Fece l'espressione di chi s'è persa e non trova niente da dire. Infine mormorò senza nessun nesso:

«La settimana scorsa m'è venuto il marchese».

E sebbene Rino non l'avesse chiamata, rientrò.

13.

Adesso dunque sanguinava anche lei. I movimenti segreti del corpo, che avevano raggiunto me per prima, erano arrivati come l'onda di un terremoto anche a lei e l'avrebbero cambiata, stava già cambiando. Pasquale – pensai – se n'è accorto prima di me. Lui e probabilmente altri ragazzi. Perse velocemente aura il fatto che sarei andata al ginnasio. Per giorni non riuscii a pensare ad altro che all'incognita dei mutamenti che avrebbero investito Lila. Sarebbe diventata bella come Pinuccia Carracci o

Gigliola o Carmela? Sarebbe imbruttita come me? Tornai a casa e mi studiai allo specchio. Com'ero davvero? Come sarebbe stata, presto o tardi, lei?

Presi a curarmi di più. Una domenica pomeriggio, in occasione del solito passeggio dallo stradone ai giardinetti, indossai il mio vestito della festa, un abito azzurro con una scollatura quadrata, e misi anche il braccialetto d'argento di mia madre. Quando m'incontrai con Lila provai un segreto piacere a vederla com'era tutti i giorni, i capelli nerissimi in disordine, un vestitino liso e scolorito. Non c'era niente che la differenziasse dalla solita Lila, una bambina nervosa e scarna. Mi sembrò solo più slanciata, da piccolina che era s'era fatta alta quasi quanto me, forse solo un centimetro in meno. Ma cos'era mai quel cambiamento? Io avevo un seno grande, forme di donna.

Arrivammo fino ai giardinetti, tornammo indietro, rifacemmo la strada fino ai giardinetti. Era presto, non c'era ancora il brusio della domenica, i venditori di nocelle e mandorle tostate e lupini. Lila tornò a chiedermi cautamente del ginnasio. Le dissi quel poco che sapevo ma gonfiandolo il più possibile. Volevo che se ne incuriosisse, che desiderasse almeno un poco partecipare a quella mia avventura dall'esterno, che sentisse di perdere qualcosa di me come io temevo sempre di perdere molto di lei. Camminavo dal lato della strada, lei all'interno. Parlavo, ascoltava con molta attenzione.

Poi ci affiancò il Millecento dei Solara, alla guida c'era Michele, a lato c'era Marcello. Quest'ultimo cominciò a dirci spiritosaggini. A dirle proprio a entrambe, non solo a me. Canterellava in dialetto frasi tipo: ma che belle signorine, non vi stancate di andare avanti e indietro, guardate che Napoli è grande, la più bella città del mondo, bella come voi, salite, mezzora solo e vi riportiamo qua.

Non avrei dovuto farlo ma lo feci. Invece di tirare diritto come se non esistessero né lui né l'auto né suo fratello; invece di continuare a chiacchierare con Lila ignorandolo, per un bisogno di sentirmi attraente e fortunata e prossima ad andare nella scuola dei signori, dove avrei trovato con tutta probabilità ragazzi con un'automobile più bella di quella dei Solara, mi girai e dissi in italiano:

«Grazie, ma non possiamo».

Allora Marcello allungò una mano. Gliela vidi larga e corta, sebbene fosse un giovane alto, ben fatto. Le cinque dita valicarono il finestrino e vennero a prendermi per il polso, mentre la sua voce diceva:

«Michè, frena, tu vedi che bel braccialetto ha la figlia dell'usciere? ».

La macchina si fermò. Le dita di Marcello intorno al polso mi aggricciarono la pelle, tirai via il braccio per il ribrezzo. Il braccialetto si spezzò, cadde tra il marciapiede e l'auto.

«Madonna, guarda che m'hai fatto» esclamai pensando a mia madre.

«Calma» disse lui e aprì lo sportello, uscì dall'auto. «Adesso te l'aggiusto».

Era allegro, cordiale, provò di nuovo a prendermi il polso come per stabilire una familiarità che mi calmasse. Fu un attimo. Lila, la metà di lui, lo spinse contro l'automobile e gli cacciò il trincetto sotto la gola.

Disse con calma, in dialetto:

«Toccala un'altra volta e ti faccio vedere cosa succede».

Marcello s'immobilizzò incredulo. Michele venne fuori subito dall'auto dicendo con tono rassicurante:

«Non ti fa niente, Marcè, 'sta zoccola non ha il coraggio».

«Vieni» disse Lila, «vieni, così capisci se non ho il coraggio».

Michele girò intorno all'auto mentre io cominciavo a piangere. Da dov'ero vedevo bene che la punta del trincetto aveva già tagliato la pelle di Marcello, un graffio da cui veniva un filo esile di sangue. Ho in mente con chiarezza la scena: faceva ancora molto caldo, pochi passanti, Lila era su Marcello come se gli avesse visto un brutto insetto in faccia e volesse cacciarglielo via.

M'è rimasta in testa l'assoluta certezza di allora: non avrebbe esitato a tagliargli la gola. Se ne accorse anche Michele.

«Va bene, brava» disse, e sempre con la stessa calma, quasi divertito, tornò in macchina. «Sali, Marcè, chiedi scusa alle signorine e andiamo».

Lila staccò lentamente la punta della lama dalla gola di Marcello. Lui le fece un sorriso timido, aveva lo sguardo disorientato.

«Un momento» disse.

S'inginocchiò sul marciapiede, davanti a me, come se si volesse scusare sottoponendosi alla forma massima dell'umiliazione. Frugò sotto l'automobile, recuperò il braccialetto, lo esaminò e lo riparò stringendo con le unghie l'anellino d'argento che aveva ceduto. Me lo diede guardando non me ma Lila. Fu a lei che disse: «Scusa». Poi salì in automobile e l'auto partì.

«Mi sono messa a piangere per il braccialetto, non per la paura» dissi.

14.

I confini del rione sbiadirono nel corso di quell'estate. Una mattina mio padre mi portò con sé. Volle che, con l'occasione dell'iscrizione al liceo, capissi bene che mezzi avrei dovuto prendere e che strade avrei dovuto fare per andare a ottobre nella nuova scuola.

Era una bella, chiarissima giornata ventosa. Mi sentii amata, coccolata, all'affetto che avevo per lui si aggiunse presto un crescendo di ammirazione. Conosceva benissimo lo spazio enorme della città, sapeva dove prendere la metropolitana o un tram o un autobus. Per strada si comportava con una socievolezza, una cortesia lenta, che in casa non aveva quasi mai. Familiarizzava con chiunque, nei mezzi pubblici, negli uffici, e riusciva sempre a far sapere all'interlocutore che lui lavorava al comune e che volendo avrebbe potuto velocizzare pratiche, aprire porte.

Passammo insieme l'intera giornata, l'unica della nostra vita, altre non me ne ricordo. Si dedicò molto a me, come se volesse trasmettermi in poche ore tutto quello che di utile aveva imparato nel corso della sua esistenza. Mi mostrò piazza Garibaldi e la stazione che stavano costruendo: secondo lui era così moderna che arrivavano i giapponesi dal Giappone apposta per studiarsela e rifarla identica a casa loro, soprattutto i pilastri. Ma mi confessò che la stazione precedente gli piaceva di più, c'era più affezionato. Pazienza. Napoli, secondo lui, era così da sempre: si taglia, si spacca e poi si rifà, e i soldi corrono e si crea fatica.

Mi portò per corso Garibaldi, fino all'edificio che sarebbe stata la mia scuola. Trafficò in segreteria con estrema bonomia, aveva il dono di riuscire simpatico, dono che nel rione e in casa teneva nascosto. Si vantò della mia straordinaria pagella con un bidello di cui, scoprì lì per lì, conosceva bene il compare di fazzoletto. Sentii che ripeteva spesso: tutto a posto? oppure: quello che si può fare si fa. Mi mostrò piazza Carlo III, l'Albergo dei poveri, l'Orto botanico, via Foria, il Museo. Mi portò per via Costantinopoli, per Port'Alba, per piazza Dante, per Toledo. Fui sopraffatta dai nomi, dal rumore del traffico, dalle voci, dai colori, dall'aria di festa che c'era in giro, dallo sforzo di tenere tutto a mente per poi parlarne con Lila, dall'abilità con cui lui chiacchierava col pizzaiolo da cui mi aveva comprato una pizza bollente con la ricotta, col fruttivendolo da cui mi aveva comprato una percoca molto gialla. Possibile che solo il nostro rione fosse così pieno di tensioni e violenze, mentre il resto della città era radioso, benevolo?

Mi portò a vedere il posto dove lavorava, che era in piazza Municipio. Anche lì, disse, tutto era diventato nuovo, tagliate le piante, spaccato tutto: ora vedi quanto spazio, l'unica cosa vecchia è il Maschio Angioino, però è bello, piccerè, due maschi veri ci sono a Napoli, papà tuo e quello lì. Andammo al comune, salutò questo e quello, era molto conosciuto. Con alcuni fu gioviale, mi presentò, ripeté per l'ennesima volta che avevo avuto a scuola nove in italiano e nove in latino; con altri fu quasi muto, solo va bene, sì, voi comandate e io faccio. Infine mi annunciò che mi avrebbe mostrato il Vesuvio da vicino e il mare.

Fu un momento indimenticabile. Andammo verso via Caracciolo, sempre più vento, sempre più sole. Il Vesuvio era una forma delicata color pastello ai piedi della quale si ammucchiavano i ciottoli biancastri della città, il taglio color terra di Castel dell'Ovo, il mare. Ma che mare. Era agitatissimo, fragoroso, il vento toglieva il fiato, incollava i vestiti addosso e levava i capelli dalla fronte. Ci tenemmo dall'altro lato della strada insieme a una piccola folla che guardava lo spettacolo. Le onde ruzzolavano come tubi di metallo blu portando in cima la chiara d'uovo della spuma, poi si frangevano in mille schegge scintillanti e arrivavano fin sulla strada con un oh di meraviglia e timore da parte di tutti noi che guardavamo. Che peccato che non c'era Lila. Mi sentii stordita dalle raffiche potenti, dal rumore. Avevo l'impressione che, pur assorbendo molto di quello spettacolo, moltissime cose, troppe si spampanassero intorno senza lasciarsi afferrare.

Mio padre mi strinse la mano come se temesse che sgusciassi via. Infatti avevo voglia di lasciarlo, correre, spostarmi, attraversare la strada, farmi investire dalle scaglie brillanti del mare. In quel momento così tremendo, pieno di luce e di clamore, mi finsi sola nel nuovo della città, nuova io stessa con tutta la vita davanti, esposta alla furia mobile delle cose ma sicuramente vincitrice: io, io e Lila, noi due con quella capacità che insieme – solo insieme – avevamo di prendere la massa di colori, di rumori, di cose e persone, e raccontarcela e darle forza.

Tornai al rione come se fossi andata in un territorio lontano. Ecco di nuovo le vie note, ecco di nuovo la salumeria di Stefano e sua sorella Pinuccia, Enzo che vendeva frutta, il Millecento dei Solara parcheggiato davanti al bar e che ora avrei pagato non so cosa perché fosse cancellato dalla faccia della terra. Meno male che dell'episodio del braccialetto mia madre non aveva saputo niente. Meno male che nessuno aveva riferito a Rino quello che era successo.

Raccontai a Lila delle strade, dei loro nomi, del fragore, della luce straordinaria. Ma subito mi sentii a disagio. Se il racconto di quella giornata lo avesse fatto lei, mi ci sarei intrufolata con un controcanto indispensabile e, anche se non ero stata presente, mi sarei sentita viva e attiva, avrei fatto domande, sollevato questioni, avrei cercato di dimostrarle che dovevamo rifare quello stesso percorso insieme, necessariamente, perché glielo avrei arricchito, sarei stata una compagnia di gran lunga migliore di suo padre. Lei invece mi ascoltò senza curiosità e lì per lì pensai che facesse così per cattiveria, per togliere forza al mio entusiasmo. Ma dovetti convincermi che non era così, aveva semplicemente un filo di pensiero suo che si nutriva di cose concrete, di un libro come di una fontanella. Con le orecchie di sicuro mi ascoltava, ma con gli occhi, con la mente, era saldamente ancorata alla strada, alle poche piante dei giardinetti, a Gigliola che passeggiava con Alfonso e Carmela, a Pasquale che salutava dall'impalcatura del cantiere, a Melina che parlava ad alta voce di Donato Sarratore mentre Ada cercava di trascinarla a casa, a Stefano, il figlio di don Achille, che s'era appena comprato la Giardinetta e aveva a lato sua mamma e sul sedile posteriore la sorella Pinuccia, a Marcello e Michele Solara che passavano nel loro Millecento e Michele faceva finta di non vederci mentre Marcello non trascurava di mandarci uno sguardo cordiale, soprattutto al lavoro segreto, di nascosto dal padre, a cui si applicava per mandare avanti il progetto delle scarpe. Il mio racconto, per lei, era in quel momento solo un insieme di segnali inutili da spazi inutili. Se ne sarebbe occupata, di quegli spazi, solo se le fosse capitata l'opportunità di andarci. E infatti, dopo tanto mio parlare, disse solo:

«Devo dire a Rino che domenica dobbiamo accettare l'invito di Pasquale Peluso».

Ecco, io le raccontavo il centro di Napoli e lei metteva al centro la casa di Gigliola, in una delle palazzine del rione, dove Pasquale ci voleva portare a ballare. Mi dispiacqui. Agli inviti di Peluso avevamo sempre detto sì e tuttavia non c'eravamo mai andate, io per evitare discussioni con i miei genitori, lei perché Rino era contrario. Ma lo spiavamo spesso, nei giorni di festa, mentre aspettava tutto ripulito gli amici suoi, i grandi e i più piccoli. Era un ragazzo generoso, non faceva distinzioni d'età, si tirava dietro chiunque. In genere lui aspettava davanti al benzinaio e intanto arrivavano alla spicciolata Enzo, e Gigliola, e Carmela che ora si faceva chiamare Carmen, e qualche volta Rino stesso se non aveva altro da fare, e Antonio, che aveva il peso di sua madre Melina, e nel caso che Melina fosse calma, anche sua sorella Ada, che i Solara s'erano tirati in macchina e l'avevano portata chissà dove per un'ora buona. Quando la giornata era bella andavano al mare, tornavano rossi di sole in faccia. Oppure, più spesso, si riunivano tutti da Gigliola, i cui genitori erano più accomodanti dei nostri, e lì chi sapeva ballare ballava e chi non sapeva ballare imparava.

Lila cominciò a tirarmi a quelle festicciole, le era preso non so come l'interesse per il ballo. Sia Pasquale che Rino si rivelarono a sorpresa ottimi ballerini e noi imparammo da loro il tango, il valzer, la polka e la mazurka. Rino, bisogna dire, come maestro s'innervosiva presto, specialmente con la sorella, mentre Pasquale era molto paziente. All'inizio ci fece ballare stando sopra i suoi piedi, in modo che imparassimo bene i passi, poi, appena diventammo più esperte, via a volteggiare per la casa.

Scoprii che mi piaceva moltissimo ballare, avrei ballato sempre. Lila invece aveva quella sua aria di chi vuol capire bene come si fa, e pareva che il suo divertimento consistesse tutto nell'imparare, tant'è vero che spesso se ne stava seduta a guardare, studiandoci, e applaudiva le coppie più affiatate. Una volta andai a casa sua e mi fece vedere un libretto che aveva preso in biblioteca: c'era scritto tutto sui balli e ogni movimento era spiegato con figurine nere di maschio e femmina che volteggiavano. Era molto allegra in quel periodo, un'esuberanza sorprendente per lei. Di punto in bianco mi afferrò alla vita e facendo l'uomo mi obbligò a ballare il tango suonando la musica con la bocca. S'affacciò Rino che ci vide e scoppiò a ridere. Volle ballare anche lui, prima con me e poi con la sorella, sebbene senza musica. Mentre ballavamo mi raccontò che a Lila era presa una tale smania perfezionistica che l'obbligava di continuo a fare esercizio, anche se non avevano il grammofono. Ma appena disse quella parola – grammofono, grammofono, grammofono – Lila mi gridò da un angolo della stanza, facendo gli occhi stretti:

«Lo sai che parola è?».

«No».

«Greco».

Io la guardai incerta. Rino intanto mi mollò e passò a ballare con la sorella, che lanciò un grido sottile, mi affidò il manuale dei balli e volò per la stanza con lui. Poggiai tra i suoi libri il manuale. Che cosa aveva detto? Grammofono era italiano, non greco. Ma intanto vidi che sotto *Guerra e pace*, con tanto di etichetta della biblioteca del maestro Ferraro, spuntava un volume sbrindellato che era intitolato *Grammatica greca*. Grammatica. Greca. Sentii che mi prometteva, affannata:

«Dopo ti scrivo grammofono con le lettere greche».

Dissi che avevo da fare e me ne andai.

15.

S'era messa a studiare il greco prima ancora che io andassi al ginnasio? L'aveva fatto da sola, mentre io nemmeno ci pensavo, e d'estate, quando era vacanza? Faceva sempre le cose che dovevo fare io, prima e meglio di me? Mi sfuggiva quando la inseguivo e intanto mi tallonava per scavalcarmi?

Cercai di non vederla per un po', ero arrabbiata. Andai in biblioteca a prendere a mia volta una grammatica greca, ma ne esisteva una sola e l'aveva in prestito a turno tutta la famiglia Cerullo. Forse devo cancellare Lila da me come un disegno sulla lavagna, pensai, e fu, credo, la prima volta. Mi sentivo fragile, esposta a tutto, non potevo passare il mio tempo a inseguirla o a scoprire che lei mi inseguiva, e nell'un caso e nell'altro sentirmi da meno. Ma non ci riuscii, tornai subito a cercarla. Lasciai che m'insegnasse come si faceva la quadriglia. Lasciai che mi mostrasse come sapeva scrivere tutte le parole italiane con l'alfabeto greco. Volle che imparassi quell'alfabeto anch'io prima di andare a scuola, e mi costrinse a scriverlo e a leggerlo. A me vennero ancora più brufoli. Andavo ai balli da Gigliola con un senso permanente d'insufficienza e di vergogna.

Sperai che passasse, ma insufficienza e vergogna si intensificarono. Una volta Lila si esibì in un valzer con suo fratello. Danzavano così bene, insieme, che lasciammo loro tutto lo spazio. Restai incantata. Erano belli, erano affiatati. Li guardavo e capii definitivamente che in breve tempo avrebbe perso del tutto la sua aria di bambina-vecchia, come si perde un motivo musicale molto noto quando è adattato con troppo estro. Era diventata sinuosa. La fronte alta, gli occhi grandi che si stringevano all'improvviso, il naso piccolo, gli zigomi, le labbra, le orecchie stavano cercando una nuova orchestrazione e parevano vicini a trovarla. Quando si pettinava con la coda, il collo lungo si mostrava con un nitore che inteneriva. Il petto aveva piccoli aggraziati pomi sempre più visibili. La sua schiena faceva una curva profonda, prima di approdare all'arco sempre più teso del sedere. Le caviglie erano ancora troppo magre, caviglie di bambina; ma quanto avrebbero impiegato ad adattarsi alla sua figura ormai di ragazza? Mi accorsi che i maschi, nel contemplarla mentre danzava con Rino, stavano vedendo ancora più cose di me. Pasquale innanzitutto, ma anche Antonio, anche Enzo. Le tenevano gli occhi addosso come se noi altre fossimo sparite. Eppure io avevo più seno. Eppure Gigliola era di un biondo abbagliante, di lineamenti regolari, di gambe perfette. Eppure Carmela aveva occhi bellissimi e soprattutto movenze sempre più provocanti. Ma non c'era niente da fare: dal corpo mobile Lila aveva cominciato a emanare qualcosa che i maschi sentivano, un'energia che li stordiva, come il rumore sempre più vicino della bellezza in arrivo. Dovette interrompersi la musica perché tornassero in sé con sorrisi incerti e applausi esagerati.

16.

Lila era cattiva: questo, in qualche luogo segreto di me, continuavo a pensarlo. Mi aveva dimostrato che non solo sapeva ferire con le parole, ma che avrebbe saputo uccidere senza esitazione, eppure quelle sue potenzialità ora mi sembravano roba da poco. Mi dicevo: sprigionerà qualcosa di ancora più malvagio, e ricorrevo alla parola maleficio, un vocabolo esagerato che mi veniva dalle favole dell'infanzia. Ma se era il mio lato infantile a scatenarmi quei pensieri, un fondo di verità c'era. E infatti, che da Lila stesse promanando un fluido che non era semplicemente seducente ma anche pericoloso, lentamente diventò chiaro non solo a me, che la sorvegliavo da quando eravamo in prima elementare, ma a tutti.

Verso la fine dell'estate cominciarono a moltiplicarsi le pressioni su Rino perché, nelle sortite in gruppo fuori dal rione per una pizza, per una passeggiata, si tirasse dietro anche la sorella. Rino però voleva spazi suoi. Anche lui mi pareva che stesse cambiando, Lila gli aveva acceso la fantasia e le speranze. Ma, a vederlo, a sentirlo, l'effetto non era dei migliori. Era diventato più smargiasso, non trascurava occasione per alludere a quanto era bravo col suo lavoro e a come sarebbe diventato ricco, ripeteva spesso una frase che gli piaceva: basta poco, un po' di fortuna, e ai Solara gli piscio in faccia. Per queste vanterie, però, era indispensabile che la sorella non ci fosse. In presenza di lei si confondeva, accennava qualche frase, poi lasciava perdere. Si rendeva conto che Lila lo guardava storto come se lui stesse tradendo un patto segreto di contegno, di distacco, e preferiva perciò non averla intorno, già stavano insieme a sgobbare tutta la giornata nella calzoleria. Svicolava e andava a gonfiarsi come un pavone con gli amici suoi. Ma a volte doveva cedere.

Una domenica, dopo molte discussioni con i nostri genitori, uscimmo (Rino venne ad assumersi generosamente, con i miei genitori, anche la responsabilità della mia persona) nientemeno di sera. Vedemmo la città illuminata dalle insegne, le strade affollate, il malodore del pesce andato a male per il caldo ma anche i profumi dei ristoranti, delle friggitorie, dei bar-pasticceria che erano molto più ricchi di quello dei Solara. Non mi ricordo se Lila avesse già avuto occasione di andare in centro, col fratello o con altri. Di certo se era successo non me ne aveva parlato. Mi ricordo invece che in quella circostanza fu assolutamente muta. Attraversammo piazza Garibaldi, ma lei restava indietro, si attardava a guardare un lustrascarpe, un donnone variopinto, gli uomini foschi, i ragazzi. Fissava le persone con molta attenzione, le guardava diritto in faccia, tanto che alcuni ridevano e altri le facevano il gesto che significa: che vuoi? Ogni tanto la strattonavo, me la tiravo dietro per paura che ci perdessimo Rino, Pasquale, Antonio, Carmela, Ada.

Quella sera andammo in una pizzeria del Rettifilo, mangiammo in allegria. A me sembrò che Antonio mi facesse un po' la corte, forzando la sua timidezza, e fui contenta, così si bilanciavano le attenzioni di Pasquale per Lila. Senonché a un certo punto successe che il pizzaiolo, un uomo sui trent'anni, cominciò a far volteggiare la pizza per aria, mentre la impastava, con un virtuosismo eccessivo e scambiando sorrisi con Lila che lo guardava ammirata.

«Finiscila» le disse Rino.

«Non faccio niente» rispose lei e si sforzò di guardare da un'altra parte.

Ma presto le cose si misero male. Pasquale, ridendo, ci disse che quell'uomo, il pizzaiolo – uno che a noi ragazzine pareva anziano, aveva la fede al dito, era sicuramente padre di figli – aveva mandato di nascosto un bacio a Lila soffiandosi sulla punta delle dita. Ci girammo subito a guardarlo: faceva il suo lavoro e basta. Ma Pasquale chiese a Lila, sempre ridendo:

«È vero o mi sono sbagliato?».

Lila, con una risatella nervosa in contrasto col sorriso generoso di Pasquale, rispose:

«Io non ho visto niente».

«Lascia stare, Pascà» disse Rino, fulminando con lo sguardo la sorella.

Ma Peluso si alzò, andò al banco del forno, ci girò intorno e, con il suo sorriso candido sulle labbra, tirò uno schiaffo in faccia al pizzaiolo mandandolo contro la bocca del forno.

Accorse subito il padrone del locale, un uomo sui sessanta, piccolo e pallido, e Pasquale gli spiegò con calma che non si doveva preoccupare, aveva solo fatto capire al suo dipendente una cosa che gli era poco chiara, adesso non ci sarebbero stati più problemi. Finimmo di mangiare la pizza in silenzio, a occhi bassi, a bocconi lenti, come se fosse avvelenata. E quando uscimmo Rino fece a Lila una gran lavata di testa che si concluse con la minaccia: continua così e non ti porto più.

Cos'era successo? Per strada i maschi che incrociavamo ci guardavano tutte, belle, belline, brutte, e non tanto i giovani, quanto gli uomini fatti. Andava così sia nel rione che fuori del rione, e Ada, Carmela, io stessa – specialmente dopo l'incidente coi Solara – avevamo imparato d'istinto a tenere gli occhi bassi, a far finta di non sentire le porcherie che ci dicevano e tirare avanti. Lila no. Andare a spasso con lei la domenica diventò un elemento permanente di tensione. Se qualcuno la guardava lei ricambiava lo sguardo. Se qualcuno le diceva qualcosa lei si fermava perplessa come se non credesse che parlavano a lei, e a volte rispondeva incuriosita. Tanto più che, cosa fuori del comune, quasi mai le rivolgevano quelle oscenità che quasi sempre riservavano a noi.

Un pomeriggio di fine agosto ci spingemmo fino alla Villa comunale e lì ci sedemmo a un bar perché Pasquale, che in quel periodo si comportava da grande di Spagna, volle offrire a tutti lo spumone. Avevamo di fronte una famigliola che mangiava il gelato al tavolo, come noi: padre, madre e tre figli maschi con un'età tra i dodici e i sette anni. Pareva gente perbene: il padre, un uomo grosso, sui cinquanta, aveva l'aria del professore. E posso giurare che Lila non sfoggiava niente di vistoso: non portava rossetto, aveva addosso le solite pezze che le cuciva la madre, eravamo più appariscenti noi, Carmela soprattutto. Ma quel signore – questa volta ce ne accorgemmo tutti – non riusciva a toglierle gli occhi di dosso, e Lila, per quanto cercasse di controllarsi, rispondeva allo sguardo come se non si capacitasse di essere tanto ammirata. Alla fine, mentre al nostro tavolo cresceva il nervosismo di Rino, di Pasquale, di Antonio, l'uomo, evidentemente senza rendersi conto del rischio che correva, si alzò, si piantò davanti a Lila e, rivolgendosi ai maschi compitamente, disse:

«Voi siete fortunati: avete qui una ragazza che diventerà più bella di una Venere del Botticelli. Chiedo scusa, ma l'ho detto a mia moglie, ai miei figli e ho sentito la necessità di dirlo anche a voi».

Lila scoppiò a ridere per la tensione. L'uomo sorrise a sua volta e, fattole un inchino contenuto, stava per tornare al suo tavolo quando Rino lo aggguantò per la collottola, gli fece fare il percorso a ritroso di corsa, lo mise seduto a forza e, davanti alla moglie e ai figli, gli scaricò addosso una serie di insulti come li dicevamo al rione. L'uomo allora si arrabbiò, la moglie strillò mettendosi in mezzo, Antonio tirò via Rino. Altra domenica rovinata.

Ma il peggio capitò una volta che Rino non c'era. A colpirmi non fu il fatto in sé ma la saldatura, intorno a Lila, di tensioni di provenienza diversa. La madre di Gigliola, in occasione dell'onomastico (si chiamava Rosa, se mi ricordo bene), diede una festa con persone di ogni età. Poiché il marito era il pasticciere della pasticceria Solara, furono fatte le cose molto in grande: abbondavano le sciu, i raffiuoli a cassata, le sfogliatelle, le paste di mandorla, i liquori, le bibite per i bambini e i dischi con i balli, dai più consueti a quelli all'ultima moda. Venne gente che alle nostre festicciole di ragazzi non sarebbe mai venuta. Per esempio il farmacista con la moglie e il loro figlio maggiore Gino, prossimo ad andare al ginnasio come me. Per esempio il maestro Ferraro e tutta la sua famiglia numerosa. Per esempio Maria, la vedova di don Achille, e il figlio Alfonso e la figlia Pinuccia, coloratissima, e persino Stefano.

Queste ultime presenze all'inizio causarono qualche tensione: c'erano anche Pasquale e Carmela Peluso, alla festa, i figli dell'assassino di don Achille. Ma poi tutto si mise per il meglio. Alfonso era un ragazzo gentile (sarebbe andato anche lui al ginnasio, nella mia stessa scuola) e scambiò persino qualche parola con Carmela; Pinuccia era soprattutto contenta di essere andata a una festa, sacrificata com'era ogni giorno in salumeria; Stefano aveva precocemente capito che il commercio è fondato sull'assenza di preclusioni, considerava tutti gli abitanti del rione potenziali clienti che avrebbero speso da lui i loro soldi, sfoderava in genere con chiunque il suo bel sorriso mite, e perciò si limitò a evitare d'incrociare anche solo per un attimo lo sguardo con Pasquale; Maria infine, che di norma se vedeva la signora Peluso girava la faccia dall'altra parte, ignorò del tutto i due ragazzi e parlicchiò a lungo con la madre di

Gigliola. Soprattutto, a sciogliere ogni tensione, ci fu che presto si cominciò a ballare, crebbe la baraonda, nessuno fece più caso a niente.

Prima ci furono i balli tradizionali e poi si passò a un ballo nuovo, il rock'n'roll, per il quale tutti, dai vecchi ai bambini, avevano una grandissima curiosità. Io, accaldata, mi ritirai in un angolo. Lo sapevo ballare, certo, il rock'n'roll, l'avevo ballato spesso a casa mia con Peppe, mio fratello, e a casa di Lila, la domenica, con lei, ma mi sentivo troppo goffa per quei movimenti scattanti e agili e, sebbene a malincuore, decisi di stare a guardare. Anche Lila del resto non mi era sembrata particolarmente brava: si muoveva in modo un po' ridicolo, glielo avevo perfino detto, e lei aveva preso la critica come una sfida e si era accanita ad allenarsi da sola, visto che anche Rino si rifiutava di ballarlo. Ma, perfezionista com'era in tutte le cose, quella sera decise anche lei con mia soddisfazione di starsene da parte accanto a me a guardare come ballavano bene Pasquale e Carmela Peluso.

A un certo momento, però, le si avvicinò Enzo. Il bambino che ci aveva lanciato le pietre, che a sorpresa aveva gareggiato con Lila in aritmetica, che le aveva regalato una volta un serto di sorbe, negli anni era stato come risucchiato in un organismo di bassa statura ma potente, abituato alla fatica dura. Sembrava, a vederlo, più vecchio anche di Rino che tra noi era il più grande. Si vedeva bene in ogni suo tratto che si alzava prima dell'alba, che aveva a che fare con la camorra del mercato ortofrutticolo, che andava in tutte le stagioni, col freddo, con la pioggia, a vendere frutta e ortaggi con la carretta, girando per le strade del rione. Nel viso di biondo, però, tutto chiaro, sopracciglia e ciglia bionde, occhi blu, c'era ancora un residuo del bambino ribelle con cui avevamo avuto a che fare. Per il resto, Enzo era di pochissime parole tranquille, tutte in dialetto, a nessuna di noi sarebbe venuto in mente di scherzarci, farci conversazione. Fu lui a prendere l'iniziativa. Chiese a Lila perché non ballava. Lei rispose: perché questo ballo non lo so fare ancora bene. Lui stette zitto per un po', poi disse: nemmeno io. Ma quando fu messo un altro rock'n'roll la prese per un braccio con naturalezza e la sospinse in mezzo alla sala. Lila, che se solo uno la sfiorava senza il suo permesso schizzava di lato come se fosse stata punta da una vespa, non reagì, tanta evidentemente era la voglia di ballare. Lo guardò anzi con gratitudine e si abbandonò alla musica.

Si vide subito che Enzo non ci sapeva fare granché. Si muoveva poco, in modo serio e compassato, ma era molto attento a Lila, desiderava palesemente farle piacere, permetterle di esibirsi. E lei, pur non essendo brava come Carmen, riuscì al solito a guadagnarsi l'attenzione di tutti. Anche a Enzo piace, mi dissi desolata. E – me ne accorsi subito – persino a Stefano, il salumiere: la guardò tutto il tempo come si guarda una diva al cinema.

Ma proprio mentre Lila ballava arrivarono i fratelli Solara.

Mi bastò vederli per agitarmi. Andarono a salutare il pasticciere e la moglie, diedero una pacca di simpatia a Stefano e poi si misero a guardare i ballerini anche loro. Prima, al modo dei padroni del rione quali si sentivano, guardarono pesantemente Ada, che girò lo sguardo; poi parlottarono tra loro e si indicarono Antonio, gli fecero un esagerato cenno di saluto che lui fece finta di non vedere; infine notarono Lila, la fissarono a lungo, si dissero qualcosa all'orecchio, Michele fece un vistoso segno di assenso.

Non li persi di vista e mi ci volle poco a capire che soprattutto Marcello – Marcello che piaceva a tutte – pareva non essere affatto arrabbiato per la storia del trincetto. Anzi. In pochi secondi fu del tutto catturato dal corpo flessuoso ed elegante di Lila, dal suo viso anomalo per il rione e forse per tutta la città di Napoli. La guardò senza mai distogliere lo sguardo, come se avesse perso quel poco di cervello che aveva. Le tenne gli occhi addosso anche quando la musica finì.

Fu un attimo. Enzo fece per sospingere Lila nell'angolo dove stavo io, Stefano e Marcello si mossero insieme per invitarla a ballare; ma li precedette Pasquale. Lila gli fece un saltello grazioso di consenso, batté le mani felice. Su una figurina di quattordicenne si protesero quattro maschi contemporaneamente, di età varie, ciascuno in modo diverso convinto della propria assoluta potenza. La puntina raschiò il disco, attaccò la musica. Stefano, Marcello, Enzo arretrarono incerti. Pasquale cominciò a ballare con Lila e, data la bravura del ballerino, lei subito si sfrenò.

A quel punto Michele Solara, forse per amore del fratello, forse per il puro gusto di mettere disordine, decise di complicare a modo suo la situazione. Diede di gomito a Stefano e gli disse ad alta voce:

«Ma ce l'hai il sangue nelle vene o no? Quello è il figlio di chi ha ammazzato tuo padre, quello è un comunista di merda, e tu stai qua a guardare come balla con la guagliona con cui volevi ballare tu?».

Pasquale sicuramente non sentì, perché la musica era alta ed era impegnato a fare acrobazie con Lila. Ma io sentii, e sentì Enzo che stava accanto a me, e naturalmente sentì Stefano. Aspettammo che accadesse qualcosa ma non accadde nulla. Stefano era un ragazzo che sapeva il fatto suo. La salumeria andava più che bene, stava progettando di comprare un locale confinante per ampliarla, si sentiva insomma fortunato, anzi era sicurissimo che la vita gli avrebbe dato tutto quello che desiderava. Disse a Michele col suo sorriso accattivante:

«Lasciamolo ballare, balla bene» e continuò a guardare Lila come se l'unica cosa che gli importasse in quel momento fosse lei. Michele fece una smorfia disgustata e andò a cercare il pasticciere e la moglie.

Cosa voleva fare, adesso? Vidi che parlava coi padroni di casa in maniera agitata, indicava Maria in un angolo, indicava Stefano e Alfonso e Pinuccia, indicava Pasquale che ballava, indicava Carmela che si esibiva con Antonio. Appena la musica cessò la madre di Gigliola prese cordialmente Pasquale sottobraccio, lo portò in un angolo, gli disse qualcosa all'orecchio.

«Vai» disse Michele al fratello ridendo, «via libera». E Marcello Solara tornò alla carica con Lila.

Ero sicura che gli avrebbe detto di no, sapevo quanto lo detestasse. Ma non andò così. La musica riattaccò e lei, con la voglia di danza in ogni muscolo, prima cercò con lo sguardo Pasquale, poi, non vedendolo, afferrò la mano di Marcello come se fosse solo una mano, come se oltre non ci fosse un braccio, tutto il corpo di lui, e sudata ricominciò a fare ciò che in quel momento per lei contava di più: ballare.

Guardai Stefano, guardai Enzo. Tutto era carico di tensione. Mentre il cuore mi batteva forte per l'ansia, Pasquale, torvo, andò da Carmela e le disse qualcosa con modi bruschi. Carmela protestò a bassa voce, lui a bassa voce la zittì. Si avvicinò a loro Antonio, confabulò con Pasquale. Insieme guardarono in cagnesco Michele Solara che stava di nuovo parlottando con Stefano, Marcello che ballava con Lila tirandola, sollevandola, sbattendola. Poi Antonio andò a tirar via dalle danze Ada. La musica finì, Lila tornò accanto a me. Le dissi:

«Sta succedendo qualcosa, ce ne dobbiamo andare».

Lei rise, esclamò:

«Pure se viene un terremoto mi faccio un altro ballo» e guardò Enzo che se ne stava appoggiato a una parete. Ma intanto tornò a invitarla Marcello e lei si lasciò trascinare di nuovo nella danza.

Pasquale venne da me, mi disse cupo che ce ne dovevamo andare.

«Aspettiamo che Lila finisca il ballo».

«No, subito» disse lui con un tono che non ammetteva repliche, duro, sgarbato. Quindi andò diritto verso Michele Solara, lo urtò forte con una spalla. Quello rise, gli disse qualcosa di osceno a mezza bocca. Pasquale proseguì verso la porta di casa, seguito da Carmela, riluttante, e da Antonio che si tirava dietro Ada.

Io mi girai per vedere cosa faceva Enzo, ma lui rimase appoggiato al muro a guardare Lila che ballava. La musica finì. Lila si mosse verso di me, braccata da Marcello che aveva occhi lucidi di benessere.

«Ce ne dobbiamo andare» quasi strillai, nervosissima.

Dovetti mettere una tale angoscia nella voce che lei finalmente si guardò intorno come se si svegliasse.

«Va bene, andiamocene» disse perplessa.

Mi avviai verso la porta senza aspettare oltre, la musica riattaccò. Marcello Solara afferrò Lila per un braccio, le disse tra la risatella e la supplica:

«Resta, ti porto io a casa».

Lila, come se lo riconoscesse solo allora, lo guardò incredula, all'improvviso le parve impossibile che la stesse toccando con tanta confidenza. Cercò di liberare il braccio ma Marcello la strinse forte dicendo:

«Un altro ballo soltanto».

Enzo si staccò dalla parete, afferrò il polso di Marcello senza dire una parola. Ce l'ho davanti agli occhi: era tranquillo, pur essendo più piccolo d'anni e di statura sembrava non fare nessuno sforzo. La potenza della stretta si vide solo sul viso di Marcello Solara, che lasciò Lila con una smorfia di dolore e si prese subito il polso con l'altra mano. Andammo via mentre sentivo Lila che diceva indignata a Enzo, in dialetto strettissimo:

«M'ha toccata, hai visto? A me, chillu strunz. Meno male che non c'era Rino. Se lo fa un'altra volta, è morto».

Possibile che non si fosse nemmeno accorta di aver ballato con Marcello per ben due volte? Possibile, lei era così.

All'esterno trovammo Pasquale, Antonio, Carmela e Ada. Pasquale era fuori di sé, non l'avevamo mai visto così. Urlava insulti, urlava a squarciagola, con occhi da pazzo, e non c'era modo di calmarlo. Ce l'aveva, sì, con Michele, ma soprattutto con

Marcello e Stefano. Diceva cose che noi non avevamo elementi per capire. Diceva che il bar Solara era sempre stato un posto di camorristi strozzini, che era la base per il contrabbando e per raccogliere i voti di Stella e Corona, dei monarchici. Diceva che don Achille aveva fatto la spia per i nazifascisti, diceva che i soldi con cui Stefano aveva fatto crescere la salumeria suo padre li aveva fatti con la borsa nera. Strillava: «Papà ha fatto bene ad ammazzarlo». Strillava: «I Solara, padre e figli, ci penso io a sgozzarli, e dopo levo pure dalla faccia della terra Stefano e tutti i suoi familiari». Strillava infine, rivolto a Lila, come se fosse la cosa più grave: «E tu, tu ci hai pure ballato, cu chillu càntaro».

A quel punto, come se la furia di Pasquale gli avesse pompato fiato in petto, cominciò a urlare anche Antonio, e pareva quasi che ce l'avesse con Pasquale perché voleva privarlo di una gioia: la gioia di ammazzare lui i Solara per quello che avevano fatto a Ada. E Ada subito si mise a piangere e Carmela non riuscì più a contenersi, scoppiò in lacrime a sua volta. Ed Enzo cercò di convincerci tutti a toglierci dalla strada. «Andiamocene a dormire» disse. Ma Pasquale e Antonio lo zittirono, volevano restare e affrontare i Solara. Truci, ripeterono a Enzo più volte, con finta calma: «Va', va', ci vediamo domani». Allora Enzo disse piano: «Se restate voi, resto pure io». A quel punto scoppiai a piangere anch'io e un attimo dopo – cosa che mi commosse ancora di più – pianse Lila, che non avevo mai visto piangere, mai.

Eravamo già quattro ragazze in lacrime, e lacrime disperate. Ma Pasquale si ammorbidì solo quando vide piangere lei. Disse con tono rassegnato: «Va bene, stasera no, con i Solara risolverò un'altra volta, andiamo». Subito, tra i singhiozzi, io e Lila lo prendemmo sottobraccio, lo trascinammo via. Per un po' lo consolammo dicendo malissimo dei Solara, ma anche sostenendo che la cosa migliore era fare come se non esistessero. Poi Lila chiese, asciugandosi le lacrime col dorso della mano:

«Chi sono i nazifascisti, Pascà? Chi sono i monarchici? Cos'è la borsa nera?».

17.

È difficile dire cosa fecero a Lila le risposte di Pasquale, rischio di raccontarlo in modo sbagliato, anche perché su di me, all'epoca, esse non ebbero nessun effetto concreto. Invece lei, al suo modo solito, ne fu attraversata e modificata, tanto che fino alla fine dell'estate mi ossessionò con un unico concetto, per me abbastanza insopportabile. Uso la lingua di oggi e provo a riassumere così: non ci sono gesti, parole, sospiri che non contengano la somma di tutti i crimini che hanno commesso e commettono gli esseri umani.

Naturalmente lei lo diceva in un altro modo. Ma quel che conta è che venne presa da una frenesia dello svelamento assoluto. Mi indicava la gente per strada, le cose, le vie, e diceva:

«Quello ha fatto la guerra e ha ammazzato, quello ha manganellato e dato l'olio di ricino, quello ha denunciato un sacco di persone, quello ha affamato pure sua madre, in quella casa hanno torturato e ucciso, su questa pietra hanno marciato e fatto il saluto romano, a quest'angolo hanno bastonato, i soldi di questi vengono dalla fame di questi altri, questa automobile è stata comprata vendendo pane con la polvere di marmo e carne marcia alla borsa nera, quella macelleria è nata rubando rame e scassinando treni merci, dietro quel bar c'è la camorra, il contrabbando, l'usura».

Presto non si accontentò di Pasquale. Era come se lui le avesse avviato un congegno nella testa e ora il suo compito fosse mettere ordine in una massa caotica di suggestioni. Sempre più tesa, sempre più ossessionata, probabilmente lei stessa travolta dall'urgenza di sentirsi chiusa in una visione compatta, senza crepe, complicò le scarne informazioni di lui con qualche libro che pescò in biblioteca. Così diede motivazioni concrete, facce comuni al clima di astratta tensione che da bambine avevamo respirato nel rione. Il fascismo, il nazismo, la guerra, gli Alleati, la monarchia, la repubblica, lei li fece diventare strade, case, facce, don Achille e la borsa nera, Peluso il comunista, il nonno camorrista dei Solara, il padre Silvio, fascista peggio ancora di Marcello e Michele, e suo padre Fernando lo scarparo, e mio padre, tutti tutti tutti ai suoi occhi macchiati fin nelle midolla da colpe tenebrose, tutti criminali incalliti o complici acquiescenti, tutti comprati con le briciole. Lei e Pasquale mi chiusero dentro un mondo terribile che non lasciava scampo.

Poi Pasquale stesso cominciò a tacere, vinto anche lui dalla capacità di Lila di saldare una cosa all'altra in una catena che ti stringeva da tutti i lati. Li guardavo passeggiare spesso insieme e, se prima era lei a pendere dalle labbra di lui, ora era lui a pendere dalle labbra di lei. È innamorato, pensavo. Pensavo anche: s'innamorerà pure Lila, si fidanzeranno, si sposeranno, parleranno sempre di queste cose politiche, faranno figli che parleranno a loro volta delle stesse cose. Quando ricominciarono le scuole, da un lato soffrii molto perché sapevo che non avrei avuto più tempo per Lila, dall'altro sperai di sottrarmi a quel suo sommare i misfatti e le acquiescenze e le vigliaccherie delle persone che conoscevamo, che amavamo, che portavamo – io, lei, Pasquale, Rino, tutti – nel sangue.

18.

I due anni del ginnasio furono molto più faticosi delle medie. Finii in una classe di quarantadue alunni, una delle rarissime classi miste di quella scuola. Le femmine erano pochissime, non ne conoscevo nessuna. Gigliola, dopo molte vanterie («Sì, vengo anch'io al ginnasio, è sicuro, ci mettiamo nello stesso banco»), finì ad aiutare il padre nella pasticceria Solara. Dei maschi, invece, conoscevo Alfonso e Gino, che però sedettero insieme in uno dei primi banchi, gomito contro gomito, con un'aria spaventata, e quasi fecero finta di non conoscermi. L'aula puzzava, un odore acido di sudore, piedi sporchi, paura.

Per i primi mesi vissi la mia nuova vita scolastica in silenzio, le dita sempre sulla fronte e sulle mascelle tempestate dall'acne. Seduta in una delle file in fondo da dove vedevo poco sia i professori che ciò che scrivevano alla lavagna, ero sconosciuta alla mia stessa compagna di banco come lei era sconosciuta a me. Grazie alla maestra Oliviero ebbi presto i libri che mi servivano, sporchi, strausurati. Mi imposi una disciplina imparata alla scuola media: studiavo tutto il pomeriggio fino alle ventitré e poi dalle cinque del mattino fino alle sette, quando era ora di andare. All'uscita di casa, carica di libri, mi succedeva spesso di incontrare Lila che correva in calzoleria ad aprire il negozio, a spazzare, a lavare, a mettere ordine prima che arrivassero il padre e il fratello. Lei m'interrogava sulle materie che avevo in giornata, su quello che avevo studiato, e voleva risposte precise. Se non gliele davo mi assillava con domande che mi mettevano l'ansia di non aver studiato abbastanza, di non essere in grado di rispondere ai professori come non ero in grado di rispondere a lei. In certe mattine fredde, quando mi alzavo all'alba e ripassavo in cucina le lezioni, avevo l'impressione che, come al solito, stessi sacrificando il sonno caldo e profondo del mattino per fare bella figura più con la figlia dello scarparo che con i professori della scuola dei signori. Anche la colazione era frettolosa per colpa sua. Mandavo giù latte e caffè e correvo in strada solo per non perdermi nemmeno un metro del tratto che facevamo insieme.

Aspettavo al portone. La vedevo arrivare dalla palazzina dove abitava e constatavo che stava continuando a cambiare. Era ormai più alta di me. Camminava non come la bambina spigolosa che era stata fino a qualche mese prima, ma come se, arrotondandosi il corpo, anche il passo fosse diventato più morbido. Ciao, ciao, attaccavamo subito a parlare. Quando ci fermavamo all'incrocio e ci salutavamo, lei che andava alla calzoleria, io alla stazione della metropolitana, mi giravo di continuo per darle un ultimo sguardo. Una o due volte vidi che arrivava trafelato Pasquale e l'affiancava, l'accompagnava.

La metropolitana era affollata di ragazzini e ragazzine sporchi di sonno, del fumo delle prime sigarette. Io non fumavo, non parlavo con nessuno. Nei pochi minuti del percorso ripassavo atterrita le lezioni, mi appiccicavo freneticamente in testa linguaggi estranei, toni diversi da quelli in uso nel rione. Ero terrorizzata dal fallimento scolastico, dall'ombra sghemba di mia madre scontenta, dagli occhiacci della maestra Oliviero. Eppure avevo ormai un unico pensiero vero: trovarmi un fidanzato, subito, prima che Lila mi annunciasse che s'era messa con Pasquale.

Ogni giorno sentivo più forte l'angoscia di non fare in tempo. Temevo, tornando da scuola, di incontrarla e apprendere dalla sua stessa voce accattivante che ormai faceva l'amore con Peluso. O se non era lui, era Enzo. O se non era Enzo, era Antonio. O, che so, Stefano Carracci, il salumiere, o persino Marcello Solara: Lila era imprevedibile. I maschi che le ronzavano intorno erano quasi uomini, pieni di pretese. Di conseguenza, tra progetto delle scarpe, letture sul mondo orribile dentro cui eravamo finite nascendo, e fidanzati, non avrebbe avuto più tempo per me. A volte, al ritorno da scuola, facevo un giro largo per non passare davanti alla calzoleria. Se invece vedevo lei in persona, da lontano, per l'angoscia cambiavo strada. Ma poi non resistevo e le andavo incontro come a una fatalità.

All'entrata, all'uscita del liceo, un enorme edificio grigio e buio in pessime condizioni, guardavo i ragazzi. Li guardavo con insistenza perché loro si sentissero il mio sguardo addosso e mi guardassero. Guardavo i miei coetanei del ginnasio, alcuni ancora coi pantaloni corti, altri con quelli alla zuava o lunghi. Guardavo i grandi, quelli del liceo, che erano per lo più in giacca e cravatta, mai un cappotto, dovevano dimostrare innanzitutto a se stessi di non patire il freddo: capelli a spazzola, nuche bianche per via della sfumatura alta. Preferivo quelli ma mi sarei accontentata anche di uno del quinto ginnasio, l'essenziale era che avesse i pantaloni lunghi.

Un giorno uno studente mi colpì per la sua andatura dinoccolata, magrissimo, capelli bruni arruffati, un viso che mi sembrò bellissimo e con qualcosa di familiare. Quanti anni poteva avere: sedici, diciassette? Lo osservai bene, tornai a guardarlo e mi si fermò il cuore: era Nino Sarratore, il figlio di Donato Sarratore, il ferroviere-poeta. Ricambiò lo sguardo ma distrattamente, non mi riconobbe. La giacchetta era sformata ai gomiti, stretta di spalle, i pantaloni erano lisi, le scarpe bitorzolute. Non aveva nessun segno d'agiatezza come invece ne sfoggiavano Stefano e, soprattutto, i Solara. Suo padre, pur avendo scritto un libro di poesie, evidentemente non era ancora diventato ricco.

Fui molto turbata da quell'apparizione inattesa. All'uscita pensai di correre subito a raccontarlo a Lila, l'impulso fu violentissimo, ma poi cambiai idea. Se gliel'avessi detto, sicuramente mi avrebbe chiesto di accompagnarmi a scuola per vederlo. E sapevo già cosa sarebbe accaduto. Come Nino non s'era accorto di me, come non aveva riconosciuto la bambina bionda e sottile delle elementari nella quattordicenne grassa e foruncolosa che ero diventata, così avrebbe riconosciuto subito Lila e ne sarebbe rimasto conquistato. Decisi di coltivarmi l'immagine di Nino Sarratore in silenzio, mentre usciva da scuola a capo chino con un'andatura dondolante e se la filava per corso Garibaldi. Da quel giorno andai a scuola come se vederlo, o anche solo intravederlo, fosse l'unica ragione vera per andarci.

L'autunno volò. Fui interrogata in *Eneide*, una mattina, era la prima volta che venivo chiamata alla cattedra. Il professore, tal Gerace, un uomo sui sessant'anni, svogliato, tutto sbadigli rumorosi, scoppiò a ridere appena pronunciai oracòlo invece di oràcolo. Non gli venne in mente che, pur conoscendo il significato della parola, vivevo in un mondo in cui nessuno aveva mai avuto ragione di usarla. Risero tutti, specialmente Gino, lì al primo banco accanto ad Alfonso. Mi sentii umiliata. Poi passarono i giorni, facemmo il primo compito di latino. Quando Gerace riportò i compiti corretti, chiese:

«Chi è Greco?».

Alzai la mano.

«Vieni».

Mi fece una serie di domande sulle declinazioni, sui verbi, sulla sintassi. Risposi terrorizzata, specialmente perché mi guardava con un'attenzione che fino a quel momento non aveva mai mostrato per nessuno di noi. Poi mi diede il foglio senza nessun commento. Avevo preso nove.

Da allora fu un crescendo. Al compito di italiano mi mise otto, in storia non sbagliai una data, in geografia seppi alla perfezione superfici, popolazioni, ricchezze del sottosuolo, agricoltura. Ma, soprattutto in greco, lo lasciai a bocca aperta. Grazie a ciò che avevo imparato con Lila, mostrai una familiarità con l'alfabeto, una destrezza nella lettura, una disinvoltura nella fonazione che finalmente strapparono al docente una pubblica lode. La mia bravura investì, come un dogma, gli altri insegnanti. Perfino il professore di religione mi prese in disparte, una mattina, e mi chiese se volevo iscrivermi a un corso gratuito di teologia per corrispondenza. Dissi di sì. A ridosso di Natale tutti ormai mi chiamavano Greco, qualcuno Elena. Gino cominciò ad attardarsi all'uscita, ad aspettarmi per tornare insieme al rione. Un giorno tornò a chiedermi all'improvviso se ci volevamo fidanzare e io, sebbene fosse un bamboccio, tirai un sospiro di sollievo: sempre meglio di niente, accettai.

Tutta quella esaltante tensione ebbe una pausa durante le vacanze di Natale. Fui riassorbita dal rione, ebbi più tempo, vidi più spesso Lila. Aveva scoperto che studiavo inglese e naturalmente si era procurata una grammatica. Ormai conosceva moltissimi vocaboli che pronunciava in modo molto approssimativo, e naturalmente la mia pronuncia non era da meno. Ma lei mi assillava, diceva: quando torni a scuola chiedi al professore come si pronuncia questo, come si pronuncia quest'altro. Un giorno mi portò nel negozio, mi mostrò una scatola di metallo zeppa di pezzetti di carta: su ognuno aveva scritto da un lato la parola italiana, dall'altro l'equivalente inglese: matita/pencil, capire/to understand, scarpa/shoe. Era stato il maestro Ferraro che le aveva consigliato di fare così, un ottimo modo per imparare i vocaboli. Mi leggeva il lato in italiano, voleva che le dicessi il corrispettivo in inglese. Ma io sapevo poco o niente. Mi accorsi che in tutto pareva più avanti di me, come se andasse a una scuola segreta. Avvertii anche una sua tensione, la voglia di mostrarmi che era all'altezza di ciò che studiavo. Io avrei preferito parlare d'altro, invece mi interrogò sulle declinazioni greche, cosa da cui dedusse presto che ero ferma alla prima mentre lei s'era già studiata la terza. Mi chiese anche dell'*Eneide*, si era appassionata. L'aveva letta tutta in pochi giorni, mentre io, a scuola, ero a metà del secondo libro. Mi parlò dettagliatamente di Didone, figura di cui non sapevo nulla, quel nome lo sentii per la prima volta non dalla scuola ma da lei. E un pomeriggio buttò lì un'osservazione che mi colpì molto. Disse: «Se non c'è amore, non solo inaridisce la vita delle persone, ma anche quella delle città». Non mi ricordo come si espresse di preciso, ma il concetto era quello, e io lo associai alle nostre strade sporche, ai giardinetti polverosi, alla campagna scempiata dai palazzi nuovi, alla violenza in ogni casa, in ogni famiglia. Temetti invece che lei riprendesse a parlarmi di fascismo, nazismo, comunismo. E non resistetti, volli farle capire che a me stavano accadendo belle cose, le dissi tutto d'un fiato, primo, che mi ero fidanzata con Gino, e secondo, che nella mia scuola ci veniva Nino Sarratore, più bello di com'era alle elementari.

Fece gli occhi stretti, temetti che stesse per dirmi: mi sono fidanzata anch'io. Invece no, cominciò a prendermi in giro: «Fai l'amore col figlio del farmacista» disse, «brava, hai ceduto, ti sei innamorata come la fidanzata di Enea». Poi bruscamente da

Didone saltò a Melina e me ne parlò a lungo, visto che sapevo poco o niente di quello che succedeva nelle palazzine, avevo la scuola la mattina e studiavo fino a tardi la sera. Raccontò della sua parente come se non la perdesse mai d'occhio. La miseria si mangiava lei e i figli e quindi continuava a lavare le scale delle palazzine insieme a Ada (i soldi che portava a casa Antonio non bastavano). Ma non la si sentiva cantare più, l'euforia le era passata, ora sgobbava con gesti da macchina. Me la descrisse minutamente: piegata in due, partiva dall'ultimo piano e passava lo straccio bagnato con le mani, rampa dietro rampa, gradino dietro gradino, con un'energia e un'agitazione che avrebbero stroncato persone ben più robuste di lei. Se qualcuno scendeva o saliva, cominciava a urlare insulti, gli lanciava lo straccio. Ada le aveva raccontato che una volta aveva visto sua madre, nel pieno di una crisi perché le avevano guastato il lavoro con le pedate, bere l'acqua sporca dal secchio, e glielo aveva dovuto strappare. Capito? Passaggio dietro passaggio da Gino era finita a Didone, a Enea che l'abbandonava, alla vedova pazza. E solo a quel punto tirò in ballo Nino Sarratore, segno che mi aveva ascoltata con attenzione. «Diglielo, di Melina» mi esortò, «e digli che lo deve raccontare a suo padre». Poi aggiunse con cattiveria: «Se no è troppo facile scrivere le poesie». E infine si mise a ridere e promise con una certa solennità: «Io non mi innamorerò mai di nessuno e non scriverò mai mai mai una poesia».

«Non ci credo».

«È così».

«Ma gli altri si innamoreranno di te».

«Peggio per loro».

«Soffriranno come questa Didone».

«No, si andranno a fidanzare con un'altra, proprio come ha fatto Enea, che alla fine si è messo con la figlia di un re».

Mi mostrai poco convinta. Me ne andai, poi ritornai, quei discorsi sui fidanzati, ora che avevo un fidanzato, mi piacevano. Le chiesi una volta, cautamente:

«Marcello Solara che fa, ti viene dietro?».

«Sì».

«E tu?».

Fece un mezzo sorriso di disprezzo che significava: Marcello Solara mi fa schifo.

«Ed Enzo?».

«Siamo amici».

«E Stefano?».

«Secondo te, pensano tutti a me?».

«Sì».

«Stefano mi spiccia sempre per prima, pure se c'è folla».

«Vedi?».

«Non c'è niente da vedere».

«E Pasquale, t'ha fatto la dichiarazione?».

«Sei pazza?».

«Ho visto che la mattina ti accompagna al negozio».

«Perché mi spiega le cose successe prima di noi».

Ritornò così il tema del "prima", ma in modo diverso che alle elementari. Disse che non sapevamo niente, né da piccole né adesso, che perciò non eravamo nella condizione di capire niente, che ogni cosa del rione, ogni pietra o pezzo di legno, qualsiasi cosa, c'era già prima di noi, ma noi eravamo cresciute senza rendercene conto, senza mai nemmeno pensarci. Non solo noi. Suo padre faceva finta che non c'era mai stato niente prima. Lo stesso faceva sua madre, mia madre, mio padre, anche Rino. Eppure la salumeria di Stefano *prima* era la falegnameria di Peluso, il padre di Pasquale. Eppure i soldi di don Achille erano stati fatti *prima*. E così anche i soldi dei Solara. Lei aveva fatto la prova con suo padre e con sua madre. Non sapevano niente, non volevano parlare di niente. Niente fascismo, niente re. Niente soprusi, niente angherie, niente sfruttamento. Odiavano don Achille e avevano paura dei Solara. Però ci passavano sopra e andavano a spendere i loro soldi sia dal figlio di don Achille che dai Solara, e ci mandavano addirittura noi. E votavano per i fascisti, per i monarchici, come i Solara volevano che facessero. E pensavano che ciò che era successo prima era passato e per quieto vivere ci mettevano una pietra sopra, eppure ci stavano dentro, alle cose di prima, e ci tenevano dentro anche a noi, e così, senza saperlo, le continuavano.

Quel discorso del "prima" mi colpì più dei discorsi tenebrosi dentro cui mi aveva tirata durante l'estate. Le vacanze natalizie passarono a parlare fitto fitto, nella calzoleria, per strada, nel cortile. Ci confidammo tutto, anche piccole cose, e stemmo bene.

19.

In quel periodo mi sentii forte. A scuola m'ero comportata in modo perfetto, raccontai alla maestra Oliviero i miei successi e lei mi lodò. Vedevo Gino, facevamo ogni giorno una passeggiata fino al bar Solara: lui mi comprava una pasta, la mangiavamo in due, tornavamo indietro. Certe volte avevo persino l'impressione che fosse Lila a dipendere da me e non io da lei. Ero andata oltre i confini del rione, frequentavo il ginnasio, stavo con ragazzi che studiavano il latino e il greco e non con muratori, meccanici, ciabattini, fruttivendoli, salumieri, scarpari, come lei. Quando mi parlava di Didone o del suo metodo per imparare vocaboli d'inglese o della terza declinazione o di ciò su cui almanaccava parlando con Pasquale, percepivo sempre più chiaramente che lo faceva un po' in soggezione, come se finalmente fosse lei a sentire la necessità di dimostrarmi di continuo che poteva ragionare alla pari con me. Perfino quando, un pomeriggio, con qualche incertezza decise di farmi vedere a che punto era la scarpa segreta che stava fabbricando con Rino, non sentii più che abitava un territorio meraviglioso senza di me. Mi sembrò invece che sia lei che il fratello esitassero a parlarmi di cose di così scarsa dignità.

O forse ero soltanto io che cominciavo a sentirmi da più di loro. Quando frugarono in un ripostiglio e tirarono fuori un cartoccio, li incoraggiai artificiosamente. Ma il paio di scarpe da uomo che mi mostrarono mi sembrò davvero fuori del comune, un numero 43, la misura di Rino e di Fernando, marrone, proprio come me le ricordavo in uno dei disegni di Lila, con un'aria che era insieme leggera e robusta. Non avevo mai visto ai piedi di nessuno qualcosa del genere. Mentre me le lasciavano toccare e intanto me ne illustravano le qualità, passai a lodarli con tono entusiastico. «Tocca qui» diceva Rino acceso dalle mie lodi, «e dimmi se si sente la cucitura». «No» rispondevo io, «non si sente». Allora mi prendeva le scarpe dalle mani, le piegava, le slargava, me ne mostrava la resistenza. Io approvavo, dicevo bravi come faceva la maestra Oliviero quando ci voleva incoraggiare. Ma Lila non pareva soddisfatta. Più il fratello elencava pregi, più lei mi mostrava difetti e diceva a Rino: «Papà quanto ci mette a vedere questi sbagli?». A un certo punto disse seria: «Proviamo di nuovo con l'acqua». Il fratello si mostrò contrariato. Lei riempì ugualmente una bacinella, mise la mano in una delle scarpe come se fosse un piede e la fece camminare nell'acqua per un po'. «Deve giocare» mi disse Rino da fratello grande che si secca delle bambinate della sorella più piccola. Ma appena vide che Lila tirava su la scarpa fece l'aria preoccupata, chiese:

«Allora?».

Lila tirò fuori la mano, si stropicciò le dita, gliela tese.

«Tocca».

Rino ci infilò una mano, disse:

«È asciutta».

«È umida».

«Lo senti solo tu, l'umido. Tocca, Lenù».

Toccai.

«Un po' è umida» dissi.

Lila ebbe una smorfia di scontento.

«Visto? La tieni un minuto in acqua ed è già umida, non va. Dobbiamo scollare e scucire tutto un'altra volta».

«Cosa cazzo vuoi che sia un po' di umidità?».

Rino si arrabbiò. Non solo: ebbe, sotto i miei occhi, una specie di trasformazione. Diventò rosso in viso, si gonfiò intorno agli occhi e sugli zigomi, non seppe contenersi ed esplose in una serie di imprecazioni e bestemmie contro la sorella. Si lagnò che così non si finiva mai. Rimproverò a Lila che prima lo incoraggiava e poi lo scoraggiava. Gridò che lui non voleva restare per sempre dentro quello schifo di posto a fare il servo di suo padre e a vedere come si arricchivano gli altri. Afferrò il piede di ferro, fece l'atto di lanciarglielo, e se l'avesse fatto sul serio l'avrebbe uccisa.

Io me ne andai, da un lato disorientata da quella furia di un giovane in genere gentile e dall'altro fiera per quanto era risultato autorevole, definitivo, il mio parere.

Nei giorni seguenti scoprii che l'acne si stava seccando.

«Stai proprio bene, è la soddisfazione che ti dà la scuola, è l'amore» mi disse Lila e la sentii un po' triste.

20.

Rino, approssimandosi la festa di fine anno, fu preso dalla smania di sparare più fuochi di tutti, soprattutto più di quanti ne sparavano i Solara. Lila lo prendeva in giro, ma a volte diventava con lui piuttosto dura. Mi disse che secondo lei suo fratello, che all'inizio era scettico sulla possibilità di far molti soldi con le scarpe, adesso aveva cominciato a puntarci troppo, s'era visto già padrone del calzaturificio Cerullo e non voleva tornare ciabattino. Questo la preoccupava, era un lato di Rino che non conosceva. Le era sembrato sempre e soltanto generosamente irruento, a tratti aggressivo, ma non fanfarone. Ora invece s'atteggiava a ciò che non era. Si sentiva vicino alla ricchezza. Un padroncino. Uno in grado di dare al rione un primo segnale della fortuna che gli avrebbe portato l'anno nuovo sparando fuochi in quantità, più, assai più dei fratelli Solara, che erano diventati ai suoi occhi il modello di giovane uomo da imitare e addirittura da superare. Gente che invidiava e che sentiva come nemici da dover battere per arrivare ad assumerne il ruolo.

Lila non disse mai, come era successo per Carmela e per le altre ragazze del cortile: forse gli ho messo in testa una fantasia che non sa tenere sotto controllo. Alla fantasia credeva lei stessa, la sentiva realizzabile, e il fratello era un tassello importante di quella realizzazione. E poi gli voleva bene, era più grande di lei di ben sei anni, non lo voleva ridurre a un bambino che non sa gestire i sogni. Ma buttò lì spesso che Rino mancava di concretezza, non sapeva affrontare le difficoltà coi piedi per terra, tendeva a eccedere. Come con quella gara coi Solara, per esempio.

«Forse è geloso di Marcello» dissi una volta.

«Cioè?».

Rise facendo la finta tonta, ma me l'aveva raccontato lei stessa. Marcello Solara passava e spassava davanti alla calzoleria tutti i giorni, sia a piedi che col Millecento, e Rino se ne doveva essere accorto, tanto che aveva detto più volte alla sorella: «Non t'azzardare a dare confidenza a chillu strunz». Forse, chissà, non potendo spaccare la faccia ai Solara perché puntavano a sua sorella, voleva mostrar loro la sua forza coi fuochi d'artificio.

«Se è così, lo vedi che ho ragione?».

«Ragione su cosa?».

«Che è diventato un fanfarone: da dove li prende i soldi per i fuochi?».

Era vero. La notte dell'ultimo dell'anno era una notte di battaglia, nel rione e in tutta Napoli. Luci abbaglianti, esplosioni. Il fumo densissimo della polvere da sparo rendeva ogni cosa nebulosa, entrava nelle case, bruciava gli occhi, dava la tosse. Ma lo scoppiettio dei trictrac, il sibilo dei razzi, il canno-neggiamento delle botte a muro aveva un costo e come al soli-to sparava di più chi aveva più soldi. Noi Greco non avevamo soldi, a casa mia il contributo ai fuochi di fine anno era scarso. Mio padre comprava una scatola di fitfit, una di rotelle e una di esili razzi. A mezzanotte metteva in mano a me, che ero la più grande, il ferretto delle stelline o quello delle girandole, accendeva e io stavo immobile, eccitata e spaventata, a fissare le mobili scintille, i brevi vortici di fuoco a poca distanza dalle dita. Lui intanto correva a mettere l'asta dei razzi in una botti-glia di vetro sul marmo della finestra, bruciava la miccia con la brace della sigaretta e, entusiasta, faceva partire per il cielo il sibilo luminoso. Alla fine lanciava in strada anche la bottiglia.

Anche a casa di Lila si sparava poco o niente, tant'è vero che Rino s'era subito ribellato. Fin dai dodici anni aveva preso l'abitudine di andarsene a fare la mezzanotte con persone più audaci del padre, ed erano famose le sue imprese di recupe-rante di botte inesplose, delle quali andava a caccia appena il caos della festa finiva. Le raccoglieva tutte insieme nella zona degli stagni, dava fuoco e si godeva la sfiammata alta, trac trac trac, l'esplosione finale. Aveva ancora una cicatrice scura sulla mano, una macchia larga, dovuta alla volta che non s'era tirato indietro in tempo.

Tra le tante ragioni palesi e segrete di quella sfida della fine dell'anno 1958, bisogna dunque metterci anche che forse Rino voleva prendersi una rivincita sull'infanzia povera. Perciò si mise d'impegno a raccattare soldi qua e là per acquistare i fuo-chi. Ma si sapeva – lo sapeva anche lui malgrado la smania di grandezza che l'aveva preso – che coi Solara non c'era compe-tizione. Come tutti gli anni, i due fratelli viaggiavano avanti e indietro da giorni nel loro Millecento, il portabagagli carico dell'esplosivo che la notte di Capodanno avrebbe ucciso uccel-li, spaventato cani gatti topi, fatto tremare le palazzine dagli scantinati fino al lastrico. Rino li osservava dalla bottega con astio e intanto trafficava con Pasquale, con Antonio e soprattutto con Enzo, che aveva un po' più soldi, per mettere su un arsenale che facesse almeno una buona figura.

Le cose ebbero un loro piccolo, inatteso cambiamento quando Lila e io fummo mandate dalle nostre madri a fare la spesa per il cenone nella salumeria di Stefano Carracci. Il negozio era pieno di gente. Dietro il banco, oltre a Stefano e a Pinuccia, serviva anche Alfonso, che ci fece un sorriso imbarazzato. Ci disponemmo a una lunga attesa. Ma Stefano rivolse a me, inequivocabilmente a me, un cenno di saluto, e disse qualcosa all'orecchio del fratello. Il mio compagno di scuola venne fuori dal bancone e mi chiese se avevamo la lista delle cose da comprare. Gliela demmo e lui filò via. In cinque minuti la nostra spesa era pronta.

Mettemmo tutto nelle borse, pagammo il dovuto alla signora Maria e ce ne andammo. Ma avevamo fatto pochi passi quando non Alfonso, ma Stefano, proprio Stefano, mi chiamò con la sua bella voce d'uomo fatto:

«Lenù».

Ci raggiunse. Aveva un'espressione tranquilla, il sorriso cordiale. Lo guastava un po' soltanto il camice bianco macchiato di untumi. Parlò a entrambe, in dialetto, ma guardando me:

«Volete venire a festeggiare l'anno nuovo a casa mia? Alfonso ci tiene molto».

Moglie e figli di don Achille, anche dopo l'assassinio del padre, facevano vita molto ritirata: chiesa, salumeria, casa, al massimo qualche festicciola a cui non si poteva mancare. Quell'invito era una novità. Risposi accennando a Lila:

«Siamo già impegnate, stiamo con suo fratello e tanti amici».

«Ditelo pure a Rino, ditelo ai vostri genitori: la casa è grande e per le botte andiamo sul terrazzo».

Lila s'intromise con un tono liquidatorio:

«Con noi vengono a festeggiare pure Pasquale e Carmen Peluso con la loro madre».

Doveva essere una frase che eliminava ogni ulteriore chiacchiera: Alfredo Peluso era a Poggioreale perché aveva ammazzato don Achille, e il figlio di don Achille non poteva invitare i figli di Alfredo a brindare all'anno nuovo a casa sua. Invece Stefano la guardò come se fino a quel momento non l'avesse vista, uno sguardo molto intenso, e buttò lì col tono delle cose ovvie:

«Va bene, venite tutti: ci beviamo lo spumante, balliamo, anno nuovo vita nuova».

Quelle parole mi commossero. Guardai Lila, anche lei era disorientata. Mormorò:

«Dobbiamo parlare con mio fratello».

«Fatemi sapere».

«E i fuochi?».

«In che senso?».

«Noi portiamo i nostri, e tu?».

Stefano sorrise:

«Quanti fuochi vuoi?».

«Tantissimi».

Il giovane si rivolse di nuovo a me:

«Venite tutti a casa mia e vi prometto che quando spunta l'alba staremo ancora a sparare».

21.

Per tutta la strada non facemmo che ridere a crepapelle dicendoci cose tipo:

«Lo fa per te».

«No, per te».

«Si è innamorato e per averti a casa sua invita pure i comunisti, pure gli assassini di suo padre».

«Ma che dici? Non m'ha nemmeno guardata».

Rino ascoltò la proposta di Stefano e disse subito di no. Ma la voglia di vincere sui Solara lo fece tentennare e ne parlò con

Pasquale, che si arrabbiò moltissimo. Enzo invece borbottò: «Va bene, se posso vengo». Quanto ai nostri genitori, furono felicissimi di quell'invito perché per loro don Achille non esisteva più e i figli e la moglie erano bravissime persone agiate che ad averle per amiche era un onore.

Lila all'inizio sembrò stordita, come se avesse dimenticato dove si trovava, le strade, il rione, la calzoleria. Poi comparve da me un tardo pomeriggio con l'aria di chi ha capito tutto e mi disse:

«Abbiamo sbagliato: Stefano non vuole né me né te».

Ci ragionammo secondo il nostro solito, mescolando dati di fatto e fantasticherie. Se non voleva noi, cosa voleva? Pensammo che anche Stefano avesse in mente di dare una lezione ai Solara. Ci ricordammo di quando Michele aveva fatto cacciare Pasquale dalla festa della madre di Gigliola, intromettendosi così nei fatti dei Carracci e facendo fare a Stefano la figura di chi non sa difendere la memoria di suo padre. In quell'occasione i due fratelli, a pensarci, non avevano messo solo i piedi in testa a Pasquale, ma anche a lui. E quindi ora rincarava la dose, come per far loro dispetto: si riappacificava definitivamente coi Peluso, addirittura li invitava a casa sua per Capodanno.

«E che ci guadagna?» chiesi a Lila.

«Non lo so. Vuol fare un gesto che qua al rione non farebbe nessuno».

«Perdonare?».

Lila scosse la testa scettica. Stava cercando di capire, stavamo tutt'e due cercando di capire, e capire era una cosa che ci piaceva moltissimo. Stefano non pareva il tipo capace di perdonare. Secondo Lila aveva in mente un'altra cosa. E piano piano, muovendo da una delle sue idee fisse degli ultimi tempi, vale a dire dal momento in cui s'era messa a discutere con Pasquale, le sembrò di aver trovato la soluzione.

«Ti ricordi di quando ho detto a Carmela che si poteva fidanzare con Alfonso?».

«Sì».

«Stefano ha in mente una cosa così».

«Sposarsi lui Carmela?».

«Di più».

Stefano, secondo Lila, voleva azzerare tutto. Voleva provare a uscire dal *prima*. Non voleva far finta di niente come facevano i nostri genitori, ma anzi mettere in atto una frase tipo: lo so, mio padre è stato quello che è stato, ma ora ci sono io, ci siamo noi, e quindi basta. Insomma voleva far capire a tutto il rione che lui non era don Achille e che nemmeno i Peluso erano l'ex falegname che l'aveva ucciso. Quell'ipotesi ci piacque, diventò subito una certezza e avemmo un moto di grande simpatia per il giovane Carracci. Decidemmo di stare dalla sua parte.

Passammo a spiegare a Rino, a Pasquale, ad Antonio che l'invito di Stefano era più di un invito, che dietro c'erano significati importanti, che era come se lui stesse dicendo: prima di noi ci sono state brutte cose; i nostri padri, chi in un modo chi in un altro, non si sono comportati bene; da adesso prendiamone atto e dimostriamo che noi figli siamo meglio di loro.

«Meglio?» chiese Rino, interessato.

«Meglio» dissi io, «tutto il contrario dei Solara, che invece fanno peggio del nonno e del padre».

Parlai molto emozionata, in italiano, come se fossi a scuola. Lila stessa mi lanciò uno sguardo meravigliato e Rino, Pasquale, Antonio borbottarono qualcosa in imbarazzo. Pasquale provò persino a rispondermi in italiano ma ci rinunciò subito. Disse cupo:

«I soldi con cui Stefano sta facendo altri soldi sono quelli che suo padre ha fatto con la borsa nera. Il locale della salumeria è quello dove una volta c'era la falegnameria di mio padre».

Lila fece gli occhi piccoli, quasi non si vedevano.

«È vero. Ma preferite stare dalla parte di uno che vuole cambiare o dalla parte dei Solara?».

Pasquale disse con fierezza, un po' per convinzione, un po'

perché visibilmente ingelosito dalla inattesa centralità di Stefano nelle parole di Lila:

«Io sto dalla parte mia e basta».

Ma era un buon ragazzo, ci pensò e ci ripensò. Andò a parlare con sua madre, discusse con tutta la famiglia. Giuseppina, che da instancabile lavoratrice di buon carattere, disinvolta, esuberante, s'era mutata dopo l'incarcerazione del marito in una donna disfatta, immalinconita dalla mala sorte, si rivolse al parroco. Il parroco passò per la bottega di Stefano, parlò a lungo con Maria, poi tornò a parlare con Giuseppina Peluso. Alla fine si convinsero tutti che la vita era già molto difficile e che se si riusciva, in occasione dell'anno nuovo, a ridurne le tensioni, era meglio per tutti. Così il 31 dicembre, dopo il cenone, alle 23.30, famiglie diverse, la famiglia dell'ex falegname, la famiglia dell'usciere, quella dello scarparo, quella del fruttivendolo, la famiglia di Melina – che per l'occasione curò molto il suo aspetto –, s'inerpicarono alla spicciolata fino al quarto piano, fino alla vecchia casa odiatissima di don Achille, per festeggiare il nuovo anno insieme.

22.

Stefano ci accolse con grande cordialità. Mi ricordo che era pettinato con cura, aveva il viso un po' rosso per l'agitazione, indossava una camicia bianca con la cravatta e un gilè blu. Lo trovai bellissimo, con modi da principe. Calcolai che aveva quasi sette anni più di me e di Lila, e pensai in quell'occasione che essere fidanzata con Gino, mio coetaneo, era ben poca cosa: quando gli avevo chiesto di raggiungermi dai Carracci mi aveva detto che non poteva perché i genitori non lo lasciavano uscire dopo mezzanotte, era pericoloso. Io volevo un fidanzato grande, non un ragazzino, uno come quei giovani, Stefano, Pasquale, Rino, Antonio, Enzo. Li guardai, li sfiorai tutta la sera. Mi toccavo nervosamente gli orecchini, il braccialetto d'argento di mia madre. Avevo ricominciato a sentirmi bella e volevo leggerne la prova nei loro occhi. Ma sembravano tutti presi dalla festa dei fuochi a mezzanotte. Aspettavano la loro guerra tra maschi e nemmeno a Lila parevano fare attenzione.

Stefano fu gentile soprattutto con la signora Peluso e con Melina, che non diceva una parola, aveva occhi spiritati, il naso lungo, ma era ben pettinata e con gli orecchini, col suo vecchio vestito nero di vedova, sembrava una gran dama. A mezzanotte il padrone di casa riempì di spumante prima il bicchiere di sua madre e subito dopo quello della madre di Pasquale. Facemmo un brindisi alle cose meravigliose che sarebbero accadute nell'anno nuovo, quindi cominciammo a sciamare verso il lastrico, i vecchi e i bambini con cappotti, sciarpe, perché faceva molto freddo. Mi accorsi che l'unico che si attardava svogliatamente di sotto era Alfonso. Lo chiamai per buona educazione, non mi sentì o fece finta di non sentirmi. Corsi di sopra. Mi ritrovai sulla testa un cielo tremendo, zeppo di stelle e di tenebra, gelato.

I ragazzi erano in pullover, Pasquale ed Enzo addirittura in maniche di camicia. Lila e io e Ada e Carmela avevamo abitini sottili che usavamo per le feste da ballo e tremavamo di freddo e di eccitazione. Già c'erano i primi sibili dei razzi, solcavano il cielo ed esplodevano in fiori coloratissimi. Già si sentivano i tonfi delle cose vecchie che volavano dalle finestre, le grida, le risate. L'intero rione schiamazzava, lanciava petardi. Io accesi i fitfit e le rotelle ai bambini, mi piaceva guardare nei loro occhi lo stupore impaurito che avevo provato da piccola. Lila convinse Melina ad accendere insieme a lei la miccia di un bengala, il fiotto di fuoco sprizzò con un fruscio colorato. Entrambe gridarono di gioia e alla fine si abbracciarono.

Rino, Stefano, Pasquale, Enzo, Antonio trasportarono casse e scatole e cartocci di esplosivo, fieri di tutte quelle munizioni che erano riusciti ad accumulare. Alfonso si adoperò anche lui, ma lo fece fiaccamente, reagì alle pressioni del fratello con scatti di fastidio. Mi sembrò invece intimidito da Rino, che pareva veramente su di giri, lo spingeva in malo modo, gli toglieva le cose, lo trattava da ragazzino. Così alla fine, piuttosto che arrabbiarsi, Alfonso si ritrasse, mescolandosi sempre meno agli altri. Brillarono intanto i fiammiferi, i più grandi si accesero reciprocamente le sigarette con le mani a coppa, parlandosi seri e cordiali. Se ci sarà una guerra civile, pensai, come quella tra Romolo e Remo, tra Mario e Silla, tra Cesare e Pompeo, loro avranno queste stesse facce, avranno questi stessi sguardi, queste stesse pose.

A parte Alfonso, tutti i maschi si riempirono le camicie di trictrac e di botte a muro, sistemarono file di razzi in schiere di bottiglie vuote. A me, a Lila, a Ada, a Carmela fu affidato da Rino, sempre più agitato, sempre più urlante, il compito di rifornire tutti di munizioni per tempo. Poi, giovanissimi, giovani e meno giovani – i miei fratelli Peppe e Gianni, per capirci, ma anche mio padre, anche lo scarparo, che era il più anziano – cominciarono a muoversi nel buio e nel freddo accendendo micce e lanciando i fuochi oltre il parapetto o in cielo, in un clima festoso, di crescente eccitazione, di urla tipo hai visto che colori, maronna che botta, dài, dài, appena guastato dai gemiti insieme terrorizzati e languidi di Melina, da Rino che strappava trictrac ai miei fratelli e li usava lui, strillando che loro li sprecavano perché li lanciavano senza aspettare che la miccia prendesse realmente fuoco.

La furia scintillante della città lentamente si attenuò, si estinse, lasciando emergere il rumore delle auto, dei clacson. Ricomparvero ampie zone di cielo buio. Il balcone dei Solara diventò, pur nel fumo, pur tra i bagliori, più visibile.

Erano a poca distanza, li vedevamo. Il padre, i figli, i parenti, gli amici, erano presi come noi dalla voglia di caos. Lo sapevano tutti, nel rione, che ciò che era accaduto fino a quel momento era ben poco, loro si sarebbero scatenati davvero solo quando i pezzenti l'avessero finita con le festicciole e gli scoppiettii meschini e le pioggerelle d'argento e d'oro, solo nel momento in cui padroni assoluti della festa sarebbero rimasti loro.

E così fu. Dal balcone il fuoco s'intensificò bruscamente, il cielo e la strada ricominciarono a esplodere. A ogni lancio, specie se il petardo faceva un rumore di annientamento, dal balcone arrivavano oscenità entusiastiche. Ma, a sorpresa, ecco che Stefano, Pasquale, Antonio, Rino presero a rispondere con altri lanci ed equivalenti oscenità. A razzo dei Solara loro opponevano razzo, a trictrac trictrac, e in cielo si allargavano corolle mirabili e di sotto la strada avvampava, tremava, e Rino a un certo punto montò addirittura in piedi sul parapetto urlando insulti e lanciando botte potentissime mentre sua madre strillava di terrore, gridava: «Scendi, se no cadi giù».

A quel punto il panico travolse Melina, che cominciò a lanciare urla sottili e lunghe. Ada sbuffò, toccava a lei portarla via, ma Alfonso le fece un cenno, se ne occupò lui e sparì di sotto con la donna. Mia madre li seguì subito zoppicando, e anche le altre cominciarono a tirar via i bambini. Le esplosioni causate dai Solara stavano diventando sempre più potenti, un loro razzo invece di finire in cielo scoppiò contro il parapetto del nostro terrazzo con un bagliore rosso fragoroso e fumo soffocante.

«L'hanno fatto apposta» gridò Rino a Stefano, fuori di sé.

Stefano, un profilo scuro nel gelo, gli fece cenno di calmarsi. Corse in un angolo dove aveva depositato lui stesso una cassetta che noi ragazze avevamo ricevuto l'ordine di non toccare, e attinse di lì invitando gli altri a servirsi.

«Enzo» gridò senza più nemmeno l'ombra dei toni fievoli da negoziante, «Pascà, Rino, Antò, qua, forza, qua, facciamogli sentire quello che ci abbiamo noi».

Tutti accorsero ridendo. Ripetevano: sì, facciamoglielo sentire, tiè, strunz, tiè, e facevano gesti osceni verso il balcone dei Solara. Noi guardavamo le loro frenetiche forme nere tremando sempre più di freddo. Eravamo rimaste sole, senza alcun ruolo. Anche mio padre era sceso di sotto insieme allo scarparo. Lila non so, era muta, presa dallo spettacolo come da un enigma.

Le stava accadendo la cosa a cui ho già fatto cenno e che lei in seguito chiamò smarginatura. Fu – mi disse – come se in una notte di luna piena sul mare, una massa nerissima di temporale avanzasse per il cielo, ingoiasse ogni chiarore, logorasse la circonferenza del cerchio lunare e sformasse il disco lucente riducendolo alla sua vera natura di grezza materia insensata. Lila immaginò, vide, sentì – come se fosse vero – suo fratello che si rompeva. Rino, davanti ai suoi occhi, perse la fisionomia che aveva sempre avuto da quando se lo ricordava, la fisionomia del ragazzo generoso, onesto, i lineamenti gradevoli della persona affidabile, il profilo amato di chi da sempre, da quando lei aveva memoria, l'aveva divertita, aiutata, protetta. Lì, in mezzo a esplosioni violentissime, nel gelo, tra i fumi che bruciavano le narici e l'odore violento dello zolfo, qualcosa violò la struttura organica di suo fratello, esercitò su di lui una pressione così intensa che ne spezzò i contorni, e la materia si espanse come un magma mostrandole di che cosa era veramente fatto. Ogni secondo di quella notte di festa le fece orrore, ebbe l'impressione che come Rino si muoveva, come spandeva intorno se stesso, ogni margine cadeva e anche lei, i suoi margini, diventavano sempre più molli e cedevoli. Faticò a mantenere il controllo, ma ci riuscì, poco o niente della sua angoscia si manifestò all'esterno. Vero è che nel tumulto di esplosioni e colori le badai poco. Mi colpì, credo, la sua espressione sempre più spaurita. Mi accorsi anche che fissava l'ombra del fratello – il più attivo, il più sbruffone, quello che urlava in modo più esagerato insulti sanguinosi in direzione del terrazzo dei Solara – con repulsione. Pareva che ne fosse, lei che in genere non temeva nulla, spaventata. Ma furono impressioni a cui ripensai solo in seguito. In quel momento non ci feci caso, mi sentivo vicina a Carmela, a Ada, più che a lei. Sembrava come al solito non avere nessun bisogno delle attenzioni maschili. Noi invece, così al freddo, in mezzo al caos, senza quelle attenzioni non riuscivamo a darci un significato. Avremmo preferito che Stefano o Enzo o Rino smettessero la guerra, ci passassero un braccio intorno alle spalle, ci premessero il fianco contro il fianco, e ci dicessero parole complimentose. Invece ce ne stavamo strette tra noi per riscaldarci, mentre loro si precipitavano ad afferrare cilindri con grosse micce, stupefatti dalla riserva infinita di fuochi di Stefano, ammirati dalla sua generosità, turbati da quanto denaro era possibile trasformare in scie, scintille, esplosioni, fumo, per la pura soddisfazione di averla vinta.

Gareggiarono coi Solara per non so quanto tempo, esplosioni da un lato e dall'altro come se terrazza e balcone fossero trincee, e tutto il rione sussultò, vibrò. Non si capiva più nulla, boati, vetri schiacciati, cielo sfondato. Anche quando Enzo gridò: «Hanno finito, non hanno più niente», i nostri continuarono, Rino soprattutto continuò, finché non restò più nemmeno una miccia da bruciare. Quindi levarono tutti un coro vittorioso saltando o abbracciandosi. Infine si calmarono, arrivò il silenzio.

Ma durò poco, fu interrotto dal montare di un pianto lontano di bambino, da grida e insulti, da auto che avanzavano per le strade ingombre di detriti. E poi vedemmo lampi sul balcone dei Solara, ci arrivarono rumori secchi, pah, pah. Rino gridò deluso: «Ricominciano». Ma Enzo, che capì al volo quello che stava succedendo, fu il primo a spingerci dentro, e dopo di lui anche Pasquale, anche Stefano. Solo Rino seguitò a lanciare insulti pesanti, sporgendosi dal parapetto del terrazzo, tanto che Lila scansò Pasquale e corse a tirare dentro il fratello urlandogli insulti a sua volta. Noi ragazze calammo di sotto gridando. I Solara, pur di averla vinta, ci stavano sparando addosso.

23.

Di quella notte, l'ho detto, mi sfuggirono molte cose. Ma soprattutto, travolta dall'atmosfera di festa e di pericolo, dal turbinio dei maschi i cui corpi emanavano una vampa più bruciante dei fuochi nel cielo, trascurai Lila. Eppure fu allora che si verificò il primo suo cambiamento interiore.

Di cosa le fosse accaduto, l'ho detto, non mi accorsi, il movimento era difficile da percepire. Ma delle conseguenze mi resi conto quasi subito. Diventò più pigra. Io, già due giorni dopo, mi alzai presto, anche se non avevo scuola, per accompagnarla ad aprire il negozio e aiutarla a fare le pulizie, ma lei non comparve. Arrivò tardi, imbronciata, e passeggiammo per il rione evitando la calzoleria.

«Non vai a lavorare?».

«No».

«E perché?».

«Non mi piace più».

«E le scarpe nuove?».

«Stanno in alto mare».

«E allora?».

Mi sembrò che non sapesse nemmeno lei cosa volesse. L'unica cosa certa è che pareva molto preoccupata per il fratello, assai più di quanto l'avessi vista negli ultimi tempi. E fu proprio a partire da quella preoccupazione che cominciò a modificare i suoi discorsi sulla ricchezza. C'era sempre l'urgenza di diventare ricche, su questo non si discuteva, ma lo scopo non era più lo stesso dell'infanzia: niente forzieri, niente bagliore di monete e pietre preziose. Ora pareva che i soldi, nella sua testa, fossero diventati un cemento: consolidavano, rinforzavano, aggiustavano questo e quello. Aggiustavano soprattutto la testa di Rino. Il paio di scarpe che avevano fatto insieme lui lo riteneva ormai bell'e pronto e voleva farlo vedere a Fernando. Ma Lila sapeva bene (e secondo lei lo sapeva anche Rino) che il lavoro era pieno di pecche, che il padre avrebbe esaminato le scarpe e le avrebbe buttate. Perciò gli diceva che bisognava provare e riprovare, che la via per il calzaturificio era un percorso difficile; ma lui non voleva aspettare più, aveva urgenza di diventare come i

Solara, come Stefano, e Lila non riusciva a farlo ragionare. All'improvviso mi parve addirittura che la ricchezza in sé non la interessasse più. Parlava di soldi senza niente più di luminoso, erano solo un rimedio per evitare che suo fratello combinasse guai. «Tutta colpa mia» cominciò ad ammettere almeno con me, «gli ho fatto credere che la buona fortuna stia dietro l'angolo». Ma poiché dietro l'angolo non c'era, si chiedeva con occhi cattivi cosa doveva inventarsi per sedarlo.

Rino infatti smaniava. Fernando, per esempio, non rimproverò mai Lila per aver smesso di andare nella calzoleria, anzi: le fece capire che era contento se restava a casa ad aiutare la madre. Il fratello invece si arrabbiò e già nei primi giorni di gennaio assistetti a un'altra brutta litigata. Rino arrivò a testa bassa, ci bloccò per strada, le disse: «Vieni subito a lavorare». Lila gli rispose che non ci pensava nemmeno. Lui allora la tirò per un braccio, lei si ribellò con un brutto insulto, Rino le diede uno schiaffo, le gridò: «Allora va' a casa, va' ad aiutare mamma». Obbedì, non mi salutò nemmeno e se ne andò.

Il culmine del conflitto fu raggiunto nel giorno della Befana. Lei, pare, si svegliò e trovò accanto al letto un calzino pieno di carbone. Capì che era stato Rino e a colazione apparecchiò per tutti ma non per lui. Comparve la madre: il figlio le aveva lasciato appesa a una sedia una calza con caramelle e cioccolato, cosa che l'aveva commossa, stravedeva per quel ragazzo. Perciò, quando si accorse che il posto di Rino non era apparecchiato, provò a farlo lei ma Lila glielo impedì. Mentre madre e figlia litigavano comparve il fratello e Lila subito gli lanciò un pezzo di carbone. Rino rise pensando che fosse un gioco, che lei avesse apprezzato lo scherzo, ma quando si accorse che la sorella faceva sul serio cercò di afferrarla per picchiarla. Fu allora che comparve Fernando, in mutande e maglia della salute, una scatola di cartone in mano.

«Guardate cosa mi ha portato la Befana» disse e si vedeva che era molto arrabbiato.

Tirò fuori dalla scatola le scarpe nuove fabbricate segretamente dai due figli. Lila restò a bocca aperta per la sorpresa. Non sapeva niente di quella iniziativa, Rino aveva deciso da solo di mostrare al padre il loro lavoro come se fosse un dono della Befana.

Quando vide sul viso del fratello un sorrisetto divertito e insieme angosciato, quando ne colse lo sguardo allarmato che sorvegliava il viso del padre, le parve di avere la conferma di ciò che l'aveva spaventata sul terrazzo, in mezzo ai fumi e alle botte: Rino aveva perso il suo profilo solito, lei adesso aveva un fratello smarginato da cui poteva fuoriuscire l'irrimediabile. In quel sorriso, in quello sguardo vide qualcosa di insopportabilmente meschino, tanto più insopportabile quanto più continuava ad amare il fratello, a sentire il bisogno di stargli accanto per aiutarlo ed essere aiutata.

«Come sono belle» disse Nunzia, che ignorava tutto della storia delle calzature.

Fernando, senza dire una parola, con l'espressione di un Randolph Scott incollerito, si sedette e infilò prima la scarpa destra e poi la sinistra.

«La Befana» disse, «le ha fatte proprio per i piedi miei».

Si alzò, le provò, andò avanti e indietro per la cucina sotto lo sguardo dei suoi familiari.

«Veramente comode» commentò.

«Sono scarpe da gran signore» disse la moglie lanciando al figlio sguardi appassionati.

Fernando tornò a mettersi seduto. Se le tolse, le esaminò sopra, sotto, dentro e fuori.

«Chi ha fatto queste scarpe è un maestro» disse, però senza rischiararsi in viso nemmeno un poco. «Brava, la Befana».

In ogni parola si sentiva quanto soffrisse e quanto la sua sofferenza lo stesse caricando della voglia di spaccare tutto. Ma Rino pareva non accorgersene. A ogni parola sarcastica del padre diventava sempre più fiero, sorrideva tutto rosso, formulava frasi mozze: ho fatto così, papà, ho aggiunto questo, ho pensato che. Lila invece voleva uscire dalla cucina, sottrarsi alla sfuriata imminente del padre, ma non riusciva a decidersi, non voleva lasciare solo il fratello.

«Sono leggere e insieme robuste» continuò Fernando, «non c'è niente di arronzato. E soprattutto io non le ho viste mai ai piedi di nessuno, con questa punta larga sono assai originali».

Si sedette, le calzò di nuovo, se le allacciò. Disse al figlio:

«Girati, Rinù, che devo ringraziare la Befana».

Rino pensò a uno scherzo che avrebbe chiuso definitivamente tutta la loro lunga controversia e si girò, felice e imbarazzato insieme. Ma appena accennò a voltare le spalle il padre lo colpì con un calcio violentissimo nel sedere e lo chiamò bestia, coglione, e gli lanciò tutto quello che gli capitava sottomano, alla fine anche le scarpe.

Lila si mise in mezzo solo quando vide che il fratello, all'inizio attento solo a proteggersi da pugni e calci, cominciava a urlare anche lui rovesciando sedie, spaccando piatti, piangendo, giurando che si sarebbe ucciso piuttosto che continuare a lavorare gratis per suo padre, terrorizzando la mamma, gli altri fratelli e il vicinato. Ma inutilmente. Padre e figlio dovettero prima sfogarsi fino a esaurire le forze. Poi tornarono a lavorare insieme, muti, chiusi nella botteguccia con le loro disperazioni.

Delle scarpe per un po' non si parlò più. Lila decise definitivamente che il suo ruolo era aiutare sua madre, fare la spesa, cucinare, lavare i panni, stenderli al sole e non andò mai più nella calzoleria. Rino, intristito, immusonito, sentì la cosa come un torto incomprensibile e cominciò a pretendere che la sorella gli facesse trovare calzini e mutande e camicie in ordine nel suo cassetto, che lo servisse e riverisse quando tornava dal lavoro. Se qualcosa non era di suo gradimento protestava, diceva cose sgradevoli tipo: neanche una camicia sai stirare, stronza. Lei faceva spallucce, non protestava, passò a eseguire i suoi compiti con attenzione e cura.

Il ragazzo stesso, naturalmente, non era contento di comportarsi così, si torceva, cercava di calmarsi, faceva non pochi sforzi per tornare quello di una volta. Nelle giornate buone, la domenica mattina per esempio, le gironzolava intorno scherzando, assumeva toni gentili. «Ce l'hai con me perché mi sono preso tutto il merito delle scarpe? Ma l'ho fatto» diceva mentendo, «per evitare che papà si arrabbiasse anche con te». E poi le chiedeva: «Aiutami, cosa dobbiamo fare adesso? Non possiamo restare fermi, io devo uscire da questa situazione». Lila zitta: cucinava, stirava, a volte lo baciava su una guancia per fargli capire che non era più arrabbiata. Ma intanto lui era già tornato ad arrabbiarsi e finiva sempre per spaccare qualcosa. Le gridava che a tradirlo era stata lei, e ancor più lo avrebbe tradito, visto che presto o tardi si sarebbe sposata con qualche imbecille e se ne sarebbe andata lasciandolo a vivere nella miseria per sempre.

Lila a volte, quando in casa non c'era nessuno, andava nello stanzino dove aveva nascosto le scarpe e le tastava, se le guardava, meravigliata lei stessa che bene o male c'erano e che erano nate grazie a un disegnino su un foglio di quaderno. Quanta fatica buttata.

24.

Tornai a scuola, fui tirata dentro i ritmi tormentosi che ci imponevano i professori. Molti miei compagni cominciarono a cedere, la classe prese ad assottigliarsi. Gino collezionò insufficienze e mi chiese aiuto. Provai ad aiutarlo ma in realtà voleva solo che gli facessi copiare i compiti. Lo lasciai copiare ma era svogliato: persino quando copiava non metteva attenzione, non si sforzava di capire. Anche Alfonso, sebbene molto disciplinato, era in difficoltà. Un giorno scoppiò a piangere durante l'interrogazione di greco, cosa che per un maschio era considerata molto umiliante. Si vide con chiarezza che avrebbe preferito morire piuttosto che versare una sola lacrima davanti alla classe, ma non ce la fece. Restammo tutti in silenzio, molto turbati, tranne Gino che, forse per la tensione, forse per la soddisfazione di vedere che anche per il suo compagno di banco si metteva male, scoppiò a ridere. All'uscita di scuola gli dissi che per via di quella risata non eravamo più fidanzati. Reagì chiedendomi preoccupato: «Ti piace Alfonso?». Gli spiegai che, semplicemente, non mi piaceva più lui. Balbettò che avevamo appena cominciato, non era giusto. Da fidanzati, tra noi non era accaduto granché: c'eravamo dati un bacio ma senza lingua, aveva cercato di toccarmi il petto e io mi ero arrabbiata, lo avevo respinto. Mi pregò di continuare ancora per un po', restai ferma nella mia decisione. Seppi che non mi costava niente fare a meno di andare a scuola e tornare a casa sempre in sua compagnia.

Erano passati pochi giorni dalla rottura con Gino quando Lila mi confidò che aveva avuto due dichiarazioni quasi contemporaneamente, le prime della sua vita. Pasquale, una mattina, l'aveva raggiunta mentre andava a fare la spesa. Era macchiato di fatica, agitatissimo. Le aveva detto che s'era preoccupato perché non l'aveva più vista in calzoleria e aveva pensato che fosse ammalata. Ora però che la trovava bene in salute era felice. Ma mentre parlava, di felicità in viso non ne aveva nemmeno un po'. Si era interrotto come se si stesse strozzando e, per liberarsi la gola, aveva quasi gridato che le voleva bene. Le voleva così bene che, se lei era d'accordo, sarebbe venuto a parlare con suo fratello, con i suoi genitori, con chiunque, subito, per fidanzarsi in casa. Lei era rimasta senza parole, per qualche minuto aveva pensato che scherzasse. Vero che io le avevo detto mille volte che Pasquale le aveva messo gli occhi addosso, ma non mi aveva mai creduto. Adesso invece lui era lì, in una bellissima giornata di primavera, quasi con le lacrime agli occhi, e la supplicava, le diceva che la sua vita non valeva più niente se lei gli diceva di no. Quanto erano difficili da sbrogliare i sentimenti d'amore. Lila con molta cautela, pur senza dire mai no, aveva trovato le parole per rifiutarlo. Aveva detto che gli voleva bene anche lei, ma non come si deve voler bene a un fidanzato. Aveva detto anche che gli sarebbe stata grata sempre per tutte le cose che le aveva spiegato: il fascismo, la resistenza, la monarchia, la repubblica, la borsa nera, il comandante Lauro, i missini, la Democrazia cristiana, il comunismo. Ma fidanzarsi no, non si sarebbe mai fidanzata con nessuno. E aveva concluso: «A tutti voi, ad Antonio, a te, a Enzo, voglio bene come voglio bene a Rino». Pasquale allora aveva mormorato: «Io invece non ti voglio bene come a Carmela». Era scappato via e se n'era tornato a faticare.

«E l'altra dichiarazione?» le chiesi incuriosita ma anche un po' in ansia.

«Non te lo immagineresti mai».

L'altra dichiarazione gliel'aveva fatta Marcello Solara.

Nell'udire quel nome sentii una fitta allo stomaco. Se l'amore di Pasquale era un segno di quanto Lila fosse capace di piacere, l'amore di Marcello, un giovane bello, ricco, con l'automobile, duro, violento, camorrista, abituato cioè a prendersi le femmine che voleva, era ai miei occhi, agli occhi di tutte le mie coetanee, malgrado la pessima fama che aveva, anzi forse anche per quella, una promozione, il passaggio da ragazzina smagrita a donna capace di piegare a sé chiunque.

«E com'è successo?».

Marcello era alla guida del Millecento, da solo, senza il fratello, e l'aveva vista mentre tornava a casa lungo lo stradone. Non aveva accostato, non le aveva parlato dal finestrino. Aveva lasciato la macchina in mezzo alla strada, con lo sportello aperto, e l'aveva raggiunta. Lila aveva seguitato a camminare, e lui dietro. L'aveva supplicata di perdonarlo per come si era comportato tempo prima, aveva ammesso che lei avrebbe fatto benissimo ad ammazzarlo col trincetto. Le aveva ricordato commosso come avevano ballato bene il rock alla festa della madre di Giglio-la, segno di quanto potevano essere affiatati. S'era messo a farle, infine, molti complimenti: «Come ti sei fatta grande, che begli occhi che hai, quanto sei bella». E poi le aveva raccontato il sogno che aveva fatto quella notte: lui le chiedeva di fidanzarsi, lei gli diceva di sì, lui le regalava un anello di fidanzamento identico all'anello di fidanzamento di sua nonna, che aveva nella fascia del castone tre diamanti. Lila finalmente, seguitando a camminare, aveva parlato. Gli aveva chiesto: «In questo sogno ti ho detto sì?». Marcello gliel'aveva confermato e lei aveva replicato: «Allora era proprio un sogno, perché sei un animale, tu e la tua famiglia, tuo nonno, tuo padre, tuo fratello, e con te non mi fidanzerei nemmeno se mi dici che m'ammazzi».

«Gli hai detto così?».

«Gli ho detto anche di più».

«Cioè?».

Quando Marcello, offeso, le aveva replicato che i suoi erano sentimenti molto delicati, che notte e giorno pensava con amore solo a lei, che perciò non era un animale ma uno che l'amava, lei gli aveva risposto che se una persona si comportava come s'era comportato lui con Ada, se quella stessa persona la notte di Capodanno si metteva a sparare con la pistola contro la gente, dirgli animale era offendere gli animali. Marcello aveva capito finalmente che non stava scherzando, che davvero lo considerava molto meno di una rana, di una salamandra, e si era all'improvviso depresso. Aveva mormorato fioco: «È stato mio fratello a sparare». Ma già mentre parlava aveva capito che dopo quella frase lei lo avrebbe disprezzato ancora di più. Cosa verissima. Lila aveva affrettato il passo e quando lui aveva provato a tenerle dietro, gli aveva gridato: «Vattene» e s'era messa a correre. Marcello allora si era fermato come se non si ricordasse dov'era e cosa doveva fare, quindi era tornato al Millecento a testa bassa.

«Tu hai fatto questo a Marcello Solara?».

«Sì».

«Sei pazza: non lo dire a nessuno che l'hai trattato così».

Lì per lì mi sembrò una raccomandazione superflua, dissi quella frase tanto per mostrare che prendevo a cuore la sua vicenda. Lila era di carattere una che godeva a ragionare e fantasticare sui fatti, ma non faceva mai pettegolezzi, a differenza di noi che stavamo di continuo a spettegolare. E difatti dell'amore di Pasquale parlò solo a me, non ho mai saputo che l'avesse raccontato ad altri. Invece di Marcello Solara parlò a tutti. Tant'è vero che incontrai Carmela e lei mi disse: «Hai saputo che la tua amica ha detto no a Marcello Solara?». Incontrai Ada che mi disse: «Nientemeno la tua amica ha detto no a Marcello Solara». Pinuccia Carracci, in salumeria, mi sussurrò all'orecchio: «È vero che la tua amica ha detto no a Marcello Solara?». Perfino Alfonso mi disse un giorno a scuola, stupefatto: «La tua amica ha detto no a Marcello Solara?».

Quando vidi Lila, le dissi:

«Hai fatto male a dirlo a tutti, Marcello si arrabbierà».

Lei fece spallucce. Aveva da fare coi fratelli, la casa, la madre, il padre, e non si fermò a parlare molto. Ormai, da dopo la notte di Capodanno, si occupava solo di faccende domestiche.

25.

Proprio così. Per tutto il resto dell'anno scolastico Lila si disinteressò totalmente di ciò che facevo a scuola. E quando le chiesi che libri prendeva in biblioteca, cosa leggeva, rispose cattiva: «Non prendo più niente, i libri mi fanno male alla testa».

Io invece studiavo, ormai, leggevo quasi per una piacevole abitudine. Ma dovetti constatare presto che, da quando Lila aveva smesso di incalzarmi, di anticiparmi nello studio e nelle letture, la scuola, o anche la biblioteca del maestro Ferraro,

aveva smesso di essere una specie di avventura ed era diventata soltanto una cosa che sapevo fare bene e per la quale riceve-
vo molte lodi.

Me ne resi conto con chiarezza in due occasioni.

Una volta andai a prendere dei libri in biblioteca con la mia
tesserina densa di prestiti e restituzioni, e il maestro prima si
complimentò per la mia assiduità, poi mi chiese di Lila, mostrando molto rammarico per come lei e tutta la sua famiglia
avessero smesso di prendere libri. È difficile spiegare perché,
ma quel rammarico mi fece soffrire. Mi sembrò il segno di un
interesse vero e profondo per Lila, qualcosa di molto più forte
dei complimenti per la mia disciplina di lettrice assidua. Mi
venne in mente che se anche Lila avesse preso un solo libro al-
l'anno, su quel libro avrebbe lasciato la sua impronta e il maestro l'avrebbe sentita al momento della restituzione, mentre io
non lasciavo segni, incarnavo solo l'accanimento con cui som-
mavo disordinatamente volume a volume.

L'altra circostanza ebbe a che fare coi riti scolastici. Il professore di lettere riportò corretti i temi di italiano (la traccia me
la ricordo ancora: "Le varie fasi del dramma di Didone"), e
mentre in genere si limitava a dire due parole per giustificare il
mio solito otto o nove, in quell'occasione mi lodò articolata-
mente davanti alla classe e rivelò solo alla fine di avermi messo,
nientemeno, dieci. Al termine della lezione mi chiamò in corridoio veramente ammirato per come avevo trattato l'argomento
e quando fece capolino il professore di religione, lo bloccò e gli
riassunse entusiasticamente il mio svolgimento. Passò qualche
giorno e mi resi conto che Gerace non s'era limitato al prete,
aveva fatto circolare quel mio compito anche tra gli altri professori, e non solo della mia sezione. Qualche insegnante del
liceo ora mi faceva sorrisi per i corridoi, addirittura buttava lì
un commento. Una professoressa della prima A, per esempio,
la professoressa Galiani che tutti apprezzavano e tutti schivava-
no perché aveva fama di essere comunista e con due battute riu-

sciva a smontare ogni argomentazione mal fondata, mi fermò nell'atrio e si entusiasmò soprattutto per l'idea, centrale nel mio compito, che se l'amore è esiliato dalle città, le città mutano la loro natura benefica in natura maligna. Mi chiese:

«Che significa per te "una città senza amore"?».

«Un popolo privato della felicità».

«Fammi un esempio».

Pensai alle discussioni che avevo fatto con Lila e Pasquale per tutto settembre e le sentii all'improvviso come una vera scuola, più vera di quella che facevo tutti i giorni.

«L'Italia sotto il fascismo, la Germania sotto il nazismo, tutti quanti noi esseri umani nel mondo d'oggi».

Mi scrutò con accresciuto interesse. Disse che scrivevo molto bene, mi consigliò qualche lettura, si offrì di prestarmi libri suoi. Alla fine mi chiese cosa faceva mio padre, risposi: «Usciere al comune». Si allontanò a testa bassa.

Quell'interesse della Galiani naturalmente m'inorgoglì, ma non ebbe gran seguito, tutto tornò a essere routine scolastica. Di conseguenza anche quel mio diventare, già in quarto ginnasio, una studentessa con una sua piccola fama di brava, finì presto per non sembrarmi granché. Alla fine che cosa testimoniava? Testimoniava soprattutto quanto fosse stato fruttuoso studiare e conversare con Lila, averla per stimolo e sostegno nella sortita dentro quel mondo fuori del rione, tra le cose e le persone e i paesaggi e le idee dei libri. Certo, mi dicevo, sicuramente lo svolgimento su Didone è mio, la capacità di formulare belle frasi è roba che viene da me; certo, ciò che ho scritto su Didone mi appartiene; ma non l'ho elaborato insieme con lei, non ci siamo stimolate a vicenda, la mia passione non è cresciuta al calore della sua? E quell'idea della città senza amore, che era piaciuta tanto ai professori, non mi era venuta da Lila, anche se poi l'avevo sviluppata io, con la mia capacità? Cosa dovevo dedurne?

Cominciai ad aspettare nuove lodi che testimoniassero una

mia autonoma bravura. Ma Gerace, quando diede un altro compito sulla regina di Cartagine ("Enea e Didone: incontro tra due profughi"), non si entusiasmò, si limitò a mettermi otto. Dalla professoressa Galiani ricavai, invece, cordiali cenni di saluto e la piacevole scoperta che era l'insegnante di latino e greco di Nino Sarratore, alunno della prima A. Avevo veramente urgenza di attenzione e di stima corroboranti, sperai che mi venissero almeno da lui. Mi augurai che, se la sua professoressa di lettere mi avesse pubblicamente lodata, mettiamo nella sua classe, lui si sarebbe ricordato di me e finalmente mi avrebbe rivolto la parola. Invece non accadde niente, continuai a intravederlo all'uscita, all'entrata, sempre con quella sua aria assorta, mai uno sguardo. Una volta arrivai persino a seguirlo per corso Garibaldi e per via Casanova, sperando che mi scoprisse e mi dicesse: ciao, vedo che facciamo la stessa strada, ho sentito parlare molto di te. Ma procedeva spedito, a testa bassa, e non si girò mai. Mi stancai, mi disprezzai. Svoltai depressa per corso Novara e tornai a casa.

Andai avanti giorno per giorno, impegnata a confermare sempre più agli insegnanti, ai compagni, a me stessa, la mia assiduità e diligenza. Ma intanto mi crebbe dentro un senso di solitudine, sentivo che imparavo senza energia. Provai allora a riferire a Lila del rammarico del maestro Ferraro, le dissi di tornare in biblioteca. Le accennai anche a come era stato accolto bene il compito su Didone, senza dirle però cosa avevo scritto, ma lasciandole intendere che era anche un suo successo. Mi ascoltò svogliatamente, forse nemmeno si ricordava più di ciò che c'eravamo dette su quel personaggio, aveva altri problemi. Appena le lasciai spazio mi disse che Marcello Solara non s'era rassegnato come Pasquale, continuava ad andarle dietro. Se usciva per fare la spesa, la seguiva senza disturbarla fino al negozio di Stefano, fino alla carretta di Enzo, solo per guardarla. Se si affacciava alla finestra lo trovava fermo all'angolo, ad aspettare che lei si affacciasse. Era in ansia per quella costanza.

Temeva che se ne accorgesse suo padre, che soprattutto se ne accorgesse Rino. Era spaventata dalla possibilità che cominciasse una di quelle storie di maschi in cui si finiva per fare a botte un giorno sì e uno no, nel rione ce n'erano tante. «Cos'ho?» diceva. Si vedeva magra, brutta: perché Marcello s'era fissato con lei? «Ho qualcosa di malato?» diceva. «Faccio fare alle persone cose sbagliate».

Quell'idea ormai la ripeteva spesso. La convinzione di aver fatto più male che bene a suo fratello si era consolidata. «Basta guardarlo» diceva. Svanito il progetto del calzaturificio Cerullo, Rino era rimasto impigliato dentro la smania di diventare ricco come i Solara, come Stefano, anche di più, e non riusciva a rassegnarsi alla quotidianità del lavoro di bottega. Le diceva, cercando di riaccenderle il vecchio entusiasmo: «Noi siamo intelligenti, Lina, a noi insieme non ci ferma nessuno, dimmi cosa dobbiamo fare». Desiderava comprarsi anche lui una macchina, la televisione, e detestava Fernando che non capiva l'importanza di quelle cose. Ma soprattutto, quando Lila mostrava di non volerlo più sostenere, la trattava peggio di una serva. Forse lui non sapeva nemmeno di essersi guastato, ma lei, che se lo trovava davanti tutti i giorni, era in allarme. Mi disse una volta:

«Hai visto che la gente quando si sveglia è brutta, tutta deformata, non ha sguardo?».

Rino secondo lei era diventato così.

26.

Una domenica sera di metà aprile, mi ricordo, uscimmo in cinque: Lila, io, Carmela, Pasquale e Rino. Noi ragazze ci vestimmo meglio che potevamo e appena fuori casa ci mettemmo il rossetto e ci pitturammo un po' gli occhi. Prendemmo la metropolitana, molto affollata, e Rino e Pasquale stettero per tutto il percorso sul chi vive, accanto a noi. Temevano che qualcuno ci toccasse, ma non ci toccò nessuno, i nostri accompagnatori avevano facce troppo pericolose.

Scendemmo a piedi per Toledo. Lila insisteva per andare in via Chiaia, via Filangieri e poi via dei Mille, fino a piazza Amedeo, zone dove si sapeva che c'era la gente ricca ed elegante. Rino e Pasquale erano contrari, ma non ci sapevano o volevano spiegare, e rispondevano solo con borbottii in dialetto e insulti a persone indeterminate che chiamavano gagà. Noi tre ci coalizzammo e insistemmo. In quel momento sentimmo strombazzare. Ci girammo e vedemmo il Millecento dei Solara. Dei due fratelli nemmeno ci accorgemmo, tanto fummo colpite dalle ragazze che si sbracciavano dai finestrini: erano Gigliola e Ada. Parevano bellissime, bei vestiti, belle pettinature, begli orecchini scintillanti, agitavano le mani e ci gridavano saluti felici. Rino e Pasquale girarono la faccia, Carmela e io per la sorpresa non rispondemmo. Lila fu l'unica a gridare qualcosa con entusiasmo e a salutarle con ampi cenni, mentre la macchina spariva in direzione di piazza Plebiscito.

Per un po' tacemmo, poi Rino disse cupo a Pasquale che s'era sempre saputo che Gigliola era una zoccola, e Pasquale assentì gravemente. Nessuno dei due accennò a Ada, Antonio era loro amico e non volevano offenderlo. Carmela invece disse molto male anche di Ada. Io provai soprattutto amarezza. Era passata in un lampo l'immagine della potenza, quattro giovani in automobile, il modo giusto di uscire dal rione e far festa. Il nostro era il modo sbagliato: a piedi, mal vestiti, spiantati. Mi venne voglia di tornarmene subito a casa. Invece Lila, come se quell'incontro non ci fosse mai stato, reagì tornando a insistere che voleva andare a spasso dove c'era la gente elegante. Si attaccò al braccio di Pasquale, strillò, rise, fece quella che secondo lei era la parodia della persona benestante, vale a dire sculettò, si produsse in ampi sorrisi e gesti molli. Noi esitammo un attimo e poi passammo a sostenerla, inasprite dall'idea che Gigliola e Ada se la stavano godendo in Millecento con i bellissimi

Solara e noi invece eravamo a piedi, in compagnia di Rino che risuolava scarpe e di Pasquale che faceva il muratore.

Questa nostra insoddisfazione, naturalmente non detta, dovette arrivare per vie segrete fino ai due giovani, che si guardarono, sospirarono e cedettero. Va bene, dissero e imboccammo via Chiaia.

Fu come passare un confine. Mi ricordo un fitto passeggio e una sorta di umiliante diversità. Non guardavo i ragazzi, ma le ragazze, le signore: erano assolutamente diverse da noi. Sembravano aver respirato un'altra aria, aver mangiato altri cibi, essersi vestite su qualche altro pianeta, aver imparato a camminare su fili di vento. Ero a bocca aperta. Tanto più che mentre io mi sarei fermata per guardare con agio abiti, scarpe, il tipo di occhiali che portavano se portavano occhiali, loro passavano e sembrava che non mi vedessero. Non vedevano nessuno di noi cinque. Eravamo non percepibili. O ininteressanti. E anzi, se a volte lo sguardo cadeva su di noi, si giravano subito da un'altra parte come infastidite. Si guardavano solo tra di loro.

Di questo ci rendemmo conto tutti. Nessuno ne parlò, ma capimmo che Rino e Pasquale, più grandi, per quelle strade trovavano solo la conferma di cose che già sapevano, e questo li metteva di malumore, li rendeva torvi, incattiviti dalla certezza di essere fuori luogo, mentre noi ragazze lo scoprivamo solo in quel momento e con sentimenti ambigui. Ci sentimmo a disagio e incantate, brutte ma anche spinte a immaginarci come saremmo diventate se avessimo avuto modo di rieducarci e vestirci e truccarci e agghindarci come si deve. Intanto, per non rovinarci la serata, reagivamo ridacchiando, ironizzando.

«Tu te lo metteresti mai quel vestito?».

«Nemmeno se mi pagassero».

«Io sì».

«Brava, così sembreresti un bombolone come quella lì».

«E hai visto le scarpe?».

«Perché, song' scarp', chelle?».

Avanzammo fino all'altezza di Palazzo Cellammare ridendo e scherzando. Pasquale, che evitava in tutti i modi di stare accanto a Lila e quando lei gli si era messa sottobraccio si era subito liberato con gentilezza (le si rivolgeva spesso, certo, provava un evidente piacere a sentirne la voce, a guardarla, ma si vedeva che anche il più piccolo contatto lo travolgeva, forse poteva persino farlo piangere), tenendosi vicino a me mi chiese con sarcasmo:

«A scuola le tue compagne sono così?».

«No».

«Significa che non è una buona scuola».

«È un liceo classico» dissi io piccata.

«Non è buono» insistette lui, «sta' sicura che se non c'è gente così non è buono: vero Lila che non è buono?».

«Buono?» disse Lila e indicò una ragazza bionda che stava venendo verso di noi in compagnia di un giovane bruno, pullover candido a V, alto: «Se non c'è una come quella, la tua scuola fa schifo». E scoppiò a ridere.

La ragazza era tutta in verde: scarpe verdi, gonna verde, giacca verde e in testa – era questo soprattutto che faceva ridere Lila – aveva una bombetta come quella di Charlot, anch'essa verde.

L'ilarità passò da lei a noi ragazzi. Quando la coppia ci passò accanto Rino fece un commento molto pesante su che cosa la signorina in verde ci doveva fare, con la bombetta, e Pasquale si fermò, tanto gli venne da ridere, e si appoggiò al muro con un braccio. La ragazza e il suo accompagnatore fecero pochi passi, poi si fermarono. Il ragazzo col pullover bianco si girò, trattenuto subito per un braccio dalla ragazza. Lui si divincolò, tornò indietro, si rivolse direttamente a Rino con una serie di frasi insultanti. Fu un attimo. Rino lo abbatté con un pugno in faccia gridando:

«Come m'hai chiamato? Non ho capito, ripeti, come m'hai chiamato? Hai sentito, Pascà, come m'ha chiamato?».

Noi ragazze passammo bruscamente dal riso allo spavento.

Lila per prima si slanciò sul fratello prima che colpisse a calci il giovane a terra e lo trascinò via con un'espressione incredula, come se mille frammenti della nostra vita, dall'infanzia a quel nostro quattordicesimo anno, stessero componendo un'immagine finalmente nitida che in quel momento però le sembrava inverosimile.

Sospingemmo via Rino e Pasquale, mentre la ragazza con la bombetta aiutava il fidanzato a risollevarsi. L'incredulità di Lila intanto si stava mutando in furia disperata. Proprio mentre lo tirava via investì il fratello con insulti volgarissimi, lo tirò per un braccio, lo minacciò. Rino la tenne a bada con una mano, un riso nervoso sulla faccia, e intanto si rivolse a Pasquale:

«Mia sorella si pensa che qua si gioca, Pascà» disse in dialetto con occhi pazzi, «mia sorella si pensa che se io dico là è meglio che non ci andiamo lei può fare quella che sa sempre tutto, che capisce sempre tutto, come al solito, e andarci per forza». Piccola pausa per controllare il respiro, poi aggiunse: «Hai sentito ca chillu strunz m'ha chiamato tàmmaro? Tàmmaro a me? Tàmmaro?». E ancora, sopraffatto dall'affanno: «Mia sorella m'ha portato qua e mo' vede se mi faccio dire tàmmaro, mo' vede che faccio se a me mi chiamano tàmmaro».

«Calma, Rino» gli rispose Pasquale cupo, guardandosi ogni tanto alle spalle, in allarme.

Rino restò agitato, ma sottotono. Lila invece si calmò. Ci fermammo a piazza dei Martiri. Pasquale disse, quasi freddo, rivolgendosi a Carmela:

«Voi adesso ve ne tornate a casa».

«Noi sole?».

«Sì».

«No».

«Carmè, non voglio discutere: andatevene».

«Non sappiamo tornare».

«Non dire bugie».

«Va'» disse Rino a Lila, cercando di contenersi, «pigliati un po' di soldi, per strada vi comprate il gelato».

«Siamo usciti insieme e torniamo insieme».

Rino perse la pazienza di nuovo, le diede uno spintone:

«Ma tu la vuoi finire? Il fratello grande sono io e devi fare quello che ti dico. Muoviti, su, vai, che non ci metto niente a spaccarti la faccia».

Vidi che era pronto a farlo sul serio, tirai per un braccio Lila. Capì anche lei che rischiava:

«Lo dico a papà».

«E chi se ne fotte. Cammina, su, fila, non ti meriti nemmeno il gelato».

Incerte ci allontanammo su per Santa Caterina. Ma dopo un po' Lila ci ripensò, si fermò, disse che tornava dal fratello. Cercammo di convincerla a restare con noi, ma non ne voleva sapere. Proprio mentre stavamo discutendo vedemmo un gruppo di ragazzi, cinque, forse sei, sembravano i canottieri che certe volte avevamo ammirato nelle passeggiate della domenica sotto Castel dell'Ovo. Erano tutti alti, ben piantati, ben vestiti. Alcuni avevano un bastone, altri no. Passarono accanto alla chiesa a passo svelto e andarono verso la piazza. Tra loro c'era il giovane che Rino aveva colpito in faccia, aveva il maglione a V sporco di sangue.

Lila si liberò della mia stretta e corse via, io e Carmela dietro. Arrivammo in tempo per vedere Rino e Pasquale che arretravano verso il monumento al centro della piazza, fianco a fianco, e il gruppo di quelli ben vestiti che gli correvano addosso e li colpivano coi bastoni. Gridammo aiuto, cominciammo a piangere, a bloccare passanti, ma i bastoni spaventavano, la gente non faceva nulla. Lila afferrò uno degli aggressori per un braccio ma fu buttata per terra. Vidi Pasquale in ginocchio, colpito a calci, vidi Rino che si riparava col braccio dalle bastonate. Poi si fermò una macchina ed era il Millecento dei Solara.

Ne scese subito Marcello, che prima tirò su Lila e poi, aizzato da lei che strillava di rabbia e chiamava il fratello, si gettò nella mischia tirando cazzotti e ricevendone. Solo a quel punto dall'automobile uscì Michele, aprì con comodo il portabagagli, prese qualcosa che pareva un pezzo di ferro lucente ed entrò nella mischia picchiando con una ferocia fredda che spero di non vedere mai più nella vita. Rino e Pasquale si risollevarono furiosi, ora picchiavano, stringevano, strappavano, e mi sembravano due sconosciuti tanto erano trasformati dall'odio. I giovani ben vestiti furono messi in fuga. Michele s'accostò a Pasquale che sanguinava dal naso, ma Pasquale lo respinse in malo modo e si passò in faccia la manica della camicia bianca, poi se la guardò bagnata di rosso. Marcello raccolse da terra un mazzo di chiavi e lo diede a Rino, che ringraziò a disagio. La gente che prima s'era allontanata ora si avvicinava incuriosita. Io ero paralizzata dalla paura.

«Portatevi via le ragazze» disse Rino ai due Solara, col tono grato di chi fa una richiesta che sa ineludibile.

Marcello ci costrinse a entrare in macchina, per prima Lila che faceva più resistenza. Ci ficcammo tutte sul sedile di dietro, l'una sulle ginocchia dell'altra, partimmo. Mi girai a guardare Pasquale e Rino che si allontanavano verso la Riviera, Pasquale zoppicava. Mi sentii come se il rione si fosse allargato e avesse inglobato tutta Napoli, anche le vie della gente perbene. In auto ci furono subito tensioni. Gigliola e Ada erano molto seccate, protestarono per come si viaggiava scomode. «Non è possibile» dicevano. «Allora scendete e andate a piedi» gridò Lila e stavano per picchiarsi. Marcello frenò divertito. Gigliola scese e, con un'andatura lenta da principessa, s'andò a sedere davanti, sulle ginocchia di Michele. Facemmo il viaggio così, con Gigliola e Michele che si baciavano di continuo sotto i nostri occhi. Io la guardavo e lei, mentre dava baci appassionati, guardava me. Giravo subito lo sguardo.

Lila non disse più niente finché non arrivammo al rione. Marcello buttò lì qualche parola, cercandola con lo sguardo nello specchietto retrovisore, ma lei non gli rispose mai. Ci facemmo lasciare lontano da casa per evitare che ci vedessero nella macchina dei Solara. Il resto della strada lo facemmo a piedi, noi cinque ragazze. A parte Lila, che sembrava mangiata dalle furie e dalle preoccupazioni, eravamo tutte molto ammirate dal comportamento dei due fratelli. Bravi, dicevamo, hanno fatto bene. Gigliola ripeteva di continuo: «E certo», «E che vi credevate», «E sicuro» con l'aria di chi, lavorando nella pasticceria, sapeva bene che gente di qualità erano i Solara. A un certo punto mi chiese, ma con l'aria di chi prende in giro:

«A scuola com'è?».

«Bello».

«Però non ti diverti come mi diverto io».

«È un altro tipo di divertimento».

Quando lei, Carmela e Ada ci lasciarono per infilarsi nei portoni di casa loro io dissi a Lila:

«Certo che i signori sono peggio di noi».

Lei non replicò. Aggiunsi, circospetta:

«I Solara saranno gente di merda, però meno male che c'erano: quelli di via dei Mille li potevano uccidere, a Rino e a Pasquale».

Lei scosse la testa energicamente. Era più pallida del solito e sotto gli occhi aveva solchi profondi di colore viola. Non era d'accordo ma non mi disse perché.

27.

Fui promossa con tutti nove, avrei ricevuto persino una cosa che si chiamava borsa di studio. Dei quaranta che eravamo restammo in trentadue. Gino fu bocciato, Alfonso fu rimandato a settembre in tre materie. Spinta da mio padre andai a casa della maestra Oliviero – mia madre era contraria, non le piaceva che la Oliviero mettesse becco nella sua famiglia e si arrogasse di prendere decisioni sui suoi figli al posto suo – con i soliti due pacchetti, uno di zucchero e uno di caffè, acquistati al bar Solara, per ringraziarla del suo interesse per me.

Lei si sentiva poco bene, aveva qualcosa in gola che le faceva male, ma mi lodò molto, si complimentò per quanto mi ero impegnata, disse che mi vedeva un po' troppo pallida e che aveva intenzione di telefonare a una sua cugina che abitava a Ischia per vedere se mi ospitava per un po' di tempo. Ringraziai, non dissi niente a mia madre di quell'eventualità. Sapevo già che non mi avrebbe mai mandata. Io a Ischia? Io da sola sul vaporetto a fare un viaggio per mare? Io nientemeno in spiaggia, a bagnarmi in costume da bagno?

Non ne parlai nemmeno a Lila. La sua vita in pochi mesi aveva perso anche l'aura avventurosa della fabbrica di scarpe, e non me la sentivo di vantarmi della promozione, della borsa di studio, di una mia possibile vacanza a Ischia. All'apparenza le cose erano migliorate: Marcello Solara aveva smesso di andarle dietro. Ma dopo le violenze di piazza dei Martiri c'era stato un fatto del tutto inatteso che l'aveva lasciata perplessa. Il giovane, mettendo in agitazione soprattutto Fernando per l'onore che gli veniva fatto, s'era presentato in bottega per informarsi sulle condizioni di Rino. Senonché Rino, che s'era guardato bene dal raccontare al padre l'accaduto (per giustificare i lividi che aveva in faccia e sul corpo s'era inventato di essere caduto dalla Lambretta di un suo amico), temendo che Marcello dicesse una parola di troppo l'aveva subito spinto in strada. Avevano fatto quattro passi. Rino aveva ringraziato malvolentieri Solara sia per il suo intervento, sia per la gentilezza di passare a vedere come stava. Due minuti e s'erano salutati. Al rientro in bottega il padre gli aveva detto:

«Finalmente stai facendo una cosa buona».

«Cosa?».

«L'amicizia con Marcello Solara».

«Non c'è nessuna amicizia, papà».

«Allora vuol dire che fesso eri e fesso sei rimasto».

Fernando voleva dire che qualche cosa si stava muovendo e che il figlio, comunque volesse chiamare quella cosa coi Solara, avrebbe fatto bene a incoraggiarla. Aveva ragione. Marcello era tornato un paio di giorni dopo con le scarpe di suo nonno da risuolare; poi aveva invitato Rino a fare un giro in macchina; poi gli aveva voluto insegnare come si guidava; poi lo aveva spinto a fare le pratiche per prendere la patente, assumendosi l'onere di farlo esercitare alla guida del suo Millecento. Forse non si trattava di amicizia, ma i Solara sicuramente avevano preso Rino a benvolere.

Lila, tagliata fuori da quella frequentazione che si svolgeva tutta intorno alla calzoleria, dove lei non metteva più piede, sentendone parlare provava, a differenza del padre, una crescente preoccupazione. All'inizio si era ricordata della battaglia dei fuochi d'artificio e aveva pensato: Rino odia troppo i Solara, non può essere che si lasci abbindolare. Poi aveva dovuto constatare che le attenzioni di Marcello stavano seducendo il fratello maggiore ancor più che i suoi genitori. Conosceva ormai la fragilità di Rino, ma si arrabbiava ugualmente per come i Solara gli stavano entrando nella testa, facendone una specie di scimmiotto contento.

«Che c'è di male?» le obiettai una volta.

«Sono pericolosi».

«Qui è pericoloso tutto».

«Hai visto Michele cosa ha preso dall'automobile, a piazza dei Martiri?».

«No».

«Una sbarra di ferro».

«Gli altri avevano i bastoni».

«Tu non ci vedi, Lenù, ma la sbarra era tutta affilata in punta: volendo gliela poteva ficcare in petto, a uno di quelli, o nello stomaco».

«Be', tu hai minacciato Marcello col trincetto».

A quel punto s'indispettì, disse che non capivo. E probabil-

196 · ELENA FERRANTE

mente era vero. Il fratello era il suo, non il mio; e a me piaceva fare ragionamenti, lei invece aveva altre necessità, voleva tirar via Rino da quel rapporto. Ma appena faceva qualche accenno critico Rino la zittiva, la minacciava, a volte la picchiava. E insomma le cose, volenti o nolenti, andarono avanti, tanto avanti che una sera di fine giugno – io stavo a casa da Lila, la stavo aiutando a piegare le lenzuola asciutte, o altro, non mi ricordo – si aprì la porta di casa ed entrò Rino, seguito da Marcello.

Il ragazzo aveva invitato a cena Solara, e Fernando, che era tornato da poco dalla bottega, stanchissimo, lì per lì si seccò, ma poi si sentì onorato e si comportò con cordialità. Nunzia non ne parliamo: entrò in agitazione, ringraziò per le tre bottiglie di vino buono che Marcello aveva portato, tirò in cucina gli altri figli perché non disturbassero.

Io stessa fui coinvolta insieme a Lila nei preparativi della cena.

«Ci metto il veleno per gli scarafaggi» diceva Lila furiosa, ai fornelli, e ridevamo, mentre Nunzia ci zittiva.

«È venuto per sposarsi con te» la provocavo, «chiederà la tua mano a tuo padre».

«S'illude».

«Perché» chiedeva Nunzia in ansia, «se ti vuole gli dici di no?».

«Ma', gli ho detto già di no».

«Veramente?».

«Sì».

«Tu che dici?».

«È così» confermai io.

«Tuo padre non lo deve mai sapere, se no ti uccide».

A cena parlò solo Marcello. Era evidente che si era autoinvitato e Rino, che non gli aveva saputo dire di no, a tavola stette quasi sempre zitto, oppure rideva senza motivo. Solara parlò rivolgendosi soprattutto a Fernando ma non dimenticando mai di versare l'acqua o il vino a Nunzia, a Lila, a me. Disse al padro-

ne di casa quanto era stimato nel rione per la sua bravura di calzolaio. Gli disse come il padre parlasse sempre molto bene della
sua grande abilità. Gli disse che Rino aveva per le sue competenze di calzolaio un'ammirazione senza limiti.

Fernando, anche un po' per il vino, si commosse. Borbottò
qualcosa in lode di Silvio Solara, e arrivò persino a dire che Rino
era un gran lavoratore e stava diventando molto bravo. Allora
Marcello attaccò a lodare il bisogno di migliorarsi. Disse che
suo nonno aveva cominciato con un seminterrato, poi suo padre si era allargato e oggi il bar-pasticceria Solara era quello
che era, lo conoscevano tutti, la gente veniva da ogni parte di
Napoli a prendersi un caffè, a mangiare una pasta.

«Che esagerazione» esclamò Lila, e il padre la fulminò con
lo sguardo.

Ma Marcello le sorrise con umiltà e ammise:

«Sì, forse ho esagerato un po', ma solo per dire che i soldi
devono girare. Si comincia con uno scantinato e di generazione in generazione si può arrivare molto lontano».

A questo punto, con visibile disagio soprattutto di Rino, si
mise a lodare l'idea di fare scarpe nuove. E da quel momento
cominciò a guardare Lila come se lodando l'energia delle gene-
razioni stesse lodando soprattutto lei. Diceva: se uno se la sente, se è bravo, se sa inventare cose buone, che piacciono, perché non bisogna provare? Parlò in un bel dialetto accattivante
e parlando non smise mai di fissare la mia amica. Sentivo, vedevo che ne era innamorato come nelle canzoni, che avrebbe
voluto baciarla, che avrebbe voluto respirare il suo respiro, che
lei avrebbe potuto fare di lui tutto quello che voleva, che incar-
nava ai suoi occhi tutte le possibili qualità femminili.

«So» concluse Marcello, «che i vostri figli hanno fatto un
paio di scarpe assai bello, numero 43, proprio il mio numero».

Cadde un lungo silenzio. Rino fissava il piatto e non osava
alzare lo sguardo sul padre. Si sentiva solo il tramestio del car-
dellino accanto alla finestra. Fernando disse lento:

«Sì, è proprio un numero 43».

«Mi piacerebbe assai vederlo, se non vi dispiace».

Fernando borbottò:

«Non lo so dove stanno. Nunzia, tu lo sai?».

«Ce le ha lei» disse Rino accennando alla sorella.

Lila guardò diritto in faccia Solara, poi disse:

«Ce le avevo io, sì, le avevo messe nello stanzino. Ma poi mamma mi ha detto l'altro ieri di fare pulizia e le ho buttate. Tanto non piacevano a nessuno».

Rino si arrabbiò, disse:

«Sei una bugiarda, vai a prendere subito le scarpe».

Anche Fernando disse innervosito:

«Vai a prendere le scarpe, su».

Lila sbottò rivolta al padre:

«Com'è che adesso le vuoi? Le ho buttate perché hai detto che non ti piacevano».

Fernando batté la mano aperta sul tavolo, tremò il vino nei bicchieri.

«Alzati e va' a prendere le scarpe, subito».

Lila scostò la sedia, si alzò.

«Le ho buttate» ripeté fievole e uscì dalla stanza.

Non rientrò più.

Il tempo passò nel silenzio. Il primo ad allarmarsi fu proprio Marcello. Disse, realmente in ansia:

«Forse ho sbagliato, non avevo capito che ci sono problemi».

«Non ci sono problemi» disse Fernando e sibilò alla moglie: «Va' a vedere che combina tua figlia».

Nunzia uscì dalla stanza. Quando rientrò era imbarazzatissima, Lila non si trovava. La cercammo per tutta la casa, non c'era. Chiamammo dalla finestra: niente. Marcello, desolato, si accomiatò. Appena se ne fu andato Fernando strillò, rivolto alla moglie:

«Quant'è vero Iddio questa volta a tua figlia l'ammazzo».

Rino si unì al padre nelle minacce, Nunzia cominciò a piangere. Io me ne andai quasi in punta di piedi, spaventata. Ma appena chiusi la porta e fui sul pianerottolo Lila mi chiamò. Era all'ultimo piano, salii in punta di piedi. Se ne stava raggomitolata accanto alla porta del lastrico, nella penombra. Aveva in grembo le scarpe, per la prima volta le vidi tutte rifinite. Brillavano alla luce fioca di una lampadina appesa a un cavo elettrico.

«Che ti costava fargliele vedere?» chiesi disorientata.

Scosse energicamente la testa:

«Non gliele voglio nemmeno far toccare».

Ma era come sopraffatta dalla sua stessa reazione estrema. Le tremava il labbro inferiore, cosa che non le succedeva mai.

La convinsi piano piano a rientrare, non poteva restare rintanata là sopra in eterno. L'accompagnai a casa contando sul fatto che la mia presenza l'avrebbe protetta. Ma ci furono ugualmente urla, insulti, qualche schiaffo. Fernando le gridò che per un capriccio gli aveva fatto fare brutta figura con un ospite di riguardo. Rino le strappò le scarpe di mano, disse che erano sue, la fatica ce l'aveva messa lui. Lei si mise a piangere mormorando: «Ho lavorato pure io, ma meglio sarebbe stato se non l'avessi mai fatto, sei diventato una bestia pazza». Fu Nunzia a mettere fine a quello strazio. Diventò terrea e con una voce che non era la sua solita ordinò ai figli, perfino al marito – lei che era sempre remissiva – di finirla subito, di dare le scarpe a lei, di non ribattere nemmeno una parola se non volevano che si buttasse dalla finestra. Rino le dette le scarpe subito e per quella volta le cose finirono lì. Io sgattaiolai via.

28.

Ma Rino non si arrese, nei giorni seguenti continuò ad aggredire la sorella a parole e con le mani. Ogni volta che io e Lila ci incontravamo le vedevo un livido nuovo. Dopo un po' la sentii rassegnata. Una mattina lui le impose di uscire insieme, di accompagnarlo fino alla calzoleria. Per strada cercarono entrambi, con mosse caute, un modo per smettere la guerra. Rino le disse che le voleva molto bene ma che lei non voleva il bene di nessuno, né dei genitori né dei fratelli. Lila mormorò: «Qual è il bene tuo, qual è il bene della nostra famiglia? Sentiamo». Passaggio dietro passaggio, lui le rivelò cosa aveva in mente.

«Se a Marcello le scarpe piacciono, papà cambia idea».

«Non credo».

«Sicuro. E se Marcello addirittura se le compra, papà capisce che i modelli tuoi sono buoni, che possono fruttare, e ci fa cominciare a lavorare».

«Noi tre?».

«Io, lui e casomai pure tu. Papà è capace di fare un paio di scarpe tutte rifinite in quattro giorni, al massimo cinque. E io, se m'impegno, ti faccio vedere che posso fare altrettanto. Le fabbrichiamo, le vendiamo e ci autofinanziamo; le fabbrichiamo, le vendiamo e ci autofinanziamo».

«A chi le vendiamo, sempre a Marcello Solara?».

«I Solara trafficano, conoscono gente che conta. Ci faranno la réclame».

«Ce la faranno gratis?».

«Se vogliono una piccola percentuale gliela diamo».

«E perché si dovrebbero accontentare di una piccola percentuale?».

«Mi hanno preso in simpatia».

«I Solara?».

«Sì».

Lila sospirò:

«Facciamo una cosa: io glielo dico a papà e vediamo che ne pensa».

«Non t'azzardare».

«O così o niente».

Rino tacque, molto nervoso.

«Va bene. Comunque, parli tu che sai parlare meglio».

La sera stessa, a cena, davanti a suo fratello con la faccia rosso fuoco, Lila disse a Fernando che Marcello non solo aveva manifestato molta curiosità per l'iniziativa delle scarpe, ma che poteva essere addirittura interessato a comprarsele e che anzi, se si fosse appassionato alla questione dal punto di vista commerciale, avrebbe fatto molta pubblicità al prodotto negli ambienti che frequentava in cambio, naturalmente, di una piccola percentuale sulle vendite.

«Questo l'ho detto io» precisò Rino a occhi bassi, «non Marcello».

Fernando guardò la moglie: Lila capì che s'erano parlati e che erano già arrivati a una conclusione segreta.

«Domani» disse, «metto le vostre scarpe nella vetrina del negozio. Se qualcuno le vuol vedere, se se le vuole provare, se se le vuole comprare, se ci vuole fare qualsiasi cazzo di cosa, deve parlare con me, sono io che decido».

Qualche giorno dopo passai davanti alla bottega. Rino lavorava, Fernando lavorava, tutt'e due curvi, a testa bassa. Vidi in vetrina, tra scatole di cromatina e lacci, le belle, armoniose scarpe di marca Cerullo. Un cartello incollato al vetro, sicuramente di mano di Rino, diceva proprio così, pomposamente: "Qui scarpe di marca Cerullo". Padre e figlio aspettavano che arrivasse la buona sorte.

Ma Lila era scettica, ingrugnata. Non dava nessun credito alle ipotesi ingenue del fratello e temeva la concordia indecifrabile tra il padre e la madre. S'aspettava insomma cose brutte. Passò una settimana, e nessuno mostrò il minimo interesse per le scarpe in vetrina, nemmeno Marcello. Solo perché incalzato da Rino, anzi quasi trascinato a forza nel negozio, Solara diede loro uno sguardo, ma come se avesse ben altro per la testa. Se le provò, certo, ma disse che gli stavano un po' strette, se le sfilò subito e sparì senza nemmeno una parola di complimento,

202 · ELENA FERRANTE

come se avesse mal di pancia e dovesse correre a casa. Delusione di padre e figlio. Ma due minuti dopo Marcello riapparve. Rino balzò in piedi di colpo, raggiante, e gli tese la mano come se un qualche accordo, per quel puro e semplice riaffacciarsi, fosse già stato stipulato. Ma Marcello lo ignorò e si rivolse direttamente a Fernando. Disse tutto d'un fiato:

«Io ho intenzioni assai serie, don Fernà: vorrei la mano di vostra figlia Lina».

29.

Rino reagì a quella svolta con una febbre violentissima che lo tenne lontano dal lavoro per giorni. Quando bruscamente sfebbrò, ebbe manifestazioni inquietanti: si alzava dal letto in piena notte pur continuando a dormire, muto e agitatissimo andava alla porta, cercava di aprirla, si dimenava a occhi sbarrati. Nunzia e Lila, spaventate, lo trascinavano di nuovo a letto.

Fernando, invece, che insieme alla moglie aveva intuito subito le reali intenzioni di Marcello, parlò con sua figlia in modo calmo. Le spiegò che la proposta di Marcello Solara era importante non solo per il suo futuro, ma per quello di tutta la famiglia. Le disse che lei era ancora una bambina e che non era tenuta a dire di sì subito, ma aggiunse che lui, come padre, le consigliava di acconsentire. Un lungo fidanzamento in casa l'avrebbe piano piano abituata al matrimonio.

Lila gli rispose con altrettanta calma che piuttosto che fidanzarsi e poi sposarsi con Marcello Solara, si andava ad annegare negli stagni. Ne nacque una gran lite, che però non le fece cambiare opinione.

Io restai tramortita da quella notizia. Sapevo bene che Marcello voleva fidanzarsi con Lila a tutti i costi, ma mai mi sarebbe venuto in mente che alla nostra età si potesse ricevere una proposta di matrimonio. E invece Lila l'aveva ricevuta, e non

aveva ancora quindici anni, non era mai stata fidanzata di nascosto, non aveva mai scambiato un bacio con nessuno. Mi schierai
subito con lei. Sposarsi? Con Marcello Solara? Casomai fare
anche bambini? No, assolutamente no. La incoraggiai a combattere quella nuova guerra contro il padre e giurai che l'avrei
sostenuta, anche se lui già aveva smesso di essere calmo e ora la
minacciava, diceva che per il suo bene le avrebbe rotto le ossa
se non accettava un partito di quella importanza.

Ma non ebbi modo di restarle accanto. A metà luglio successe una cosa che avrei dovuto mettere in conto e che invece
mi prese alla sprovvista e mi travolse. Un tardo pomeriggio,
dopo il solito giro per il rione a ragionare con Lila su ciò che le
stava accadendo e su come venirne fuori, tornai a casa e mi
venne ad aprire mia sorella Elisa. Disse emozionata che in
camera da pranzo c'era la sua maestra, vale a dire la Oliviero.
Stava parlando con nostra madre.

Mi affacciai timidamente nella stanza, mia madre borbottò
seccata:

«La maestra Oliviero dice che ti devi riposare, che ti sei
stancata troppo».

Guardai la Oliviero senza capire. Sembrava lei ad aver bisogno di riposo, era pallida e con la faccia gonfia. Mi disse:

«Mia cugina ha risposto proprio ieri: puoi andare da lei a
Ischia, e restarci fino a fine agosto. Ti tiene volentieri, devi solo
aiutarla un po' in casa».

Mi si rivolse come se fosse lei mia madre e come se mia
madre quella vera, quella con la gamba offesa e l'occhio storto,
fosse solo un essere vivente di scarto, e in quanto tale da non
prendere in considerazione. Per di più non se ne andò via subito dopo quella comunicazione, ma si trattenne ancora un'ora
buona mostrandomi a uno a uno i libri che mi aveva portato in
prestito. Mi spiegò quali dovevo leggere prima e quali dopo, mi
fece giurare che prima di leggerli li avrei foderati, m'impose di
restituirglieli tutti a fine estate senza nemmeno un'orecchia.

Mia madre resistette paziente. Restò seduta, attenta, anche se l'occhio ballerino le dava un'aria allucinata. Esplose solo quando la maestra, finalmente, si accomiatò con un saluto sprezzante a lei e nemmeno una carezza a mia sorella, che ci teneva e ne sarebbe andata fiera. Mi si rivolse travolta dal rancore per l'umiliazione che le pareva di aver subìto per colpa mia. Disse:

«La signorina deve andarsi a riposare a Ischia, la signorina si è troppo affaticata. Va' a preparare la cena, va', che se no ti do uno schiaffo».

Due giorni dopo, però, dopo avermi preso le misure e avermi cucito in fretta e furia un costume da bagno copiandolo da non so dove, fu lei stessa ad accompagnarmi al vaporetto. Lungo la strada per il porto, mentre mi faceva il biglietto e poi mentre aspettavamo che m'imbarcassi, mi ossessionò con le raccomandazioni. La cosa che la spaventava di più era la traversata. «Speriamo che non si agita il mare» diceva quasi tra sé e sé, e giurava che da piccola, a tre o quattro anni, mi aveva portata a Coroglio tutti i giorni per farmi asciugare il catarro e che il mare era bello e che avevo imparato a nuotare. Ma io non mi ricordavo né di Coroglio, né del mare, né di saper nuotare e glielo dissi. E lei prese un tono astioso, come a dire che il mio eventuale annegamento sarebbe stato da imputare non a lei, che quel che doveva fare per evitarlo l'aveva fatto, ma tutto alla mia smemoratezza. Poi si raccomandò di non allontanarmi dalla riva nemmeno col mare calmo, e di starmene a casa se era agitato o con la bandiera rossa. «Soprattutto» mi disse, «se hai lo stomaco pieno o t'è venuto il marchese, non ti devi nemmeno bagnare i piedi». Prima di lasciarmi si rivolse a un anziano marinaio perché mi tenesse d'occhio. Quando il vaporetto si staccò dal molo mi sentii terrorizzata e insieme felice. Per la prima volta andavo via da casa, facevo un viaggio, un viaggio per mare. Il corpo largo di mia madre – insieme al rione, alla vicenda di Lila – si allontanò sempre più, si perse.

30.

Rifiorii. La cugina della maestra si chiamava Nella Incardo e abitava a Barano. Raggiunsi il paese con la corriera, trovai facilmente la casa. Nella si rivelò un donnone gentile, molto allegro, chiacchierone, nubile. Affittava le sue stanze ai villeggianti e teneva per sé uno stanzino e la cucina. Io avrei dormito in cucina. Mi dovevo fare il letto la sera e smontare tutto (tavole, sostegni, materasso) la mattina. Scoprii che avevo degli obblighi inderogabili: alzarmi alle sei e mezza, preparare la colazione per lei e per i suoi ospiti – quando arrivai c'era una coppia di inglesi con due bambini –, rassettare e lavare tazze e ciotole, apparecchiare per la cena, lavare i piatti prima di andare a dormire. Per il resto ero libera. Me ne potevo stare sul terrazzo a leggere con in faccia il mare, o scendere a piedi per una strada bianca e ripida verso una spiaggia lunga, larga, scura, che si chiamava spiaggia dei Maronti.

In principio, dopo tutte le paure che mi aveva inoculato mia madre e con tutti i problemi che avevo col mio corpo, passai il tempo sul terrazzo, vestita, a scrivere a Lila una lettera al giorno, ciascuna fitta di domande, spiritosaggini, descrizioni dell'isola con entusiasmi gridati. Ma Nella una mattina mi prese in giro, disse: «Che fai così? Mettiti il costume». Quando me lo misi scoppiò a ridere, lo trovò da vecchia. Me ne cucì uno secondo lei più moderno, molto scollato sul seno, meglio aderente al sedere, di un bel blu. Me lo provai e si entusiasmò, disse che era ora che andassi al mare, basta col terrazzo.

Il giorno dopo, tra mille paure e mille curiosità, mi avviai con un asciugamano e un libro verso i Maronti. Il percorso mi sembrò lunghissimo, non incontrai nessuno che salisse o scendesse. La spiaggia era sterminata e deserta, con una sabbia granulosa che frusciava a ogni passo. Il mare mandava un odore intenso, un suono secco, monotono.

Guardai a lungo, in piedi, quella gran massa d'acqua. Poi

mi sedetti sull'asciugamano, incerta sul da farsi. Alla fine mi rialzai e bagnai i piedi in acqua. Come mi era potuto succedere di vivere in una città come Napoli e non pensare mai, nemmeno una volta, di fare un bagno di mare? Eppure era così. Avanzai cautamente lasciando che l'acqua mi salisse dai piedi alle caviglie, alle cosce. Poi misi un piede in fallo e sprofondai. Annaspai terrorizzata, bevvi, ritornai in superficie, all'aria. Mi accorsi che mi veniva naturale muovere i piedi e le braccia in un certo modo per tenermi a galla. Sapevo dunque nuotare. Mia madre mi aveva davvero portata al mare da piccola e davvero, lì, mentre lei faceva le sabbiature, avevo imparato. La vidi in un lampo, più giovane, meno disfatta, seduta sulla spiaggia nera sotto il sole di mezzogiorno, con un vestito bianco a fiorellini, la gamba buona coperta fino al ginocchio dalla veste, quella offesa tutta sepolta sotto la sabbia bruciante.

L'acqua di mare, il sole mi cancellarono rapidamente dal viso l'infiammazione dell'acne. Mi bruciai, mi annerii. Attesi lettere da Lila, ce le eravamo promesse salutandoci, ma non ne arrivarono. Mi esercitai a parlare un po' in inglese con la famigliola ospitata da Nella. Capirono che volevo imparare e mi parlarono sempre più spesso con simpatia, feci molti passi avanti. Nella, che era sempre allegra, mi incoraggiò, cominciai a farle da interprete. Intanto non trascurava occasione per riempirmi di complimenti. Mi faceva piatti enormi, cucinava benissimo. Diceva che ero arrivata uno straccio e ora, grazie alle sue cure, ero bellissima.

Insomma, gli ultimi dieci giorni di luglio mi diedero un senso di benessere fino ad allora sconosciuto. Provai una sensazione che poi nella mia vita s'è ripetuta spesso: la gioia del nuovo. Mi piaceva tutto: alzarmi presto, preparare la colazione, sparecchiare, passeggiare per Barano, fare la strada per i Maronti in salita e in discesa, leggere distesa al sole, tuffarmi, tornare a leggere. Non avevo nostalgia di mio padre, dei miei fratelli, di mia madre, delle vie del rione, dei giardinetti. Mi mancava soltanto Lila, Lila che però non rispondeva alle mie lettere. Temevo che le accadessero cose, belle o brutte, senza che io fossi presente. Era un timore vecchio, un timore che non mi era mai passato: la paura che, perdendomi pezzi della sua vita, perdesse intensità e centralità la mia. E il fatto che non mi rispondesse accentuava quella preoccupazione. Per quanto mi sforzassi nelle lettere di comunicarle il privilegio delle giornate a Ischia, il mio fiume di parole e il suo silenzio mi parevano dimostrare che la mia vita era splendida ma povera di eventi, tanto da lasciarmi il tempo di scriverle ogni giorno, la sua nera ma affollata.

Solo a fine luglio Nella mi disse che al posto degli inglesi, il primo agosto, sarebbe arrivata una famigliola napoletana. Era il secondo anno che venivano. Gente molto perbene, signori gentilissimi, squisiti: specialmente il marito, un vero gentiluomo che le diceva sempre bellissime parole. E poi il figlio grande, proprio un bel ragazzo: alto, magro ma forte, quest'anno faceva diciassette anni. «Hai finito di stare sola» mi disse, e io m'imbarazzai, fui subito presa dall'ansia per questo giovane che stava arrivando, dalla paura che non riuscissimo a dirci nemmeno due parole, che non gli piacessi.

Appena partirono gli inglesi, che mi lasciarono un paio di romanzi per esercitarmi a leggerli, e il loro indirizzo, perché se mai avessi deciso di andare in Inghilterra sarei dovuta andare a trovarli, Nella si fece aiutare a lustrare le stanze, a cambiare tutta la biancheria, a rifare i letti. Lo feci volentieri, e mentre lavavo i pavimenti lei mi gridò dalla cucina:

«Come sei brava, sai pure leggere in inglese. Non ti bastano i libri che ti sei portata?».

E non fece che lodarmi a distanza, ad alta voce, per come ero disciplinata, per come ero giudiziosa, per come leggevo tutta la giornata e anche la sera. Quando la raggiunsi in cucina la trovai con un libro in mano. Disse che gliel'aveva regalato il signore che doveva arrivare all'indomani, l'aveva scritto lui in persona. Nella lo teneva sul comodino, ogni sera leggeva una poesia, prima a mente e poi ad alta voce. Ormai le sapeva tutte a memoria.

«Guarda che cosa mi ha scritto» disse, e mi porse il libro.

Era *Prove di sereno*, di Donato Sarratore. La dedica diceva: *A Nella, che è uno zucchero, e alle sue marmellate.*

31.

Scrissi subito a Lila: pagine e pagine di apprensione, gioia, voglia di fuga, prefigurazione appassionata del momento in cui avrei visto Nino Sarratore, avrei fatto la strada per i Maronti insieme a lui, ci saremmo fatti il bagno, avremmo guardato la luna e le stelle, avremmo dormito sotto lo stesso tetto. Non feci che pensare ai momenti intensi in cui, tenendo per mano suo fratello, un secolo prima – ah, quanto tempo era passato – mi aveva dichiarato il suo amore. Eravamo due bambini, allora: adesso mi sentivo grande, quasi vecchia.

Il giorno dopo andai alla fermata della corriera per aiutare gli ospiti a portare su i bagagli. Ero in grande agitazione, non avevo dormito tutta la notte. La corriera arrivò, si fermò, ne scesero i viaggiatori. Riconobbi Donato Sarratore, riconobbi Lidia, la moglie, riconobbi Marisa, sebbene fosse molto cambiata, riconobbi Clelia, sempre in disparte, riconobbi il piccolo Pino, che adesso era un ragazzino serio, e m'immaginai che il bambino tutto capricci che tormentava la madre dovesse essere quello che l'ultima volta che avevo visto la famiglia Sarratore al completo era ancora in carrozzina, sotto i proiettili lanciati da Melina. Ma non vidi Nino.

Marisa mi gettò le braccia al collo con un entusiasmo che non mi sarei mai aspettata: in tutti quegli anni non mi era mai, assolutamente mai, tornata in mente, mentre lei disse che aveva pensato spesso a me con tanta nostalgia. Quando accennò ai tempi del rione e disse ai genitori che ero la figlia di Greco, l'usciere, Lidia, sua madre, fece una smorfia di fastidio e corse subito ad afferrare il figlio piccolo per rimproverarlo di non so cosa, mentre Donato Sarratore passò a occuparsi dei bagagli senza nemmeno una frase tipo: come sta papà.

Mi depressi. I Sarratore si sistemarono nelle loro stanze, io andai al mare con Marisa, che conosceva i Maronti e tutta Ischia benissimo e già scalpitava, voleva andare al Porto, dove c'era più animazione, e a Forio, e a Casamicciola, dovunque ma non a Barano che secondo lei era un mortorio. Mi raccontò che studiava da segretaria d'azienda e aveva un ragazzo che presto avrei conosciuto perché sarebbe venuto a trovarla, ma di nascosto. Infine mi disse una cosa che mi diede un tuffo al cuore. Sapeva tutto di me, sapeva che facevo il ginnasio, che a scuola ero bravissima e che ero fidanzata con Gino, il figlio del farmacista.

«Chi te l'ha detto?».

«Mio fratello».

Dunque Nino mi aveva riconosciuta, dunque sapeva chi ero, dunque la sua non era disattenzione, ma forse timidezza, forse disagio, forse vergogna per la dichiarazione che mi aveva fatto da bambino.

«È da tanto che ho smesso con Gino» dissi, «tuo fratello non è informato bene».

«Pensa solo a studiare, quello, è già troppo che mi ha detto di, te, di solito sta con la testa tra le nuvole».

«Non viene?».

«Viene quando se ne va papà».

Mi raccontò in modo molto critico di Nino. Era uno senza sentimenti. Non si entusiasmava mai di niente, non s'arrabbiava ma nemmeno era gentile. Se ne stava chiuso dentro se stesso, la sola cosa che lo interessava era lo studio. Non gli piaceva niente, era di sangue freddo. L'unica persona che riusciva a turbarlo un pochino era il padre. Non che litigassero, era un figlio rispettoso e obbediente. Ma Marisa lo sapeva bene che Nino non lo poteva sopportare. Lei invece lo adorava. Era l'uomo più buono e più intelligente del mondo.

«E resta molto, tuo padre? Quando se ne va?» le domandai con un interesse forse eccessivo.

«Tre giorni soltanto. Deve lavorare».

«E Nino arriva fra tre giorni?».

«Sì. S'è inventato che doveva aiutare la famiglia di un suo amico a fare il trasloco».

«E non è vero?».

«Non ha amici. E comunque non sposterebbe quella pietra da qua a là nemmeno per mia mamma, l'unica a cui vuole un po' di bene, figuriamoci se va ad aiutare un amico».

Facemmo il bagno, ci asciugammo passeggiando lungo la riva. Mi fece vedere ridendo una cosa a cui non avevo fatto caso. In fondo alla spiaggia nerastra c'erano delle forme bianche, immobili. Mi trascinò ridendo su per la sabbia rovente e a un certo punto diventò evidente che erano persone. Persone vive e coperte di fango. Si curavano a quel modo, non si sapeva di che. Ci sdraiammo sulla sabbia voltolandoci, spingendoci, giocando a fare le mummie come quelle persone. Ci divertimmo molto, poi andammo a fare un altro bagno.

In serata la famiglia Sarratore cenò in cucina e invitarono Nella e me a cenare con loro. Fu una bella serata. Lidia non accennò mai al rione, ma, passato il primo moto di ostilità, si informò su di me. Quando Marisa le disse che ero molto studiosa e andavo alla stessa scuola di Nino diventò particolarmente gentile. Il più cordiale di tutti fu comunque Donato Sarratore. Riempì di complimenti Nella, lodò me per i risultati scolastici che avevo ottenuto, fu pieno di attenzioni per Lidia, giocò con Ciro, il bambino, volle rassettare lui, mi impedì di fare i piatti.

Lo studiai ben bene e mi sembrò una persona diversa da come me lo ricordavo. Era più magro, certo, s'era fatto crescere i baffi, ma a parte l'aspetto c'era qualcosa in più che non riuscii a capire e che dipendeva dal comportamento. Forse mi sembrò più paterno di mio padre e di una cortesia fuori del comune.

Questa sensazione si accentuò nei due giorni seguenti.

Sarratore, quando andavamo al mare, non permetteva a Lidia
e a noi due ragazze di portare alcunché. Si caricava lui del-
l'ombrellone, delle borse con gli asciugamani e con il cibo per
il pranzo, sia all'andata, e passi, che al ritorno, quando la strada era tutta in salita. Cedeva il carico a noi solo quando Ciro
frignava e pretendeva di essere portato in braccio. Aveva un
corpo asciutto, con pochi peli. Indossava un costume di colore incerto, non di stoffa, sembrava di lana leggera. Nuotava
molto ma senza allontanarsi, voleva mostrare a me e a Marisa
com'era lo stile libero. Sua figlia nuotava come lui, con le stesse bracciate meditatissime, lente, e io subito cominciai a imi-
tarli. Si esprimeva più in italiano che in dialetto e tendeva con
un certo accanimento, specialmente con me, a metter su frasi
tortuose e perifrasi inconsuete. Ci invitava allegramente, me,
Lidia, Marisa, a correre avanti e indietro sulla battigia insieme
a lui per tonificare i muscoli, e intanto ci faceva ridere con
smorfie, vocine, un'andatura buffa. Quando faceva il bagno
con la moglie se ne stavano l'uno stretto all'altra a galleggiare,
si parlavano a voce bassa, ridevano spesso. Il giorno che partì,
mi dispiacqui come si dispiacque Marisa, come si dispiacque
Lidia, come si dispiacque Nella. La casa, pur risuonando delle
nostre voci, sembrò silenziosa, un mortorio. L'unica consolazione fu che finalmente sarebbe arrivato Nino.

32.

Provai a suggerire a Marisa di andarlo ad aspettare al porto,
ma lei si rifiutò, disse che il fratello non meritava quelle attenzioni. Nino arrivò in serata. Alto, magrissimo, camicia azzurra,
pantaloni scuri, sandali, un sacco sulla spalla, non mostrò la
minima emozione nel trovarmi a Ischia, in quella casa, tanto
che pensai che a Napoli avessero il telefono, che Marisa avesse
trovato il modo di avvisarlo. A tavola si espresse a monosillabi,

a colazione non comparve. Si svegliò tardi, andammo al mare tardi, si caricò di poco o niente. Si tuffò subito, con decisione, e nuotò verso il largo senza l'esibito virtuosismo del padre, con naturalezza. Sparì, temetti che fosse annegato, ma né Marisa né Lidia si preoccuparono. Riapparve quasi due ore dopo e si mise a leggere fumando una sigaretta dietro l'altra. Lesse per l'intera giornata, senza mai rivolgerci la parola e disponendo i mozziconi spenti nella sabbia in fila per due. Mi misi a leggere anch'io rifiutando l'invito di Marisa a passeggiare lungo la battigia. A cena mangiò in fretta, uscì. Sparecchiai, lavai i piatti pensando a lui. Mi feci il letto in cucina e mi misi di nuovo a leggere aspettando che rientrasse. Lessi fin verso l'una, poi mi addormentai con la luce accesa e il libro aperto sul petto. Al mattino mi svegliai con la luce spenta e il libro chiuso. Pensai che fosse stato lui e sentii una vampa d'amore nelle vene mai provata prima.

Nel giro di pochi giorni le cose migliorarono. Mi accorsi che ogni tanto mi guardava e poi girava lo sguardo da un'altra parte. Gli chiesi cosa leggeva, gli dissi cosa leggevo. Parlammo delle nostre letture, annoiando Marisa. All'inizio sembrò ascoltarmi con attenzione, poi, proprio come Lila, attaccò a parlare lui e tirò avanti sempre più preso dai suoi ragionamenti. Poiché desideravo che si accorgesse della mia intelligenza tendevo a interromperlo, a dire la mia, ma era difficile, sembrava contento della mia presenza solo se rimanevo in silenzio ad ascoltare, cosa che mi rassegnai presto a fare. Del resto diceva cose che io mi sentivo incapace di pensare, o comunque di dire con la stessa sicurezza, e le diceva in un italiano forte, avvincente.

Marisa a volte ci tirava palle di sabbia, a volte irrompeva gridando: «Finitela, chi se ne frega di questo Dostoevskij, chi se ne frega dei Karamazov». Allora Nino s'interrompeva bruscamente e s'allontanava lungo la riva del mare a testa bassa, fino a diventare un puntino. Io passavo un po' di tempo con Marisa a parlare del suo fidanzato, che non poteva venire più a vederla in segreto, cosa che la faceva piangere. Intanto mi sentivo sempre meglio, non potevo credere che la vita potesse essere così. Forse, pensavo, le ragazze di via dei Mille – quella tutta vestita di verde, per esempio – fanno una vita come questa.

Ogni tre o quattro giorni tornava Donato Sarratore, ma stava al massimo ventiquattr'ore, poi ripartiva. Diceva di non pensare ad altro che al 13 agosto, quando si sarebbe stabilito a Barano per due settimane piene. Appena compariva il padre Nino diventava un'ombra. Mangiava, spariva, ricompariva a notte tarda, e non pronunciava una sola parola. Lo ascoltava con un mezzo sorrisetto acquiescente, e qualsiasi cosa il padre profferisse non acconsentiva ma nemmeno gli si opponeva. L'unica volta che diceva qualcosa di deciso ed esplicito era quando Donato menzionava il sospirato 13 agosto. Allora, due minuti dopo, ricordava alla madre, alla madre, non a Donato, che subito dopo Ferragosto doveva tornare a Napoli perché aveva concordato con alcuni compagni di scuola di incontrar-si – contavano di riunirsi in una casa di campagna nell'Avelli-nese – e cominciare a fare i compiti delle vacanze. «È una bu-gia» mi sussurrava Marisa, «non ha nessun compito». Ma la madre lo lodava, il padre pure. Anzi, Donato attaccava subito con uno dei suoi argomenti preferiti: Nino era fortunato a stu-diare; lui aveva potuto frequentare solo fino al secondo indu-striale, poi era dovuto andare a lavorare; ma se avesse potuto fare gli studi che faceva il figlio, chissà dove sarebbe arrivato. E concludeva: «Studia, Ninù, va', bravo a papà, e fa' quello che io non sono riuscito a fare».

Quei toni disturbavano Nino più di ogni altra cosa. Pur di battersela arrivava qualche volta a invitare me e Marisa a usci-re con lui. Diceva cupo ai genitori, come se non facessimo che tormentarlo: «Vogliono prendere il gelato, vogliono fare quat-tro passi, le accompagno».

In quelle occasioni Marisa correva a prepararsi felicissima e io mi rammaricavo perché avevo sempre i soliti quattro strac-

ci. Ma mi pareva che a lui importasse poco se ero bella o brutta. Appena fuori casa attaccava a chiacchierare, cosa che getta-
va Marisa nello sconforto, diceva che meglio sarebbe stato per
lei restare a casa. Io invece pendevo dalle labbra di Nino. Mi
meravigliava molto che, nella ressa del Porto, tra giovani e meno giovani che guardavano me e Marisa con intenzione, e ridevano, e cercavano di attaccare bottone, lui non mostrasse nemmeno un tratto di quella disposizione alla violenza che era di
Pasquale, Rino, Antonio, Enzo, quando uscivano con noi e
qualcuno ci lanciava un'occhiata di troppo. Come guardia mi-
nacciosa del nostro corpo valeva poco. Forse perché era preso
dalle cose che gli passavano per la testa, dalla smania di parlarmene, lasciava che intorno a noi accadesse di tutto.

Fu così che Marisa fece amicizia con dei ragazzi di Forio, e
quelli vennero a farle visita a Barano, e lei li portò con noi in
spiaggia ai Maronti, e insomma cominciò a uscirci tutte le sere.
Andavamo tutti e tre al Porto, ma una volta lì lei se ne andava
con i suoi nuovi amici (quando mai Pasquale sarebbe stato così
liberale con Carmela, Antonio con Ada?) e noi passeggiavamo
lungo il mare. Ci incontravamo poi intorno alle dieci e tornavamo a casa.

Un sera, appena soli, Nino mi disse all'improvviso che da
ragazzino aveva invidiato molto il rapporto che c'era tra me e
Lila. Ci vedeva da lontano, sempre insieme, sempre a chiacchierare, e avrebbe voluto fare amicizia con noi, ma gli era
sempre mancato il coraggio. Poi sorrise e disse:

«Ti ricordi la dichiarazione che ti feci?».

«Sì».

«Mi piacevi moltissimo».

Diventai di fuoco, sussurrai stupidamente:

«Grazie».

«Pensavo che ci saremmo fidanzati e saremmo stati sempre
tutti e tre insieme, io, tu e la tua amica».

«Insieme?».

Sorrise di se stesso bambino.

«Non capivo niente di fidanzamenti».

Poi mi chiese di Lila.

«Ha continuato a studiare?».

«No».

«E che fa?».

«Aiuta i genitori».

«Era bravissima, non si riusciva a starle dietro, mi appannava la testa».

Disse proprio a quel modo – *mi appannava la testa* –, e io se prima c'ero rimasta un po' male perché di fatto mi aveva detto che la sua dichiarazione d'amore era stato solo un tentativo per introdursi nel rapporto tra me e Lila, questa volta soffrii in modo evidente, sentii proprio un dolore in mezzo al petto.

«Non è più così» dissi, «è cambiata».

E avvertii la spinta ad aggiungere: "Hai sentito, i professori come parlano di me, a scuola?". Meno male che riuscii a trattenermi. Però, a partire da quella conversazione, smisi di scrivere a Lila: facevo fatica a raccontarle ciò che mi stava succedendo, e comunque non mi rispondeva. Mi dedicai invece alla cura di Nino. Sapevo che si svegliava tardi e inventavo scuse d'ogni genere per non fare colazione con gli altri. Aspettavo lui, scendevo con lui al mare, preparavo io le sue cose, gliele portavo io, facevamo il bagno insieme. Ma quando andava al largo non mi sentivo in grado di tenergli dietro, tornavo sul bagnasciuga a sorvegliare in apprensione la scia che lasciava, il puntino scuro della sua testa. Entravo in ansia se lo perdevo, ero felice quando lo vedevo tornare. Insomma lo amavo e lo sapevo ed ero contenta di amarlo.

Ma intanto Ferragosto era sempre più vicino. Una sera gli dissi che non volevo andare al Porto, preferivo fare una passeggiata ai Maronti, c'era la luna piena. Sperai che venisse con me rinunciando ad accompagnare la sorella, che premeva per il Porto dove ormai aveva una specie di fidanzato col quale, mi raccontava, scambiava baci e abbracci tradendo l'altro fidanzato di Napoli. Invece lui andò con Marisa. Io, per una questione di principio, mi avviai per la strada sassosa che portava alla spiaggia. La sabbia era fredda, nerogrigia alla luce della luna, il mare respirava appena. Non c'era anima viva e mi misi a piangere di solitudine. Cos'ero, chi ero? Mi sentivo di nuovo bella, non avevo più brufoli, il sole e il mare mi avevano snellita, e tuttavia la persona che mi piaceva e a cui volevo piacere non mostrava nessun interesse per me. Quali segni avevo addosso, quale destino? Pensai al rione come a una voragine dalla quale era illusorio tentare di uscire. Poi sentii il fruscio della sabbia, mi girai, vidi l'ombra di Nino. Mi si sedette a lato. Doveva tornare a prendere la sorella dopo un'ora. Lo sentii nervoso, colpiva la sabbia con il tallone della gamba sinistra. Non parlò di libri, all'improvviso cominciò a parlare del padre.

«Dedicherò la mia vita» disse come se si trattasse di una missione, «a cercare di non assomigliargli».

«È un uomo simpatico».

«Lo dicono tutti».

«E allora?».

Fece una smorfia sarcastica che per qualche secondo lo imbruttì.

«Come sta Melina?».

Lo guardai stupita. Io ero stata ben attenta a non menzionare mai Melina in quei giorni di chiacchiere fitte, e lui ecco che ne parlava.

«Così».

«È stato il suo amante. Lo sapeva benissimo che era una donna fragile, ma se l'è presa ugualmente, per pura vanità. Per vanità farebbe male a chiunque e senza sentirsene responsabile. Poiché è convinto di far felice tutti, crede che tutto gli vada perdonato. Va a messa ogni domenica. Tratta noi figli con riguardo. È pieno di attenzioni per mia madre. Ma la tradisce continuamente. È un ipocrita, mi fa schifo».

Non seppi cosa dirgli. Nel rione potevano accadere cose terribili, padri e figli arrivavano spesso alle mani, come Rino e Fernando per esempio. Ma la violenza di quelle poche frasi costruite con cura mi fece male. Nino odiava il padre con tutte le sue energie, ecco perché parlava tanto dei Karamazov. Ma non era quello il punto. Ciò che mi turbò profondamente fu che Donato Sarratore, per quel che avevo visto coi miei occhi, sentito con le mie orecchie, non aveva niente di così repellente, era il padre che ogni ragazza, ogni ragazzo avrebbe voluto, e Marisa infatti lo adorava. Per di più, se il suo peccato era la capacità di amare, non ci vedevo niente di particolarmente malvagio, persino di mio padre mia madre diceva con rabbia che chissà quante ne aveva combinate. Di conseguenza quelle frasi sferzanti, quel tono tagliente mi sembrarono terribili. Mormorai:

«Lui e Melina sono stati travolti dalla passione, come Didone ed Enea. Sono cose che fanno male, ma anche molto commoventi».

«Ha giurato fedeltà a mia madre davanti a Dio» esclamò di colpo sopratono. «Non rispetta né lei né Dio». E balzò su tutto agitato, aveva occhi bellissimi e lucenti. «Nemmeno tu mi capisci» disse allontanandosi con passi lunghi.

Lo raggiunsi, mi batteva forte il cuore.

«Ti capisco» mormorai e gli presi cautamente un braccio.

Non c'eravamo mai nemmeno sfiorati, il contatto mi bruciò le dita, lo lasciai subito. Lui si chinò e mi baciò sulle labbra, un bacio leggerissimo.

«Domani parto» disse.

«Ma il 13 è dopodomani».

Non rispose. Risalimmo a Barano parlando di libri, poi andammo a prendere Marisa al Porto. Sentivo la sua bocca sulla mia.

33.

Piansi tutta la notte, nella cucina silenziosa. Mi addormentai all'alba. Venne Nella a svegliarmi e mi rimproverò, disse che Nino aveva voluto fare colazione sul terrazzo per non disturbarmi. Era andato via.

Mi vestii in fretta, lei si accorse che soffrivo. «Vai» mi concesse infine, «forse fai in tempo». Corsi al Porto sperando di arrivare prima che il vaporetto partisse, ma il battello era già al largo.

Trascorsi giorni brutti. Rifacendo le stanze trovai un segnalibro d'un cartoncino azzurro che apparteneva a Nino e lo nascosi tra le mie cose. La sera, nella cucina, a letto, l'annusavo, lo baciavo, lo leccavo con la punta della lingua e piangevo. La mia stessa passione disperata mi commuoveva e il pianto si autoalimentava.

Poi arrivò Donato Sarratore e cominciarono i suoi quindici giorni di ferie. Si rammaricò che il figlio fosse già andato via, ma fu contento che avesse raggiunto i suoi compagni nell'Avellinese per studiare. «È un ragazzo veramente serio» mi disse, «come te. Sono fiero di lui, come m'immagino che debba essere fiero di te tuo padre».

La presenza di quell'uomo rassicurante mi acquietò. Volle conoscere i nuovi amici di Marisa, li invitò una sera a fare un gran falò sulla spiaggia. Si adoperò lui stesso per ammucchiare tutta la legna che riuscì a trovare e restò con noi ragazzi fino a tardi. Il ragazzo con cui Marisa portava avanti un mezzo fidanzamento strimpellava la chitarra e Donato cantò, aveva una voce bellissima. A notte ormai inoltrata si mise a suonare lui stesso e suonava bene, abbozzò ballabili. Qualcuno cominciò a danzare, Marisa per prima.

Guardavo quell'uomo e pensavo: lui e suo figlio non hanno nemmeno un tratto in comune. Nino è alto, ha un viso delicato, la fronte sepolta sotto capelli nerissimi, la bocca sempre socchiusa con labbra invitanti; Donato invece è di statura media, i tratti del viso sono marcati, è molto stempiato, ha la bocca concentrata, quasi senza labbra. Nino guarda sempre con occhi imbronciati che vedono oltre le cose e le persone e paiono spaventarsi; Donato ha uno sguardo sempre disponibile che adora l'apparenza d'ogni cosa o persona e non fa che sorriderle. Nino ha qualcosa che lo mangia dentro, come Lila, ed è un dono e una sofferenza, non sono contenti, non si abbandonano, temono ciò che gli succede intorno; quest'uomo no, pare voler bene a ogni manifestazione della vita, quasi che ogni secondo vissuto abbia una limpidezza assoluta.

Da quella sera il padre di Nino mi sembrò un rimedio solido non solo contro il buio dentro cui mi aveva respinto suo figlio andandosene dopo un bacio quasi impercettibile, ma anche – me ne resi conto stupita – contro quello dentro cui mi aveva respinto Lila non rispondendo mai alle mie lettere. Lei e Nino si conoscono appena, pensai, non si sono mai frequentati, e tuttavia ora mi sembrano molto simili: non hanno bisogno di niente e di nessuno e sanno sempre ciò che va e ciò che non va. Ma se si sbagliano? Cos'ha di particolarmente terribile Marcello Solara, cos'ha di particolarmente terribile Donato Sarratore? Non capivo. Amavo sia Lila che Nino, e ora in modo diverso mi mancavano, ma ero grata a quel padre odiato che a me, a tutti noi ragazzi, dava importanza, ci regalava gioia e tranquillità nella notte dei Maronti. All'improvviso fui contenta che nessuno dei due fosse presente sull'isola.

Ripresi a leggere, scrissi un'ultima lettera a Lila in cui le dicevo che, visto che non mi aveva mai risposto, non le avrei scritto più. Mi legai invece alla famiglia Sarratore, mi sentii sorella di Marisa, di Pinuccio e del piccolo Ciro, che ora mi amava moltissimo e con me, solo con me, non era capriccioso ma giocava tranquillo, cercavamo insieme conchiglie. Lidia, che aveva definitivamente rovesciato l'ostilità nei miei confronti in simpatia e affetto, mi lodava spesso per la precisione che mettevo in ogni cosa: apparecchiare, rifare le camere, lavare i piatti, intrattenere il bambino, leggere e studiare. Una mattina mi fece provare un suo prendisole che le andava stretto e poiché Nella e anche Sarratore, chiamato d'urgenza a dare un parere, si entusiasmarono per come mi stava bene, me lo regalò. In certi momenti pareva addirittura preferirmi a Marisa. Diceva: «È sfaticata, vanitosa, l'ho educata male, non studia; tu invece fai tutto con molto giudizio». «Proprio come Nino» aggiunse una volta, «solo che tu sei solare e lui è sempre nervoso». Ma a sentire quelle critiche Donato scattò e si mise a lodare il figlio maggiore. «È un ragazzo d'oro» disse, e chiese conferma a me con lo sguardo e io feci cenno di sì con grande convinzione.

Dopo i suoi lunghissimi bagni Donato mi si sdraiava accanto ad asciugarsi al sole e leggeva il suo giornale, il *Roma*, l'unica cosa che leggesse. Mi colpiva che uno che scriveva poesie, che le aveva persino raccolte in volume, non aprisse mai un libro. Non se n'era portati e non era mai incuriosito dai miei. A volte mi declamava qualche brano di articolo, parole e frasi che avrebbero fatto arrabbiare moltissimo Pasquale e sicuramente anche la professoressa Galiani. Ma io tacevo, non mi andava di mettermi a discutere con una persona tanto garbata guastandogli la grandissima stima che aveva di me. Una volta me ne lesse uno tutto intero, dall'inizio alla fine, e ogni due righe si volgeva a Lidia sorridendo, e Lidia gli rispondeva con un sorriso complice. Alla fine mi chiese:

«Ti è piaciuto?».

Era un articolo sulla velocità del viaggio in treno contrapposta a quella del viaggio di una volta, in calesse o a piedi, per i viottoli di campagna. Era scritto con frasi altisonanti che leggeva in modo commosso.

«Sì, moltissimo» risposi.

«Guarda chi l'ha scritto: che leggi qui?».

Si protese verso di me, mi mise il giornale sotto gli occhi. Lessi emozionata:

«Donato Sarratore».

Lidia scoppiò a ridere e anche lui. Mi lasciarono sulla spiaggia a tener d'occhio Ciro mentre loro facevano il bagno al modo solito, stretti l'uno all'altra e parlandosi all'orecchio. Li guardai, pensai: povera Melina, ma senza astio nei confronti di Sarratore. Ammesso che Nino avesse ragione e che davvero tra i due ci fosse stato qualcosa; ammesso insomma che Sarratore avesse davvero tradito Lidia, ancor più di prima, ora che lo conoscevo abbastanza, non riuscivo a sentirlo colpevole, tanto più che mi pareva non lo sentisse colpevole nemmeno sua moglie, anche se all'epoca lo aveva costretto ad andar via dal rione. Quanto a Melina, capivo pure lei. Aveva provato la gioia dell'amore per quell'uomo così lontano dalla media – un controllore sui treni ma anche un poeta, un giornalista – e la sua mente fragile non era riuscita a riadattarsi alla normalità grezza della vita senza di lui. Mi compiacevo di questi pensieri. Ero contenta di tutto, in quei giorni, del mio amore per Nino, della mia tristezza, dell'affetto da cui mi sentivo circondata, della mia stessa capacità di leggere, pensare, riflettere in solitudine.

34.

Poi, a fine agosto, quando stava per esaurirsi quel periodo straordinario, accaddero due cose importanti, di colpo, nella stessa giornata. Era il 25, me lo ricordo con precisione perché in quel giorno cadeva il mio compleanno. Mi alzai, preparai la colazione per tutti, a tavola dissi: «Oggi faccio quindici anni» e già mentre lo dicevo mi ricordai che Lila li aveva compiuti l'11 ma, presa da tante emozioni, non me n'ero ricordata. Sebbene l'uso volesse che si festeggiassero soprattutto gli onomastici – i compleanni allora erano considerati irrilevanti –, i Sarratore e Nella insistettero per fare una festicciola, in serata. Ne fui contenta. Loro si andarono a preparare per il mare, io mi misi a sparecchiare, quand'ecco che arrivò il postino.

Mi affacciai alla finestra, il postino disse che c'era una lettera per Greco. Andai giù di corsa col batticuore. Escludevo che i miei genitori mi avessero scritto. Era una lettera di Lila, di Nino? Era di Lila. Lacerai la busta. Ne vennero fuori cinque fogli fittissimi, li divorai, ma non capii quasi niente di ciò che lessi. Oggi può sembrare anomalo, eppure andò proprio così: prima ancora di essere travolta dal contenuto, mi colpì che la scrittura conteneva la voce di Lila. Non solo. Fin dalle prime righe mi venne in mente *La fata blu*, l'unico suo testo che avessi letto prima di quello a parte i compitini delle elementari, e capii cosa, all'epoca, mi era piaciuto tanto. C'era, nella *Fata blu*, la stessa qualità che mi colpiva adesso: Lila sapeva parlare attraverso la scrittura; a differenza di me quando scrivevo, a differenza di Sarratore nei suoi articoli e nelle poesie, a differenza anche di molti scrittori che avevo letto e che leggevo, lei si esprimeva con frasi sì curate, sì senza un errore pur non avendo continuato a studiare, ma – in più – non lasciava traccia di innaturalezza, non si sentiva l'artificio della parola scritta. Leggevo e intanto vedevo, sentivo lei. La voce incastonata nella scrittura mi travolse, mi rapì ancor più di quando discutevamo a tu per tu: era del tutto depurata dalle scorie di quando si parla, dalla confusione dell'orale; aveva l'ordine vivo che mi immaginavo dovesse toccare al discorso se si era stati così fortunati da nascere dalla testa di Zeus e non dai Greco, dai Cerullo. Mi vergognai delle pagine infantili che le avevo scritto, dei toni eccessivi, delle frivolezze, dell'allegria finta, del dolore finto. Chissà Lila cosa aveva pensato di me. Provai disprezzo e rancore per il professor Gerace che mi aveva illusa mettendomi nove in italiano. Quella lettera ebbe come primo effetto di farmi sentire, a quindici anni, nel giorno del mio compleanno, un'imbrogliona. La scuola, su di me, aveva preso un abbaglio e la prova era lì, nella lettera di Lila.

Poi, piano piano, arrivarono anche i contenuti. Lila mi faceva gli auguri per il mio compleanno. Non mi aveva mai scritto perché era contenta che me la spassassi al sole, che mi trovassi bene con i Sarratore, che amassi Nino, che mi piacesse tanto Ischia, la spiaggia dei Maronti, e non voleva guastarmi la vacanza con le sue brutte storie. Però adesso aveva sentito l'urgenza di rompere il silenzio. Subito dopo la mia partenza Marcello Solara, col consenso di Fernando, aveva cominciato a presentarsi a cena tutte le sere. Arrivava alle venti e trenta e se ne andava alle ventidue e trenta esatte. Portava sempre qualcosa: paste, cioccolatini, zucchero, caffè. Lei non toccava niente, non gli dava alcuna confidenza, lui la guardava in silenzio. Dopo la prima settimana di quello strazio, visto che Lila faceva come se lui non ci fosse, aveva deciso di stupirla. S'era presentato di mattina in compagnia di un tipo grosso, tutto sudato, che aveva depositato in camera da pranzo un'enorme scatola di cartone. Dalla scatola era uscito un oggetto di cui tutti sapevamo, ma che pochissimi nel rione avevano in casa: una televisione, un apparecchio, cioè, con uno schermo su cui si vedevano immagini, proprio come al cinema, ma che non arrivavano da un proiettore bensì dall'aria, e che dentro aveva un tubo misterioso che si chiamava catodico. Per via di questo tubo, menzionato di continuo dall'uomo grosso e sudato, l'apparecchio non aveva funzionato per giorni. Poi, prova e riprova, s'era avviato e ora mezzo rione, compresi mia madre, mio padre e i miei fratelli, andava a casa Cerullo a vedere quel miracolo. Rino no. Stava meglio, la febbre gli era definitivamente passata, ma non rivolgeva più la parola a Marcello. Quando lui si presentava, cominciava a dir male della televisione e dopo un po' o se ne andava a dormire senza toccare cibo o usciva e girovagava fino a notte fonda con Pasquale e Antonio. Lila invece diceva di amare la televisione. Le piaceva soprattutto vederla insieme con Melina, che compariva tutte le sere e se ne stava a lungo in silenzio, concentratissima. Era l'unico momento di pace. Per il resto, tutte le rabbie si scaricavano su di lei: le rabbie di suo fratello perché lo aveva abbandonato al suo destino di servo del loro padre mentre lei si avviava a un matrimonio che le avrebbe fatto fare la signora; le rabbie di Fernando e di Nunzia perché non era gentile con Solara, anzi lo trattava a pesci in faccia; infine le rabbie di Marcello che, senza che lei lo avesse mai accettato, si sentiva sempre più fidanzato, anzi padrone, e tendeva a passare dalla devozione muta a tentativi di baci, a domande sospettose su dove andava durante il giorno, chi vedeva, se aveva avuto altri fidanzati, se l'aveva anche solo sfiorata qualcuno. Poiché lei non gli rispondeva, o peggio ancora lo prendeva in giro raccontandogli di baci e abbracci con fidanzati inesistenti, lui una sera le aveva detto serio in un orecchio: «Tu mi sfotti, ma ti ricordi di quando mi hai minacciato col trincetto? Bene, io se so che ti piace un altro, tienilo a mente, non mi limito a minacciarti, t'ammazzo e basta». Così lei non sapeva come uscire da quella situazione e continuava a portare la sua arma addosso per ogni evenienza. Ma era terrorizzata. Scriveva, nelle ultime pagine, di sentirsi intorno tutto il male del rione. Anzi, buttava lì oscuramente: male e bene sono mescolati e si rinforzano a vicenda. Marcello, a rifletterci, era veramente una buona sistemazione, ma il buono sapeva di cattivo e il cattivo sapeva di buono, un amalgama che le toglieva il fiato. Qualche sera prima le era successa una cosa che le aveva fatto veramente paura. Marcello se n'era andato, la televisione era spenta, la casa era vuota, Rino era fuori, i genitori si stavano mettendo a letto. Lei, insomma, stava sola in cucina a fare i piatti ed era stanca, proprio senza forze, quando a un certo punto c'era stato uno scoppio. S'era girata di scatto e s'era accorta che era esplosa la pentola grande di rame. Così, da sola. Era appesa al chiodo dove normalmente si trovava, ma al centro aveva un grande squarcio e i bordi erano sollevati e ritorti e la pentola stessa s'era tutta sformata, come se non riuscisse più a conservare la sua apparenza di pentola. La madre era accorsa in camicia da notte e l'aveva incolpata di averla fatta cadere e di averla rovinata. Ma una pentola di rame, anche se cade, non si spacca e non si deforma a quel modo. "È questo tipo di cose" concludeva Lila, "che mi spaventa. Più di Marcello, più di chiunque. E sento che devo trovare una soluzione, se no, una cosa dietro l'altra, si rompe tutto, tutto, tutto". Mi salutava, mi faceva ancora molti auguri e, anche se desiderava il contrario, anche se non vedeva l'ora di rivedermi, anche se aveva urgente bisogno del mio aiuto, mi augurava di restarmene a Ischia con la gentile signora Nella e di non tornare al rione mai più.

35.

La lettera mi turbò moltissimo. Il mondo di Lila, come al solito, si sovrappose velocemente al mio. Tutto ciò che le avevo scritto tra luglio e agosto mi sembrò banale, fui presa dalla smania di redimermi. Non andai al mare, provai subito a risponderle con una lettera seria, che avesse l'andamento essenziale, netto e insieme colloquiale della sua. Ma se le altre lettere mi erano venute facili – buttavo giù pagine e pagine in pochi minuti, senza mai correggere – quella la scrissi, la riscrissi, la riscrissi ancora, e tuttavia l'odio di Nino nei confronti del padre, il ruolo che aveva avuto la vicenda di Melina nella nascita di quel brutto sentimento, tutto il rapporto con la famiglia Sarratore, persino la mia ansia per ciò che le stava accadendo, mi vennero male. Donato, che nella realtà era un uomo notevole, sulla pagina risultò un padre di famiglia banale; e io stessa, per quel che riguardava Marcello, fui capace soltanto di consigli superficiali. Alla fine mi sembrò vero soltanto il disappunto perché lei aveva la televisione in casa e io no.

Insomma non riuscii a risponderle, pur privandomi del mare, del sole, del piacere di stare con Ciro, con Pino, con Clelia, con Lidia, con Marisa, con Sarratore. Meno male che Nella, da un certo punto in poi, venne a tenermi compagnia sul terrazzo portandomi un'orzata. Meno male che, quando tornarono dal mare, i Sarratore si rammaricarono perché me n'ero stata a casa e ripresero a festeggiarmi. Lidia volle preparare lei stessa una torta zeppa di crema pasticcera, Nella aprì una bottiglia di vermouth, Donato attaccò a cantare canzoni napoletane, Marisa mi regalò un cavalluccio marino di stoppa che aveva comprato per sé al Porto la sera prima.

Mi rasserenai, ma intanto non riuscivo a cacciarmi via dalla testa Lila in mezzo ai guai mentre io stavo così bene, ero così festeggiata. Dissi in un modo un po' drammatico che avevo ricevuto una lettera di una mia amica, che quella mia amica aveva bisogno di me e che quindi pensavo di andarmene prima del previsto. «Dopodomani al massimo» annunciai, ma senza crederci troppo. In effetti parlai solo per sentire come Nella si dispiaceva, come Lidia diceva che Ciro ne avrebbe sofferto molto, come Marisa si disperava, come Sarratore esclamava desolato: «E noi come facciamo senza di te?». Tutte cose che mi commossero, resero ancora più piacevole la mia festa.

Poi Pino e Ciro cominciarono a sonnecchiare e Lidia e Donato li portarono a dormire. Marisa mi aiutò a lavare i piatti, Nella mi disse che se volevo riposare un po' di più si sarebbe alzata lei per preparare la colazione. Protestai, quello era compito mio. Tutti, a uno a uno, si ritirarono, restai sola. Feci il mio lettino nel solito angolo, studiai la situazione per vedere se c'erano scarafaggi, se c'erano zanzare. Lo sguardo mi cadde sulle pentole di rame.

Com'era suggestiva la scrittura di Lila, guardai le pentole con crescente inquietudine. Mi ricordai che le era piaciuto sempre il loro splendore, quando le lavava si dedicava a lustrarle con grande cura. Lì, non a caso, quattro anni prima, aveva collocato lo schizzo di sangue sprizzato dal collo di don Achille quando era stato pugnalato. Lì ora aveva deposto quella sua sensazione di minaccia, l'angoscia per la scelta difficile che aveva davanti, facendone esplodere una a mo' di segnale, come se la sua forma avesse deciso bruscamente di cedere. Sapevo immaginarmi quelle cose senza di lei? Sapevo dare una vita a ogni oggetto, lasciarlo torcere all'unisono con la mia? Spensi la luce. Mi spogliai e mi misi a letto con la lettera di Lila e il segnalibro azzurro di Nino, le cose più preziose che in quel momento mi pareva di avere.

Dal finestrone pioveva la luce bianca della luna. Baciai il segnalibro come facevo tutte le sere, provai a rileggere nel chiarore debole la lettera della mia amica. Brillavano le pentole, scricchiolava il tavolo, pesava greve il soffitto, premeva ai lati l'aria notturna e il mare. Tornai a sentirmi umiliata dalla capacità di scrittura di Lila, da ciò che lei sapeva plasmare e io no, mi si appannarono gli occhi. Ero felice, certo, che lei fosse così brava anche senza scuola, senza i libri della biblioteca, ma quella felicità mi rendeva colpevolmente infelice.

Poi sentii dei passi. Vidi entrare in cucina l'ombra di Sarratore, scalzo, col suo pigiama blu. Mi tirai addosso il lenzuolo. Andò al rubinetto, prese un bicchiere d'acqua, bevve. Restò in piedi per qualche secondo davanti al lavandino, posò il bicchiere, si mosse verso il mio letto. Mi si accucciò di lato, con i gomiti appoggiati sul bordo del lenzuolo.

«Lo so che sei sveglia» disse.

«Sì».

«Non ci pensare alla tua amica, resta».

«Sta male, ha bisogno di me».

«Sono io che ho bisogno di te» disse, e si protese, mi baciò sulla bocca senza la leggerezza del figlio, schiudendomi le labbra con la lingua.

Restai immobile.

Lui scostò appena il lenzuolo seguitando a baciarmi con cura, con passione, e mi cercò il petto con la mano, me lo accarezzò sotto la camicia. Poi mi lasciò, scese tra le mie gambe, mi premette forte due dita sopra le mutandine. Non dissi, non feci niente, ero atterrita da quel comportamento, dall'orrore che mi faceva, dal piacere che tuttavia provavo. I suoi baffi mi pungevano il labbro superiore, la sua lingua era ruvida. Si staccò dalla mia bocca piano, allontanò la mano.

«Domani sera ci facciamo una bella passeggiata io e te sulla spiaggia» disse un po' roco, «ti voglio molto bene e lo so che anche tu ne vuoi tantissimo a me. È vero?».

Non dissi niente. Lui mi sfiorò di nuovo le labbra con le labbra, mormorò buonanotte, si sollevò e uscì dalla cucina. Io seguitai a non muovermi, non so per quanto tempo. Per quanto cercassi di allontanare la sensazione della sua lingua, delle sue carezze, della pressione della sua mano, non ci riuscivo. Nino aveva voluto avvisarmi, sapeva che sarebbe successo? Provai un odio incontenibile per Donato Sarratore e disgusto per me, per il piacere che mi era rimasto nel corpo. Per quanto oggi possa sembrare inverosimile, da quando avevo memoria fino a quella sera non mi ero mai data piacere, non lo conoscevo, sentirmelo addosso mi sorprese. Restai nella stessa posizione non so per quante ore. Poi, alle prime luci, mi riscossi, raccolsi tutte le mie cose, disfeci il letto, scrissi due righe di ringraziamento per Nella e me ne andai.

L'isola era quasi senza suoni, il mare fermo, solo gli odori erano intensissimi. Presi, coi soldi contati che mi aveva lasciato mia madre più di un mese prima, il primo vaporetto in partenza. Appena il battello si mosse e l'isola, coi suoi colori teneri di primo mattino, fu abbastanza lontana, pensai che avevo finalmente qualcosa da raccontare a cui Lila non avrebbe potuto opporre nulla di altrettanto memorabile. Ma seppi subito che il disgusto nei confronti di Sarratore e il ribrezzo che io stessa mi facevo mi avrebbero impedito di aprir bocca. Infatti questa è la prima volta che cerco le parole per quella fine inattesa della mia vacanza.

36.

Trovai Napoli immersa in una maleodorante, disfatta calura. Mia madre, senza dire una sola parola per com'ero diventata –

niente acne, nera di sole – mi rimproverò perché ero tornata prima del previsto.

«Che hai fatto» disse, «ti sei comportata male, l'amica della maestra t'ha cacciata?».

Andò diversamente con mio padre, che fece gli occhi lucidi e mi riempì di complimenti tra i quali, ripetuto cento volte, spiccava: «Madonna, che bella figlia che ho». Quanto ai miei fratelli, dissero con un certo disprezzo:

«Sembri una negra».

Mi guardai allo specchio e anch'io mi meravigliai: il sole mi aveva resa di un biondo splendente, ma il viso, le braccia, le gambe erano come dipinti d'oro scuro. Finché ero stata immersa nei colori di Ischia, sempre tra facce bruciate, la mia trasformazione mi era sembrata adeguata all'ambiente; ora, una volta restituita al contesto del rione, dove ogni viso, ogni via erano rimasti di un pallore malato, mi parve eccessiva, quasi un'anomalia. La gente, le palazzine, lo stradone trafficatissimo e polveroso, mi diedero l'impressione di una foto mal stampata come quelle dei giornali.

Appena potei corsi a cercare Lila. La chiamai dal cortile, si affacciò, sbucò dal portone. Mi abbracciò, mi baciò, mi riempì di complimenti come non aveva mai fatto, tanto che fui travolta da tutto quell'affetto così esplicito. Era la stessa e tuttavia, in poco più di un mese, era ulteriormente cambiata. Non sembrava più una ragazza ma una donna, una donna di almeno diciotto anni, età che allora mi sembrava avanzata. I vecchi abiti le stavano corti e stretti, come se ci fosse cresciuta dentro nel giro di pochi minuti, e le stringevano il corpo più del lecito. Era ancora più alta, aveva spalle dritte, era sinuosa. E il viso pallidissimo sul collo sottile mi parve di una delicata, anomala bellezza.

Sentii che era nervosa, in strada si guardò intorno, alle spalle, più volte, ma non mi diede spiegazioni. Disse solo: «Vieni con me» e volle che l'accompagnassi alla salumeria di Stefano.

Aggiunse, prendendomi sottobraccio: «È una cosa che posso fare solo con te, meno male che sei tornata: pensavo di dover aspettare fino a settembre».

Non avevamo mai fatto quel percorso verso i giardinetti così strette l'una all'altra, così affiatate, così felici di esserci ritrovate. Mi raccontò che le cose peggioravano ogni giorno di più. Proprio la sera prima Marcello era arrivato con dolci e spumante e le aveva regalato un anello tempestato di brillanti. Lei lo aveva accettato, se l'era messo al dito per evitare problemi in presenza dei genitori, ma poco prima che lui andasse via, sulla porta, glielo aveva restituito in malo modo. Marcello aveva protestato, l'aveva minacciata come ormai faceva sempre più spesso, poi era scoppiato a piangere. Fernando e Nunzia s'erano accorti subito che qualcosa non andava. Sua madre s'era affezionata a Marcello, le piacevano le cose buone che ogni sera lui portava in casa, era fiera di essere proprietaria di una televisione; e Fernando si sentiva come se avesse smesso di tribolare, perché, grazie alla parentela prossima coi Solara, poteva guardare al futuro senza ansie. Così, appena Marcello era andato via, entrambi l'avevano tormentata più del solito per sapere cosa stava succedendo. Conseguenza: per la prima volta Rino, dopo tanto tanto tempo, l'aveva difesa, aveva gridato che se sua sorella non voleva un battilocchio come Marcello, era suo diritto sacrosanto rifiutarlo e che, se loro insistevano a darglielo, lui, lui in persona, avrebbe bruciato tutto, la casa e la calzoleria e se stesso e l'intera famiglia. Padre e figlio erano venuti alle mani, Nunzia s'era messa in mezzo, s'era svegliato tutto il vicinato. Non solo: Rino s'era buttato sul letto agitatissimo, era bruscamente crollato nel sonno, e un'ora dopo aveva avuto un altro dei suoi episodi di sonnambulismo. L'avevano trovato in cucina mentre accendeva un fiammifero dietro l'altro e li passava accanto alla chiavetta del gas come per vedere se c'erano perdite. Nunzia aveva svegliato Lila atterrita, le aveva detto: «Rino ci vuole davvero bruciare vivi a tutti» e lei era corsa a vedere e aveva rassicurato la madre: Rino stava dormendo e nel sonno, a differenza di quando era sveglio, si preoccupava davvero che non ci fossero fughe di gas. Lo aveva riaccompagnato a letto e l'aveva messo a dormire.

«Non ce la faccio più» concluse, «tu non sai cosa sto passando, devo uscire da questa situazione».

Si strinse a me come se potessi caricarla di energia.

«Tu stai bene» disse, «a te va bene tutto: mi devi aiutare».

Le risposi che poteva contare su di me per ogni cosa e lei sembrò sollevata, mi strinse il braccio, sussurrò:

«Guarda».

Vidi da lontano una sorta di macchia rossa che irraggiava luce.

«Cos'è?».

«Non lo vedi?».

Non vedevo bene.

«È la macchina nuova che s'è comprato Stefano».

L'automobile era parcheggiata davanti alla salumeria, che era stata ampliata, adesso aveva due ingressi, era affollatissima. Le clienti, in attesa di essere servite, lanciavano sguardi ammirati a quel simbolo di benessere e di prestigio: nel rione non s'era mai vista una vettura del genere, tutta vetri e metallo, col tetto che si apriva. Una macchina da gran signori, niente a che vedere col Millecento dei Solara.

Ci girai intorno mentre Lila se ne stava all'ombra e sorvegliava la strada come se si aspettasse da un momento all'altro una violenza. Sulla soglia della salumeria si affacciò Stefano col camice tutto unto, la testa grande e la fronte alta che davano un'idea di sproporzione, ma non spiacevole. Attraversò la strada, mi salutò con cordialità, disse:

«Come stai bene, sembri un'attrice».

Anche lui stava bene: aveva preso sole come me, forse eravamo gli unici in tutto il rione ad avere un'aria così sana. Gli dissi:

«Quanto sei nero».

«Mi sono preso una settimana di ferie».

«Dove?».

«A Ischia».

«Pure io stavo Ischia».

«Lo so, Lina me l'ha detto: t'ho cercata ma non ti ho mai vista».

Indicai la macchina.

«È bella».

Stefano si dipinse in viso un'espressione di moderato consenso. Disse accennando a Lila, con occhi divertiti:

«L'ho comprata per la tua amica, ma lei non ci vuole credere». Guardai Lila che se ne stava seria, all'ombra, l'espressione tesa. Stefano le si rivolse vagamente ironico: «Ora Lenuccia è tornata, che fai?».

Lila disse come se la cosa le dispiacesse:

«Andiamo. Ma ricordati che hai invitato lei, non me: io vi ho solo accompagnati».

Lui sorrise e tornò nel negozio.

«Che succede?» le chiesi disorientata.

«Non lo so» rispose, e voleva dire che non sapeva di preciso in cosa si stava ficcando. Aveva l'aria di quando doveva fare a mente un calcolo difficile, però senza l'espressione sfrontata di sempre, era visibilmente preoccupata, come se stesse tentando un esperimento di esito incerto. «È cominciato tutto» mi disse, «con l'arrivo di questa automobile». Stefano, prima come se scherzasse, poi sempre più seriamente, le aveva giurato di aver comprato quell'auto per lei, per il piacere di aprirle almeno una volta lo sportello e farcela salire. «Qua dentro ci stai bene solo tu» le aveva detto. E da quando gliel'avevano consegnata, alla fine di luglio, le aveva chiesto di continuo, ma non in modo assillante, con gentilezza, prima di fare un giro con lui e Alfonso, poi con lui e Pinuccia, poi persino con lui e la madre. Ma lei aveva risposto sempre no. Finalmente gli aveva promesso: «Ci vengo quando torna Lenuccia da Ischia». E ora eravamo lì, e quel che doveva succedere sarebbe successo.

«Ma lo sa di Marcello?».

«Certo che lo sa».

«E allora?».

«Allora insiste».

«Ho paura, Lila».

«Ti ricordi quante cose abbiamo fatto che ci facevano paura? Ho aspettato te apposta».

Stefano tornò senza camice, nero di capelli, nero di viso, occhi neri lucenti, camicia bianca e pantaloni scuri. Aprì l'automobile, sedette al volante, sollevò la capote. Io feci per infilarmi nell'esiguo spazio posteriore ma Lila mi bloccò, si sistemò lei dietro. Mi accomodai a disagio accanto a Stefano, lui partì subito dirigendosi verso le palazzine nuove.

La calura si disperse col vento. Mi sentii bene, inebriata dalla velocità e insieme dalle tranquille certezze sprigionate dal corpo di Carracci. Mi sembrò che Lila mi avesse spiegato tutto senza spiegarmi niente. C'era, sì, quell'automobile sportiva nuova fiammante che era stata comprata solo per portarla a fare il giro che era appena cominciato. C'era, sì, quel giovane che, pur sapendo di Marcello Solara, violava regole virili senza alcuna visibile ansia. C'ero, sì, io, tirata in fretta e furia dentro quella vicenda per nascondere con la mia presenza parole segrete tra loro, forse addirittura un'amicizia. Ma che tipo di amicizia? Di sicuro stava accadendo, con quel giro in macchina, qualcosa di rilevante, eppure Lila non aveva saputo o voluto fornirmi gli elementi necessari per capire. Che aveva in mente? Non poteva non sapere che stava avviando un terremoto peggio di quando lanciava pezzetti di carta intrisi d'inchiostro. E tuttavia era probabile che davvero non puntasse a niente di preciso. Lei era così, rompeva equilibri solo per vedere in quale altro modo poteva ricomporli. Sicché eccoci in corsa, capelli al vento, Stefano che guidava con soddisfatta perizia, io che gli sedevo a lato come se fossi la sua fidanzata. Pensai a come mi aveva guardato, quando mi aveva detto che sembravo un'attrice. Pensai alla possibilità di potergli piacere più di quanto ora gli piacesse la mia amica. Pensai con orrore all'eventualità che Marcello Solara gli sparasse. La sua bella persona dai gesti sicuri avrebbe perso consistenza come il rame della pentola di cui mi aveva scritto Lila.

Il giro per le palazzine nuove servì a evitare di passare davanti al bar Solara.

«A me non importa se Marcello ci vede» disse Stefano senza enfasi, «ma se importa a te va bene così».

Imboccammo il tunnel, filammo verso la Marina. Era la strada che avevamo fatto io e Lila molti anni prima, quando ci aveva colto la pioggia. Io accennai a quell'episodio, lei sorrise, Stefano volle che raccontassimo. Raccontammo ogni cosa, ci divertimmo e intanto arrivammo ai Granili.

«Che vi pare, corre, no?».

«Velocissima» dissi io entusiasta.

Lila non fece alcun commento. Si guardava intorno, a volte mi toccava la spalla per indicarmi le case, la povertà stracciona per strada, come se ci vedesse una conferma di qualcosa e io dovessi capire al volo. Poi chiese a Stefano seria, senza preamboli:

«Tu sei veramente diverso?».

Lui la cercò nello specchietto.

«Da chi?».

«Lo sai».

Non rispose subito. Poi disse in dialetto:

«Vuoi che ti dica la verità?».

«Sì».

«L'intenzione è quella, ma non lo so come andrà a finire».

Ebbi a quel punto la conferma che Lila doveva avermi taciuto non pochi passaggi. Quel tono allusivo testimoniava che erano in confidenza, che avevano parlato altre volte tra loro e non per gioco ma con serietà. Cosa mi ero persa nel periodo di Ischia? Mi girai a guardarla, tardava a replicare, pensai che la risposta di Stefano l'avesse innervosita per la sua vaghezza. La vidi inondata di sole, gli occhi socchiusi, la camicetta gonfia di seno e di vento.

«Qui la miseria è peggio che da noi» disse. E poi senza nesso, ridendo: «Non ti credere che mi sono dimenticata di quando mi volevi pungere la lingua».

Stefano fece cenno di sì.

«Era un'altra epoca» disse.

«Vigliacchi si è sempre, eri il doppio di me».

Lui ebbe un sorrisetto imbarazzato e accelerò senza rispondere in direzione del porto. Il giro durò poco meno di mezzora, tornammo per il Rettifilo, per piazza Garibaldi.

«Tuo fratello non sta bene» disse Stefano quando ormai eravamo di nuovo ai margini del rione. La cercò ancora nello specchietto e chiese: «Sono quelle esposte in vetrina le scarpe che avete fatto?».

«Che ne sai delle scarpe?».

«Rino parla soltanto di quelle».

«E allora?».

«Sono assai belle».

Lei fece gli occhi piccoli, li strizzò fin quasi a chiuderli.

«Compratele» disse col suo tono provocatorio.

«A quanto le vendete?».

«Parla con mio padre».

Stefano fece una decisa svolta a U che mi mandò contro lo sportello, imboccammo la strada della calzoleria.

«Che fai?» chiese Lila, ora in allarme.

«Hai detto compratele e vado a comprarmele».

37.

Fermò l'auto davanti alla calzoleria, venne ad aprirmi lo sportello, mi tese una mano per aiutarmi a scendere. Non si occupò di Lila, che si districò da sola e restò indietro. Lui e io sostammo davanti alla vetrina, sotto gli occhi di Rino e Fernando che dall'interno del negozio ci guardavano con corrucciata curiosità.

Quando Lila ci raggiunse Stefano aprì la porta del negozio, mi cedette il passo, entrò senza cederlo a lei. Fu cordialissimo con padre e figlio, chiese di poter vedere le scarpe. Rino si precipitò a prenderle, lui le esaminò, le lodò:

«Sono leggere e però resistenti, hanno proprio una bella linea». Mi chiese: «Che ti pare, Lenù?».

Io dissi imbarazzatissima:

«Sono molto belle».

Si rivolse a Fernando:

«Vostra figlia ha detto che ci avete lavorato molto tutt'e tre e che avete in progetto di farne altre, pure per donna».

«Sì» disse Rino guardando meravigliato la sorella.

«Sì» disse Fernando perplesso, «ma non subito».

«E non c'è, che so, un disegno, qualcosa per capire meglio?».

Rino disse alla sorella, lievemente alterato perché temeva un rifiuto:

«Prendigli i disegni».

Lila, continuando a sorprenderlo, non fece resistenza. Andò nel retrobottega e tornò tendendo i suoi foglietti al fratello, che li passò a Stefano. C'erano tutti i modelli che le erano venuti in mente quasi due anni prima.

Stefano mi mostrò il disegno di un paio di scarpe da donna col tacco molto alto.

«Tu te le compreresti?».

«Sì».

Tornò a esaminare i disegni. Poi si sedette su uno sgabello, si tolse la scarpa destra.

«Che numero è?».

«43, ma che potrebbe essere un 44» mentì Rino.

Lila, continuando a stupirci, si inginocchiò davanti a Stefano e servendosi del calzascarpe gli aiutò il piede a scivolare nella calzatura nuova. Poi gli tolse l'altra scarpa e fece la stessa operazione.

Stefano, che fino a quel momento aveva fatto la parte dell'uomo pratico, spicciativo, restò visibilmente turbato. Aspettò che Lila si rialzasse, e dopo restò seduto ancora per qualche secondo come per riprendere fiato. Poi si rimise in piedi, fece qualche passo.

«Sono strette» disse.

Rino ingrigì, deluso.

«Te le possiamo mettere nella macchina e allargarle» intervenne Fernando, ma con un tono incerto.

Stefano mi guardò, chiese:

«Come mi stanno?».

«Bene» dissi.

«Allora le prendo».

Fernando restò impassibile, Rino si rischiarò.

«Guarda, Ste', che queste sono un modello esclusivo Cerullo, costano».

Stefano sorrise, prese un tono affettuoso:

«E se non fossero un modello esclusivo Cerullo, secondo te me le comprerei? Quando sono pronte?».

Rino guardò il padre raggiante.

«Teniamole nella macchina almeno tre giorni» disse Fernando, ma era chiaro che avrebbe potuto dire dieci, venti, un mese, tanto aveva voglia di prendere tempo di fronte a quella inaspettata novità.

«Benissimo: voi pensate a un prezzo amichevole e io torno qui tra tre giorni e me le prendo».

Ripiegò i fogli coi disegni e se li mise in tasca sotto i nostri occhi perplessi. Poi strinse la mano a Fernando, a Rino, e si diresse verso la porta.

«I disegni» disse Lila fredda.

«Te li posso riportare fra tre giorni?» chiese Stefano in tono cordiale, e senza aspettare risposta aprì la porta. Mi lasciò passare e uscì dopo di me.

Mi ero già accomodata in macchina accanto a lui quando Lila ci raggiunse. Era arrabbiata:

«Ti credi che mio padre è scemo, che mio fratello è scemo?».

«Che vuoi dire?».

«Se pensi di fare il buffone con la mia famiglia e con me, ti sbagli».

«Mi stai offendendo: io non sono Marcello Solara».

«E chi sei?».

«Un commerciante: le scarpe che hai disegnato non si sono mai viste. E non dico solo queste che ho comprato, dico tutte».

«Dunque?».

«Dunque fammi pensare e ci vediamo fra tre giorni».

Lila lo fissò come se gli volesse leggere nella testa, non si allontanava dalla macchina. Alla fine disse una frase che io non avrei mai avuto il coraggio di pronunciare:

«Guarda che già Marcello ha provato in tutti i modi a comprarmi, ma a me non mi compra nessuno».

Stefano la guardò diritto negli occhi per un lungo secondo.

«Io non spendo una lira se non penso che me ne può fruttare cento».

Mise in moto e partimmo. Adesso ero sicura: il giro in automobile era stato una sorta di assenso giunto alla fine di parecchi incontri, di molto parlare. Dissi fievole, in italiano:

«Per favore, Stefano, mi lasci all'angolo? Se mia madre mi vede in automobile con te mi spacca la faccia».

38.

La vita di Lila cambiò in modo decisivo durante quel mese di settembre. Non fu facile, ma cambiò. Quanto a me, ero ritornata da Ischia innamorata di Nino, marchiata dalle labbra e dalle mani di suo padre, certa che avrei pianto notte e giorno a causa della miscela di felicità e orrore che mi sentivo dentro. Invece non feci nemmeno il tentativo di cercare una forma per le mie emozioni, tutto si ridimensionò in poche ore. Accantonai la voce di Nino, il fastidio dei baffi di suo padre. L'isola sbiadì, si perse in qualche fondo segreto della mia testa. Feci posto a ciò che stava succedendo a Lila.

Nei tre giorni che seguirono al giro stupefacente nell'auto decappottabile, lei, con la scusa della spesa, andò spesso nella salumeria di Stefano, ma chiedendo sempre che l'accompagnassi. Lo feci col batticuore, spaventata da una possibile irruzione di Marcello, ma anche contenta del mio ruolo di confidente prodiga di consigli, di complice nel concepire trame, di oggetto apparente delle attenzioni di Stefano. Eravamo ragazzine, anche se ci immaginavamo perfidamente spregiudicate. Ricamavamo sui fatti – Marcello, Stefano, le scarpe – con la nostra consueta passione e ci pareva che sapessimo far quadrare sempre tutto. «Gli dico così» lei ipotizzava, e io suggerivo una piccola variazione: «No, digli così». Poi lei e Stefano si parlavano fitto fitto in un angolo dietro il bancone, mentre Alfonso scambiava due parole con me, Pinuccia seccata serviva le clienti e Maria, alla cassa, spiava in apprensione il figlio grande che negli ultimi tempi badava poco al lavoro e alimentava i pettegolezzi delle comari.

Naturalmente improvvisavamo. Nel corso di quell'andirivieni cercai di capire cosa passasse veramente per la testa di Lila, in modo da essere in sintonia coi suoi obiettivi. In principio ebbi l'impressione che tendesse semplicemente a far guadagnare un po' di soldi al padre e al fratello vendendo a caro prezzo a Stefano l'unico paio di scarpe prodotto dai Cerullo, ma presto mi sembrò che puntasse soprattutto a sbarazzarsi di Marcello servendosi del giovane salumiere. Decisiva, in questo senso, fu la volta che le chiesi:

«Dei due chi ti piace di più?».

Fece spallucce.

«Marcello non m'è mai piaciuto, mi fa schifo».

«Ti fidanzeresti con Stefano, pur di cacciare Marcello da casa tua?».

Ci pensò un attimo e rispose sì.

Da quel momento il fine ultimo di tutto il nostro tramare ci sembrò quello: combattere con ogni mezzo contro l'intrusione di Marcello nella sua vita. Il resto venne ad affollarsi intorno quasi casualmente e noi ci limitammo a dargli un andamento, a volte una vera orchestrazione. O almeno così credemmo. Ad agire, in effetti, fu sempre e soltanto Stefano.

Puntuale, tre giorni dopo, andò al negozio e acquistò le scarpe, sebbene gli stessero strette. I due Cerullo tra molte incertezze gli chiesero venticinquemila lire, pronti però a scendere fino a diecimila. Lui non batté ciglio e ci mise altre ventimila in cambio dei disegni di Lila che – disse – gli piacevano, li voleva far incorniciare.

«Incorniciare?» chiese Rino.

«Sì».

«Come il quadro di un pittore?».

«Sì».

«E a mia sorella gliel'hai detto che ti compri pure i suoi disegni?».

«Sì».

Stefano non si fermò lì. Nei giorni seguenti fece di nuovo capolino nella calzoleria e annunciò a padre e figlio che aveva preso in affitto il locale adiacente al loro negozio. «Per ora sta lì» disse, «ma se voi un giorno deciderete di allargarvi, ricordatevi che sono a vostra disposizione».

In casa Cerullo si discusse a lungo, a bassa voce, su cosa significasse quella frase. «Allargarci?». Lila alla fine, visto che non ci arrivavano da soli, disse:

«Vi sta proponendo di trasformare la calzoleria in un laboratorio per fabbricare le scarpe Cerullo».

«E i soldi?» chiese cautamente Rino.

«Ce li mette lui».

«L'ha detto a te?» s'allarmò Fernando incredulo, subito incalzato da Nunzia.

«L'ha detto a voi due» disse Lila indicando suo padre e suo fratello.

«Ma lo sa che le scarpe fatte a mano costano?».

«Gliel'avete dimostrato».

«E se non si vendono?».

«Voi ci perdete la fatica e lui i soldi».

«E basta?».

«Basta».

L'intera famiglia visse giorni di agitazione. Marcello passò in secondo piano. Arrivava la sera alle otto e mezza e la cena non era ancora pronta. Spesso davanti alla televisione si ritrovò da solo con Melina e Ada, mentre i Cerullo confabulavano in un'altra stanza.

Naturalmente il più entusiasta era Rino, che riacquistò energia, colorito, allegria, e com'era stato amico intimo dei Solara, così cominciò a diventare amico intimo di Stefano, di Alfonso, di Pinuccia, persino della signora Maria. Quando finalmente Fernando sciolse ogni riserva, Stefano andò al negozio e, dopo una piccola discussione, si arrivò a un accordo verbale in base al quale lui avrebbe fronteggiato tutte le spese e i due Cerullo avrebbero avviato la produzione sia del modello che Lila e Rino avevano già realizzato, sia di tutti gli altri modelli, fermo restando che dei profitti eventuali avrebbero fatto metà e metà. Estrasse i foglietti da una tasca e glieli mostrò l'uno dietro l'altro.

«Farete questa, questa, questa» disse, «però speriamo che non ci mettete due anni come so che è successo con quell'altra».

«Mia figlia è femmina» si giustificò Fernando in imbarazzo, «e Rino non ha ancora imparato bene il mestiere».

Stefano scosse cordialmente la testa.

«Lina lasciatela stare. Vi dovrete prendere dei lavoranti».

«E chi li paga?» domandò Fernando.

«Sempre io. Ve ne scegliete due o tre, liberamente, secondo il vostro giudizio».

Fernando, all'idea di avere nientemeno dei dipendenti, si infiammò e gli si sciolse la lingua con visibile disappunto del figlio. Raccontò di quando aveva imparato il mestiere da suo padre buonanima. Raccontò di com'era stato brutto il lavoro sulle macchine, a Casoria. Raccontò che il suo errore era stato sposarsi Nunzia, che aveva le mani deboli e nessuna voglia di faticare, ma se si fosse sposato Ines, una sua fiamma di gioventù che era una grandissima lavoratrice, avrebbe avuto da tempo un'attività tutta sua, meglio di Campanile, con un campionario da esporre casomai alla Mostra d'Oltremare. Raccontò, infine, che aveva nella testa scarpe bellissime, roba perfetta, che se Stefano non si fosse fissato con quelle pazzielle di Lina, adesso si sarebbero potute mettere in lavorazione e sai quante ne avrebbero vendute. Stefano ascoltò con pazienza, ma poi ribadì che a lui, per adesso, interessava soltanto veder realizzati alla perfezione i disegni di Lila. Rino allora gli prese i foglietti della sorella, li esaminò ben bene e gli chiese con un tono di leggero sfottò:

«Quando te li incorniciano dove li appendi?».

«Qua dentro».

Rino guardò suo padre, che però s'era di nuovo incupito e non disse niente.

«Mia sorella è d'accordo su tutto?» domandò.

Stefano sorrise:

«E chi se la sente di fare qualcosa se tua sorella non è d'accordo?».

Si alzò, strinse vigorosamente la mano a Fernando e si diresse verso la porta. Rino lo accompagnò e, all'improvviso sopraffatto da una sua preoccupazione, gli gridò dalla soglia, mentre il salumiere andava verso la decappottabile rossa:

«Il marchio delle scarpe resta Cerullo».

Stefano gli fece un cenno con la mano, senza girarsi:

«Una Cerullo le ha inventate e Cerullo si chiameranno».

39.

Quella sera stessa Rino, prima di andarsene a spasso con Pasquale e Antonio, disse:

«Marcè, hai visto che macchina s'è fatto Stefano?».

Marcello, intontito dalla televisione accesa e dalla tristezza, nemmeno rispose.

Allora Rino tirò fuori il pettine dalla tasca, si diede una pettinata e buttò lì, allegro:

«Lo sai che s'è comprato le nostre scarpe per quarantacinquemila lire?».

«Si vede che ha soldi da buttare» rispose Marcello e Melina scoppiò a ridere, non si sa se per quella battuta o per ciò che trasmettevano in televisione.

Da quel momento Rino trovò il modo, sera dietro sera, di far innervosire Marcello e il clima diventò sempre più teso. Per di più appena arrivava Solara, sempre bene accolto da Nunzia, Lila spariva, diceva che era stanca e andava a dormire. Una sera Marcello, molto giù di corda, parlò con Nunzia.

«Se vostra figlia se ne va a dormire appena arrivo, io che vengo a fare?».

Sperava evidentemente che lei lo confortasse, dicendogli qualcosa che lo incoraggiasse a perseverare nel tentativo di guadagnarsi l'amore della ragazza. Ma Nunzia non seppe cosa rispondergli e lui allora borbottò:

«Le piace un altro?».

«Ma no».

«Io so che va a fare la spesa da Stefano».

«E dove deve andare, figlio mio, a fare la spesa?».

Marcello tacque, a occhi bassi.

«L'hanno vista in macchina col salumiere».

«C'era pure Lenuccia: Stefano va dietro alla figlia dell'usciere».

«Lenuccia non mi pare una buona compagnia per vostra figlia. Ditele di non vederla più».

Io non ero una buona compagnia? Lila non doveva vedermi più? Quando la mia amica mi riferì quella richiesta di Marcello passai definitivamente dalla parte di Stefano e cominciai a lodarne i modi discreti, la calma determinazione. «È ricco» le dissi infine. Ma già mentre dicevo quella frase mi resi conto di come si stava ulteriormente modificando la ricchezza sognata da bambine. I forzieri pieni di monete d'oro che una processione di servi in livrea avrebbe depositato nel nostro castello quando avremmo pubblicato un libro come *Piccole donne* – ricchezza e fama – erano definitivamente sbiaditi. Durava forse l'idea del denaro come cemento per consolidare la nostra esistenza e impedire che si smarginasse insieme alle persone che ci erano care. Ma il tratto fondamentale che ormai stava prevalendo era la concretezza, il gesto quotidiano, la trattativa. Questa ricchezza dell'adolescenza muoveva sì da un'illuminazione fantastica ancora infantile – i disegni di scarpe mai viste – ma s'era materializzata nell'insoddisfazione rissosa di Rino che voleva spendere da gran signore, nella televisione, nelle paste e nell'anello di Marcello che mirava a comprare un sentimento, e infine, di passaggio in passaggio, in quel giovane cortese, Stefano, che vendeva salumi, aveva un'auto rossa decappottabile, spendeva quarantacinquemila lire come niente, incorniciava disegnini, voleva commerciare oltre che in provoloni anche in scarpe, investiva in pellame e forza lavoro, sembrava convinto di saper inaugurare una nuova epoca di pace e di benessere per il rione: era, insomma, ricchezza che stava nei fatti di ogni giorno, e perciò senza splendore e senza gloria.

«È ricco» sentii che Lila ripeteva e ci mettemmo a ridere. Ma poi aggiunse: «Anche simpatico, anche buono» e io mi dissi subito d'accordo, erano qualità quelle ultime che Marcello non aveva, un motivo ulteriore per stare dalla parte di Stefano. Tuttavia quei due aggettivi mi confusero, sentii che davano il colpo finale al fulgore delle fantasie infantili. Nessun castello, nessun forziere – mi sembrò di capire – avrebbero più riguardato Lila e me soltanto, chine a scrivere una storia come *Piccole donne*. La ricchezza, incarnandosi in Stefano, stava prendendo le sembianze di un giovane uomo col camice unto, stava mettendo lineamenti, odore, voce, esprimeva simpatia e bontà, era un maschio che conoscevamo da sempre, il figlio grande di don Achille.

Mi agitai.

«Comunque ti voleva pungere la lingua» dissi.

«Era un ragazzino» lei replicò commossa, zuccherosa come non l'avevo mai sentita, tanto che solo in quel momento mi accorsi che s'era spinta di fatto ben più avanti di quanto mi avesse detto a parole.

Nei giorni seguenti tutto diventò sempre più chiaro. Vidi come parlava a Stefano e come lui sembrava tornito dalla sua voce. Mi adattai al patto che stavano stringendo, non volevo essere tagliata fuori. E complottammo per ore – noi due, noi tre – per fare in modo che mutassero in fretta le persone, i sentimenti, la disposizione delle cose. Nel locale accanto alla calzoleria arrivò un operaio che buttò giù la parete divisoria. La calzoleria fu riorganizzata. Comparvero tre apprendisti, ragazzi della provincia, venivano da Melito, quasi muti. In un angolo si continuarono a fare risuolature, nel resto dello spazio Fernando sistemò banchetti, scaffalature, i suoi strumenti, le sue forme di legno secondo i vari numeri e attaccò, con improvvisa energia, insospettata in un uomo magrissimo e divorato da sempre da un astioso scontento, a ragionare sul da farsi.

Proprio nel giorno in cui il lavoro nuovo stava per cominciare, Stefano fece capolino. Portava un pacco fatto con la carta da imballaggio. Balzarono tutti in piedi, anche Fernando, come se fosse venuto per un'ispezione. Lui aprì il pacco, e dentro c'era un cospicuo numero di quadretti della stessa misura, incorniciati da un listello marrone. Erano i fogli di quaderno di Lila, sotto vetro come se fossero preziose reliquie. Chiese il permesso a Fernando di appenderli alle pareti, Fernando bofonchiò qualcosa e Stefano si fece aiutare da Rino e dagli apprendisti a mettere i chiodi. Solo quando i quadretti furono appesi Stefano chiese ai tre aiutanti di andarsi a prendere un caffè e passò loro un po' di lire. Appena si trovò solo con lo scarparo e suo figlio, annunciò sottotono che voleva sposare Lila.

Cadde un silenzio insopportabile. Rino si limitò a un sorrisetto saputo, Fernando disse infine flebilmente:

«Stefano, Lina è fidanzata con Marcello Solara».

«Vostra figlia non lo sa».

«Che dici?».

S'intromise Rino, allegrissimo:

«Dice la verità: tu e mamma fate venire a casa quello stronzo, ma Lina non l'ha mai voluto e non lo vuole».

Fernando lanciò uno sguardo cattivo al figlio. Il salumiere disse con gentilezza, guardandosi intorno:

«Abbiamo un lavoro ormai avviato, non ci guastiamo il sangue. Io vi chiedo una sola cosa, don Fernà: fate decidere a vostra figlia. Se vuole Marcello Solara, mi rassegno. Le voglio così bene che se è felice con un altro mi ritiro e tra me e voi tutto resta come è adesso. Se invece vuole me – se vuole me –, non ci sono santi, voi me la dovete dare».

«Mi stai minacciando» disse Fernando, ma tiepido, con un tono di rassegnata constatazione.

«No, vi sto pregando di fare il bene di vostra figlia».

«Lo so io qual è il suo bene».

«Sì, ma lei lo sa meglio di voi».

E qui Stefano si alzò, aprì la porta, chiamò me, me che ero fuori ad aspettare insieme a Lila.

«Lenù».

Entrammo. Come ci piaceva sentirci al centro di quei fatti, noi due insieme, e guidarli verso il loro esito. Mi ricordo la tensione sovreccitata di quel momento. Stefano disse a Lila:

«Te lo dico davanti a tuo padre: ti voglio molto bene, più della mia vita. Mi vuoi sposare?».

Lila rispose seria:

«Sì».

Fernando annaspò un poco, poi mormorò con la stessa subalternità che in tempi andati aveva manifestato nei confronti di don Achille:

«Stiamo facendo un grande affronto non solo a Marcello, ma a tutti i Solara. Chi glielo dice, adesso, a quel povero ragazzo?».

Lila disse:

«Io».

40.

Infatti due sere dopo, davanti a tutta la famiglia tranne Rino che era a spasso, prima di mettersi a tavola, prima che si accendesse la televisione, Lila chiese a Marcello:

«Mi porti a prendere il gelato?».

Marcello non credette alle proprie orecchie.

«Il gelato? Senza mangiare prima? Io e te?». E chiese subito a Nunzia: «Signora, volete venire pure voi?».

Nunzia accese la televisione e disse:

«No, grazie, Marcè. Ma non ci mettete troppo. Dieci minuti soltanto, andate e venite».

«Sì» promise lui felice, «grazie».

Ripeté grazie almeno quattro volte. Gli pareva che il momento tanto atteso fosse venuto, Lila stava per dirgli di sì.

Ma appena fuori della palazzina lei lo affrontò e scandì, con la gelida cattiveria che le veniva bene fin dai primi anni di vita:

«Non ti ho mai detto che ti volevo».

«Lo so. Ma adesso mi vuoi?».

«No».

Marcello, che era grande e grosso, un sano, sanguigno ragazzone di ventitré anni, si appoggiò al palo di un lampione col cuore spezzato.

«Proprio no?».

«No. Voglio bene a un altro».

«Chi è?».

«Stefano».

«Lo sapevo già, ma non ci potevo credere».

«Ci devi credere, è così».

«Ammazzerò te e lui».

«Con me ci puoi provare subito».

Marcello si staccò dal lampione, di furia, ma con una specie di rantolo si morse a sangue la destra chiusa a pugno.

«Ti voglio troppo bene e non lo posso fare».

«Allora fallo fare a tuo fratello, a tuo padre, a qualche amico vostro, può essere che loro sono capaci. Però chiarisci a tutti che dovete ammazzare prima me. Perché se toccate chiunque altro mentre sono viva, sono io che vi ammazzo, e lo sai che lo faccio, comincio con te».

Marcello continuò a mordersi il dito con accanimento. Poi ebbe una specie di singhiozzo represso che gli scosse il petto, girò le spalle e se ne andò.

Lei gli gridò dietro:

«Manda qualcuno a prendersi la televisione, non ne abbiamo bisogno».

41.

Tutto accadde in poco più di un mese e Lila alla fine mi sembrò felice. Aveva trovato uno sbocco al progetto delle scarpe, aveva dato un'opportunità a suo fratello e a tutta la famiglia, si era sbarazzata di Marcello Solara ed era diventata la promessa sposa del giovane agiato più stimabile del rione. Cosa poteva volere di più? Niente. Aveva tutto. Quando ricominciò la scuola ne sentii il grigiore più del solito. Fui riassorbita dallo studio e, per evitare che i professori potessero cogliermi impreparata, tornai a sgobbare fino alle ventitré e a mettermi la sveglia alle cinque e mezza. Vidi Lila sempre di meno.

In compenso si rinsaldarono i rapporti col fratello di Stefano, Alfonso. Pur lavorando in salumeria tutta l'estate, aveva superato gli esami di riparazione in modo brillante, con sette in ciascuna delle materie in cui era stato rimandato: latino, greco e inglese. Gino, che se ne era augurato la bocciatura per poter ripetere insieme il quarto ginnasio, ci rimase malissimo. Quando si accorse che noi due, ormai in quinto ginnasio, andavamo e tornavamo insieme da scuola tutti i giorni, si inasprì ancora di più e diventò meschino. Non rivolse più la parola né a me, sua ex fidanzata, né ad Alfonso, suo ex compagno di banco, e questo sebbene si trovasse nell'aula accanto alla nostra e ci incrociassimo spesso per i corridoi, oltre che per le strade del rione. Ma fece anche di più, mi arrivò voce, presto, che raccontava brutte cose su di noi. Diceva che io mi ero innamorata di Alfonso e lo toccavo durante le lezioni anche se Alfonso non mi corrispondeva, perché, come sapeva bene lui che gli era stato accanto per un anno, non gli piacevano le femmine, preferiva i maschi. Riferii la cosa al piccolo Carracci aspettandomi che andasse a spaccare la faccia a Gino come era obbligatorio in quei casi, ma lui si limitò a dire con tono sprezzante, in dialetto: «Lo sanno tutti che il ricchione è lui».

Alfonso fu una gradevole, provvidenziale scoperta. Emanava un'impressione di pulito e di ben educato. Sebbene fosse nei tratti molto simile a Stefano, stessi occhi stesso naso stessa bocca; sebbene, crescendo, il suo corpo si stesse configurando allo stesso identico modo, testa grande, gambe un po' corte in rapporto al busto; sebbene nello sguardo e nei gesti manifestasse la stessa mitezza, in lui sentivo la più totale assenza di quella determinazione che invece era acquattata in ogni cellula di Stefano e che alla fine, secondo me, riduceva la sua cortesia a una sorta di nascondiglio da cui balzare fuori all'improvviso. Alfonso era un ragazzo tranquillizzante, quella specie di essere umano, rara nel rione, da cui sai di non doverti aspettare niente di malvagio. Facevamo il percorso scambiando poche parole ma non provavamo imbarazzo. Aveva sempre ciò che mi serviva e se non ce l'aveva correva a procurarselo. Mi amava senza alcuna tensione e io stessa mi ci affezionai quietamente. Il primo giorno di scuola finimmo per metterci nello stesso banco, cosa audace a quel tempo, e anche se gli altri maschi lo prendevano in giro per come mi stava sempre intorno e le femmine mi chiedevano di continuo se ci eravamo fidanzati, nessuno dei due decise di cambiare posto. Era una persona fidata. Se vedeva che avevo bisogno di tempo mio, o mi aspettava in disparte, oppure mi salutava e se ne andava. Se si accorgeva che volevo che restasse al mio fianco, ci restava anche se aveva altro da fare.

Mi servii di lui per sfuggire a Nino Sarratore. Quando, per la prima volta dopo Ischia, ci vedemmo da lontano, Nino mi venne subito incontro molto amichevolmente, ma lo liquidai con due battute fredde. Eppure mi piaceva moltissimo, se solo appariva la sua figura alta e sottile diventavo rossa e il cuore mi batteva all'impazzata. Eppure, ora che Lila era davvero fidanzata, fidanzata ufficialmente – e con quale fidanzato, un uomo di ventidue anni, non un ragazzino: gentile, deciso, coraggioso –, era più che mai urgente che avessi anch'io un fidanzato invidiabile e riequilibrassi così il nostro rapporto. Sarebbe stato bellissimo uscire in quattro, Lila col suo promesso sposo, io col mio. Certo, Nino non aveva l'auto rossa decappottabile. Certo, era uno studente di seconda liceo, non aveva una lira. Ma era alto venti centimetri più di me, mentre Stefano era qualche centimetro più basso di Lila. E parlava in un italiano da libro stampato, volendo. E leggeva e ragionava di tutto ed era sensibile alle grandi questioni della condizione umana, mentre Stefano viveva chiuso nella sua salumeria, parlava quasi esclusivamente in dialetto, non era andato oltre le scuole di avviamento, alla cassa del negozio ci teneva la mamma che faceva i conti meglio di lui e, pur essendo di buon carattere, era sensibile soprattutto ai giri fruttuosi del denaro. Tuttavia, per quanto la passione mi divorasse, per quanto vedessi con chiarezza tutto il prestigio che avrei acquistato agli occhi di Lila legandomi a lui, per la seconda volta da quando l'avevo visto e me n'ero innamorata non me la sentii di stabilire un rapporto. La motivazione mi sembrò ben più robusta di quella dei tempi dell'infanzia. Vederlo mi faceva venire in mente subito Donato Sarratore, anche se non si assomigliavano affatto. E il ribrezzo, la rabbia che mi suscitava il ricordo di ciò che mi aveva fatto suo padre senza che io fossi stata capace di respingerlo si allungavano fino a lui. Certo, lo amavo. Desideravo parlargli, passeggiare con lui, e a volte pensavo, arrovellandomi: perché ti comporti così, il padre non è il figlio, il figlio non è il padre, fa' come ha fatto Stefano coi Peluso. Ma non ci riuscivo. Appena mi immaginavo di baciarlo, sentivo la bocca di Donato, e un'onda di piacere e ribrezzo confondeva padre e figlio in un'unica persona.

A complicare ulteriormente la situazione ci fu un episodio che mi allarmò. Ormai Alfonso e io avevamo preso l'abitudine di tornare a casa a piedi. Andavamo fino a piazza Nazionale e poi raggiungevamo corso Meridionale. Era una lunga passeggiata ma parlavamo di compiti, di professori, dei nostri compagni, ed era piacevole. Quand'ecco che una volta, poco dopo gli stagni, all'imbocco dello stradone, mi girai e mi sembrò di vedere sul terrapieno della ferrovia, in divisa da controllore, Donato Sarratore. Sussultai di rabbia e di orrore, girai subito lo sguardo. Quando tornai nuovamente a guardare, non c'era più.

Vera o falsa che fosse quell'apparizione, mi restò impresso il rumore che mi aveva fatto il cuore in petto, come uno sparo, e non so perché mi tornò in mente il brano della lettera di Lila sul rumore che aveva fatto la pentola di rame squarciandosi. Quel rumore tornò identico già il giorno dopo, al solo intravedere Nino. Allora, spaventata, mi acquattai nell'affetto per Alfonso, e sia all'entrata che all'uscita mi tenni sempre vicino a lui. Appena compariva la figura allampanata del ragazzo che amavo, mi rivolgevo al figlio minore di don Achille come se avessi cose urgentissime da dirgli e ci allontanavamo chiacchierando.

Fu insomma un periodo confuso, avrei voluto stringermi a Nino e invece badavo a stare incollata ad Alfonso. Anzi, per timore che si annoiasse e mi lasciasse per altre compagnie, mi comportai sempre in modo molto gentile con lui, a volte gli facevo persino voci flautate. Ma appena mi rendevo conto che rischiavo di incoraggiare una sua propensione per me, cambiavo tono. "Se mi fraintende e mi dichiara il suo amore?" mi preoccupavo. Sarebbe stato imbarazzante, avrei dovuto respingerlo: Lila, mia coetanea, s'era fidanzata con un uomo fatto quale era Stefano, e sarebbe stato umiliante mettermi con un ragazzino, il fratello piccolo del suo promesso sposo. Tuttavia la testa disegnava ghirigori incontrollati, fantasticavo. Una volta che tornavo con Alfonso per corso Meridionale e lo sentivo accanto come uno scudiero che mi scortava tra i mille pericoli della città, mi sembrò bello che a due Carracci, Stefano e lui, fosse toccata la funzione di proteggere, anche se in forme diverse, Lila e me dal male nerissimo del mondo, da quello stesso male che avevamo sperimentato per la prima volta proprio salendo su per la scala che portava a casa loro, quando eravamo andate a riprenderci le bambole che ci aveva rubato il padre.

42.

Mi piaceva scoprire nessi di quel tipo, specie se riguardavano Lila. Tracciavo linee tra momenti e fatti distanti tra loro, stabilivo convergenze e divergenze. In quel periodo diventò un esercizio quotidiano: tanto io ero stata bene a Ischia, tanto Lila era stata male nella desolazione del rione; tanto io avevo sofferto abbandonando l'isola, tanto lei s'era sentita sempre più felice. Era come se, per una cattiva magia, la gioia o il dolore dell'una presupponessero il dolore o la gioia dell'altra. Anche l'aspetto fisico, mi sembrò, partecipava a quell'altalena. A Ischia mi ero sentita bella e l'impressione non era sbiadita dopo il ritorno a Napoli, anzi durante l'assiduo tramare al fianco di Lila per aiutarla a sbarazzarsi di Marcello, c'erano stati persino momenti in cui ero tornata a credermi più bella di lei, e in qualche sguardo di Stefano avevo captato la possibilità di piacergli. Ma Lila adesso aveva ripreso il sopravvento, la soddisfazione le aveva moltiplicato la bellezza, mentre io, travolta dalle fatiche della scuola, logorata dalla passione frustrata per Nino, ecco che stavo ridiventando brutta. Sbiadiva il colore sano, tornava l'acne. E, una mattina, comparve di colpo anche lo spettro degli occhiali.

Il professor Gerace mi interrogò su qualcosa che aveva scritto alla lavagna e si accorse che non vedevo quasi niente. Mi disse che dovevo andare subito da un oculista, volle scrivermelo sul quaderno, pretese per il giorno dopo la firma di uno dei miei genitori. Tornai a casa, mostrai il quaderno, ero piena di sensi di colpa per la spesa che avrebbero comportato le lenti. Mio padre s'incupì, mia madre mi gridò: «Stai sempre sui libri e ti sei rovinata la vista». Ci restai molto male. Ero stata punita, dunque, per la superbia di voler studiare? Ma Lila? Non aveva letto molto più di me? E allora per quale ragione lei aveva una vista perfetta e io vedevo sempre meno? Perché io avrei dovuto portare le lenti per tutta la vita e lei no?

La necessità degli occhiali mi accentuò la smania di trovare un disegno che, nel bene come nel male, tenesse insieme il mio destino e quello della mia amica: io cieca, lei un falco; io con la pupilla opaca, lei che da sempre stringeva gli occhi saettando sguardi che vedevano di più; io attaccata al suo braccio, tra le ombre, lei che mi guidava con uno sguardo rigoroso. Alla fine mio padre, grazie ai suoi traffici al comune, trovò i soldi. Le fantasticherie si attenuarono. Andai dall'oculista, mi fu diagnosticata una forte miopia, gli occhiali si concretizzarono. Quando mi guardai allo specchio la mia immagine troppo nitida fu un duro colpo: impurità della pelle, faccia larga, bocca grande, naso grosso e gli occhi prigionieri nella cornice della montatura,

che pareva tracciata con accanimento da un disegnatore rabbio-
so sotto sopracciglia già di per sé troppo folte. Mi sentii definitivamente deturpata e decisi di mettere gli occhiali solo in casa
o, al massimo, se dovevo ricopiare qualcosa dalla lavagna. Ma
una mattina, all'uscita da scuola, li dimenticai sul banco. Tornai
in classe di corsa, il peggio era già accaduto. Nella furia che ci
prendeva tutti dopo il suono dell'ultima campanella, erano finiti per terra: ora avevano una stanghetta spezzata, una lente rotta.
Mi misi a piangere.

Non ebbi il coraggio di tornare a casa, mi rifugiai da Lila in
cerca di aiuto. Le raccontai cosa mi era successo, si fece dare gli
occhiali, li esaminò. Disse di lasciarglieli. Si espresse con una determinazione diversa da quella che aveva di solito, fu più calma,
come se ormai non fosse necessario battersi fino allo stremo per
ogni piccola cosa. Mi immaginai qualche intervento miracoloso
di Rino con i suoi strumenti di calzolaio e me ne tornai a casa
sperando che i miei genitori non notassero che ero senza lenti.

Qualche giorno dopo, nel tardo pomeriggio, mi sentii chiamare dal cortile. Di sotto c'era Lila, aveva i miei occhiali sul naso
e lì per lì non mi colpì tanto che erano come nuovi, quanto che
le donavano. Corsi giù pensando: perché a lei che non ne ha
bisogno le lenti stanno bene e a me, che non ne posso fare a
meno, mi guastano la faccia? Appena mi affacciai al portone si
tolse gli occhiali divertita, sbattendo le palpebre. Disse: «Mi
fanno male gli occhi» e me li mise lei stessa sul naso esclaman-
do: «Che bella figura ci fai, li devi portare sempre». Aveva dato
gli occhiali a Stefano, che li aveva fatti aggiustare da un ottico
del centro. Mormorai in imbarazzo che non avrei potuto mai ri-
pagarla, replicò ironica, forse con una punta di perfidia:

«Ripagare in che senso?».

«Darti i soldi».

Sorrise, poi disse fiera:

«Non c'è bisogno, adesso coi soldi faccio quello che mi
pare».

43.

Il denaro diede ancora più forza all'impressione che ciò che mancava a me lo avesse lei e viceversa, in un gioco continuo di scambi e rovesciamenti che, ora con allegria, ora soffertamente, ci rendevano indispensabili l'una all'altra.

"Lei ha Stefano" mi chiesi dopo l'episodio degli occhiali, "schiocca le dita e mi fa riparare subito le lenti: io cos'ho?".

Mi risposi che avevo la scuola, privilegio che lei aveva perso per sempre. Quella è la mia ricchezza, cercai di convincermi. E infatti in quell'anno i professori, tutti, ripresero a lodarmi. Le pagelle furono sempre più brillanti e persino il corso teologico per corrispondenza andò benissimo, ebbi in premio una Bibbia con la copertina nera.

Sfoggiai i miei successi come se fossero il braccialetto d'argento di mia madre, eppure con quella bravura non sapevo cosa farci. In classe non c'era nessuno con cui potessi ragionare delle cose che leggevo, delle idee che mi venivano in mente. Alfonso era un ragazzo diligente, dopo il cedimento dell'anno precedente s'era rimesso in carreggiata ed era più che sufficiente in tutte le materie. Ma quando cercavo di riflettere con lui sui *Promessi sposi*, o sui romanzi meravigliosi che continuavo a prendere nella biblioteca del maestro Ferraro, o persino sullo Spirito Santo, si limitava ad ascoltare e per timidezza o per insipienza non diceva niente che mi stimolasse ulteriori pensieri. In più, mentre nelle interrogazioni usava un buon italiano, a tu per tu non usciva mai dal dialetto e in dialetto era difficile ragionare sulla corruzione della giustizia terrena, come ben si vedeva durante il pranzo in casa di don Rodrigo, o sui rapporti tra Dio, lo Spirito Santo e Gesù, che pur essendo una persona sola secondo me quando si scomponevano in tre dovevano per forza ordinarsi secondo una gerarchia, e allora chi veniva per primo, chi per ultimo?

Presto mi tornò in mente ciò che una volta mi aveva detto Pasquale: il mio, anche se era un liceo classico, non doveva essere dei migliori. Conclusi che aveva ragione. Raramente vedevo le mie compagne di scuola ben vestite come le ragazze di via dei Mille. E non succedeva mai che venissero a prenderle, all'uscita, giovani elegantemente abbigliati, con automobili più lussuose di quelle di Marcello o di Stefano. Anche i meriti intellettuali scarseggiavano. L'unico ragazzo che aveva intorno a sé una fama simile alla mia era Nino, ma ormai, vista la freddezza con cui lo avevo trattato, filava via a testa bassa, non mi guardava nemmeno. Che fare, allora?

Avevo bisogno di esprimermi, la testa era affollata. Ricorrevo a Lila, specialmente quando a scuola era vacanza. Ci incontravamo, parlavamo tra noi. Le dicevo dettagliatamente delle lezioni, dei professori. Lei mi ascoltava con attenzione, e io speravo che si incuriosisse e tornasse alla fase in cui in segreto o palesemente correva subito a procurarsi i libri che le avrebbero permesso di tenermi dietro. Ma non successe mai, era come se una parte di lei tenesse saldamente al guinzaglio l'altra parte. Emerse invece presto una sua tendenza a intervenire di getto, in genere in modo ironico. Una volta, tanto per fare un esempio, le dissi del mio corso teologico e buttai lì, per impressionarla con le questioni su cui mi arrovellavo, che dello Spirito Santo non sapevo cosa pensare, non mi era chiara la sua funzione. «Cos'è» ragionai ad alta voce, «un'entità subordinata, al servizio sia di Dio che di Gesù, tipo un messaggero? O un'emanazione delle prime due persone, un loro fluido miracoloso? Ma, nel primo caso, com'è possibile che un'entità che fa il messaggero poi è tutt'uno con Dio e suo figlio? Non sarebbe come dire che mio padre che fa l'usciere al comune è tutt'uno col sindaco, col comandante Lauro? E se invece si guarda al secondo caso, be', un fluido, il sudore, la voce sono parte della persona da cui promanano: che senso ha, dunque, ritenere lo Spirito Santo separato da Dio e da Gesù? O è lo Spirito Santo la persona più importante e le altre due sono un suo modo d'essere, o non capisco qual è la sua funzione». Lila, mi ricordo, si stava preparando per uscire con Stefano: andavano a un cinema del centro insieme a Pinuccia, a Rino e ad Alfonso. La guardavo mentre metteva una gonna nuova, una giacca nuova, ed era proprio un'altra persona ormai, perfino le caviglie non erano più due stecchi. Tuttavia vidi che gli occhi le si rimpicciolivano come quando cercava di afferrare qualcosa di sfuggente. Disse in dialetto: «Tu perdi ancora tempo con queste cose, Lenù? Noi stiamo volando sopra una palla di fuoco. La parte che s'è raffreddata galleggia sulla lava. Su questa parte costruiamo i palazzi, i ponti e le strade. Ogni tanto la lava esce dal Vesuvio oppure fa venire un terremoto che distrugge tutto. Ci sono microbi dovunque che ti fanno ammalare e morire. Ci sono le guerre. C'è una miseria in giro che ci rende tutti cattivi. Ogni secondo può succedere qualcosa che ti fa soffrire in un modo che non hai mai abbastanza lacrime. E tu che fai? Un corso teologico in cui ti sforzi di capire che cos'è lo Spirito Santo? Lascia stare, è stato il Diavolo a inventarsi il mondo, non il Padre, il Figlio e lo Spirito Santo. Vuoi vedere il filo di perle che m'ha regalato Stefano?». Parlò così, grossomodo, confondendomi. E non solo in quella circostanza, ma sempre più spesso, finché quel tono si stabilizzò, diventò il suo modo di tenermi testa. Se io buttavo lì qualcosa sulla Santissima Trinità, lei con poche battute frettolose ma quasi sempre bonarie cancellava ogni possibile conversazione e passava a mostrarmi i doni di Stefano, l'anello di fidanzamento, la collana, un vestito nuovo, un cappellino, mentre le cose che mi appassionavano, con cui mi facevo bella coi professori tanto che loro mi consideravano brava, si affloscivano in un angolo prive di senso. Lasciavo perdere idee, libri. Passavo ad ammirare tutti quei regali in contrasto con la solita casa povera di Fernando lo scarparo; mi provavo gli abiti e gli oggetti di valore; prendevo quasi subito atto che addosso a me non sarebbero mai stati bene come a lei; e me la battevo.

44.

Nel ruolo di fidanzata, Lila fu molto invidiata e causò non poco scontento. Del resto il suo modo d'essere aveva infastidito quando era una bambina smunta, figuriamoci adesso che era una ragazza molto fortunata. Lei stessa mi raccontò di una crescente ostilità della madre di Stefano e soprattutto di Pinuccia. Le due donne portavano pensieri cattivi nitidamente stampati in faccia. Chi si credeva di essere la figlia dello scarparo? Quale pozione malefica aveva fatto bere a Stefano? Com'è che appena lei apriva bocca, lui subito apriva il portafoglio? Vuol venire a fare la padrona in casa nostra?

Se Maria si limitava a un broncio silenzioso, Pinuccia non si conteneva, esplodeva rivolgendosi così al fratello:

«Perché a lei compri tutto e a me non solo non m'hai mai comprato niente, ma anzi, appena mi prendevo qualcosa di bello, mi hai sempre criticata dicendo che facevo spese inutili?».

Stefano sfoderava il suo mezzo sorriso tranquillo e non replicava. Ma presto, coerente con la sua linea accomodante, passò a fare regali anche alla sorella. Fu così che cominciò una gara tra le due ragazze, andavano dal parrucchiere insieme, si compravano vestiti identici. Questo però non fece che inasprire ancora di più Pinuccia. Non era brutta, aveva qualche anno più di noi, forse era meglio formata, ma l'effetto che qualsiasi veste o oggetto facevano addosso a Lila non era nemmeno paragonabile con l'effetto addosso a lei. La prima a rendersene conto fu sua madre. Maria, quando vedeva Lila e Pinuccia pronte per uscire, con pettinature simili, con abiti simili, trovava sempre il modo di divagare e arrivare per vie traverse, con toni fintamente bonari, a criticare la futura nuora per qualcosa che aveva fatto giorni prima, lasciare la luce accesa in cucina o il rubinetto aperto dopo aver preso un bicchiere d'acqua. Poi si girava dall'altra parte come se avesse molto da fare e borbottava nera:

«Tornate presto».

Noi ragazze del rione avemmo presto problemi non diversi. Nei giorni di festa Carmela, che insisteva a farsi chiamare Carmen, e Ada, e Gigliola, presero ad agghindarsi senza dirlo, senza dirselo, in competizione con Lila. Gigliola soprattutto, che lavorava nella pasticceria e che sebbene non ufficialmente s'era messa con Michele Solara, si comprava e si faceva comprare apposta belle cose da sfoggiare a passeggio o in automobile. Ma non c'era gara, Lila pareva irraggiungibile, una figurina ammaliante in controluce.

In principio provammo a trattenerla, a imporle le vecchie abitudini. Tirammo Stefano nel nostro gruppo, lo coccolammo, lo circuimmo, e lui sembrò contento, tant'è vero che un sabato, forse spinto da una sua simpatia per Antonio e Ada, disse a Lila: «Vedi se Lenuccia e i figli di Melina domani sera vengono a mangiare qualcosa con noi». Per "noi" intendeva loro due più Pinuccia e Rino, che ormai ci teneva molto a passare il tempo libero col futuro cognato. Accettammo, ma fu una serata complicata. Ada, temendo di sfigurare, si fece prestare un vestito da Gigliola. Stefano e Rino scelsero non una pizzeria ma un ristorante a Santa Lucia. Poiché né io né Antonio né Ada eravamo mai stati al ristorante, roba per signori, fummo vinti dall'ansia: come vestirsi, quanto sarebbe costato? Mentre loro quattro uscirono con la Giardinetta, noi arrivammo in autobus fino a piazza Plebiscito e il resto del percorso lo facemmo a piedi. Una volta a destinazione, loro ordinarono con disinvoltura moltissimi piatti, noi quasi niente per paura che il conto diventasse troppo alto per le nostre possibilità. Rimanemmo quasi sempre zitti, perché Rino e Stefano parlarono soprattutto di soldi e non pensarono mai a coinvolgere in chiacchiere diverse almeno Antonio. Ada, non rassegnata alla marginalità, per tutta la serata cercò di attrarre l'attenzione di Stefano facendogli smancerie eccessive che disturbarono suo fratello. Alla fine, quando bisognò pagare, scoprimmo che ci aveva già pensato il salumiere e, mentre la cosa non turbò affatto Rino, Antonio tornò arrabbiato a casa perché pur essendo coetaneo di Stefano e del fratello di Lila, pur lavorando come loro, si era sentito trattato da pezzente. Ma la cosa più significativa fu che io e Ada, con sentimenti diversi, ci accorgemmo che in un luogo pubblico, fuori del rapporto amichevole a tu per tu, non sapevamo cosa dire a Lila, come trattarla. Era così ben truccata, così ben vestita, che pareva adeguata alla Giardinetta, alla decappottabile, al ristorante di Santa Lucia, ma ormai fisicamente inadatta a salire in metropolitana insieme con noi, a viaggiare in autobus, a girare a piedi, a prendere una pizza in corso Garibaldi, ad andare al cinema parrocchiale, a ballare a casa di Gigliola.

Quella sera risultò evidente che Lila stava cambiando stato. Nei giorni, nei mesi, diventò una signorina che imitava le modelle delle riviste di moda, le ragazze della televisione, le fanciulle che aveva visto a passeggio per via Chiaia. A vederla, sprigionava un bagliore che pareva uno schiaffo violentissimo in faccia alla miseria del rione. Il corpo della ragazzina di cui ancora c'erano tracce quando avevamo tessuto insieme la trama che l'aveva portata al fidanzamento con Stefano fu cacciato presto in territori bui. Alla luce del sole apparve invece una giovane donna che, quando la domenica usciva al braccio del suo fidanzato, sembrava applicare le clausole di un loro accordo di coppia e Stefano, coi suoi regali, pareva voler dimostrare al rione che, se Lila era bella, poteva esserlo sempre di più; e lei sembrava aver scoperto la gioia di attingere alla fonte inesauribile della sua bellezza e sentire ed esibire che nessun profilo ben disegnato poteva contenerla in modo definitivo, tanto che una nuova pettinatura, un nuovo abito, un nuovo trucco degli occhi o della bocca erano solo confini sempre più avanzati che dissolvevano i precedenti. Stefano pareva cercare in lei il simbolo più evidente del futuro di agi e potere a cui tendeva; e lei sembrava usare il sigillo che lui le stava imponendo per mettere al sicuro se stessa, suo fratello, i suoi genitori, gli altri parenti, da tutto ciò che aveva confusamente affrontato e sfidato fin da piccola.

Non sapevo ancora niente di quel che in segreto, tra sé e sé, dopo la brutta esperienza del Capodanno, lei chiamava smarginatura. Ma conoscevo il racconto della pentola esplosa, era sempre in agguato in qualche angolo della mia testa, ci pensavo, ci ripensavo. E mi ricordo che a casa, una sera, rilessi apposta la lettera che mi aveva mandato a Ischia. Quanto era seducente quel suo modo di raccontare di sé e come pareva ormai lontanissimo. Dovetti prendere atto che la Lila che mi aveva scritto quelle parole era scomparsa. Nella lettera c'era ancora colei che aveva scritto *La fata blu*, la ragazzina che aveva imparato il latino e il greco da sola, quella che aveva divorato mezza biblioteca del maestro Ferraro, perfino quella che aveva disegnato le scarpe incorniciate nella calzoleria. Ma nella vita d'ogni giorno non la vedevo, non la sentivo più. La nervosa, aggressiva Cerullo si era come immolata. Pur seguitando sia io che lei ad abitare nello stesso rione, pur avendo avuto la stessa infanzia, pur vivendo entrambe il nostro quindicesimo anno, eravamo finite all'improvviso in due mondi diversi. Io mi stavo mutando, mentre i mesi correvano via, in una ragazza sciatta, arruffata, occhialuta, china su libri sbrindellati che emanavano il malodore dei volumi presi con grandi sacrifici al mercato dell'usato o procurati dalla maestra Oliviero. Lei passava al braccio di Stefano pettinata come una diva, vestita con abiti che la facevano sembrare un'attrice o una principessa.

La guardavo dalla finestra, sentivo che la sua forma precedente s'era rotta e ripensavo a quel brano bellissimo della lettera, al rame crepato e accartocciato. Era un'immagine che ormai utilizzavo di continuo, ogni volta che avvertivo una frattura dentro di lei o dentro di me. Sapevo – forse speravo – che nessuna forma avrebbe mai potuto contenere Lila e che presto o tardi avrebbe spaccato tutto un'altra volta.

45.

Dopo la brutta serata del ristorante a Santa Lucia non ci furono altre occasioni come quelle, e non perché i due fidanzati non tornassero a invitarci, ma perché noi ci sottraemmo ora con una scusa, ora con un'altra. Invece, quando i compiti non mi toglievano ogni energia, mi lasciavo tirar dentro a un ballo casalingo, a una pizza con tutto il gruppo di una volta. Preferivo uscire, però, solo quando ero sicura che sarebbe venuto anche Antonio, il quale da qualche tempo si dedicava a me in modo totale, con una corte discreta, piena di attenzioni. Certo, la pelle del viso era lucida e piena di punti neri, i denti qua e là bluastri, le mani tozze, dita robuste con le quali una volta aveva svitato senza sforzo i bulloni della ruota bucata di una vecchissima auto che s'era procurato Pasquale. Ma aveva capelli ondulati nerissimi che ti veniva voglia di accarezzare, e pur essendo molto timido le rare volte che apriva bocca diceva cose spiritose. E del resto era l'unico che si accorgesse di me. Enzo compariva raramente, aveva una sua vita di cui sapevamo poco o niente, ma quando c'era si dedicava senza mai esagerare, al suo modo distaccato, lento, a Carmela. Quanto a Pasquale, sembrava aver perso interesse per le ragazze dopo il rifiuto di Lila. Faceva pochissimo caso persino a Ada, che con lui era molto smorfiosa, anche se ripeteva di continuo che non ce la faceva più a vedere sempre le nostre brutte facce.

Naturalmente in quelle serate si finiva presto o tardi a parlare di Lila, anche se pareva che nessuno avesse voglia di nominarla: i maschi erano tutti un po' delusi, ciascuno di loro avrebbe voluto essere al posto di Stefano. Ma il più infelice era Pasquale: se non avesse provato un odio di vecchissima data nei confronti dei Solara, probabilmente si sarebbe schierato pubblicamente con Marcello contro la famiglia Cerullo. Le sue sofferenze d'amore gli scavavano dentro e anche solo intravedere Lila e Stefano insieme, gli toglieva la gioia di vivere. Tuttavia era per sua natura un ragazzo di buoni sentimenti e di buoni pensieri, sicché stava attentissimo a tenere sotto controllo le proprie reazioni e a schierarsi secondo giustizia. Quando si era saputo che Marcello e Michele avevano affrontato Rino, una sera, e pur senza sfiorarlo nemmeno con un dito lo avevano coperto di insulti, Pasquale aveva aderito senza mezzi termini alle ragioni di Rino. Quando si era saputo che Silvio Solara, il padre di Michele e di Marcello, era andato lui in persona nella calzoleria ristrutturata di Fernando e gli aveva rimproverato pacatamente di non aver saputo educare bene la figlia, e quindi, guardandosi intorno, aveva osservato che lo scarparo avrebbe potuto fabbricare tutte le scarpe che voleva, ma poi dove sarebbe andato a venderle, non avrebbe mai trovato un negozio che gliele pigliasse, senza contare che con tutta quella colla che c'era in giro, con tutto quel filo e pece e forme di legno e suole e suolette, non ci voleva niente perché prendesse fuoco ogni cosa, Pasquale si era ripromesso, in caso d'incendio nella calzoleria Cerullo, di andare con un po' di suoi compagni fidati a bruciare il bar-pasticceria Solara. Ma su Lila era critico. Diceva che sarebbe dovuta scappare di casa piuttosto che accettare che Marcello andasse lì a farle la corte tutte le sere. Diceva che la televisione l'avrebbe dovuta spaccare col martello e non guardarsela insieme a chi si sapeva che l'aveva comprata solo per avere lei. Diceva, infine, che era una ragazza troppo intelligente per essersi veramente innamorata di un baccalà ipocrita come Stefano Carracci.

Io in quelle occasioni ero l'unica che non stava zitta ma disapprovava esplicitamente le critiche di Pasquale. Ribattevo con cose tipo: non è mica facile scappare di casa; non è mica facile mettersi contro la volontà delle persone a cui vuoi bene; non è mica facile niente, tant'è vero che critichi lei invece di prendertela col tuo amico Rino: è stato lui a ficcarla in quel guaio con Marcello, e se Lila non avesse trovato il modo di tirarsi fuori, Marcello se lo sarebbe dovuto sposare. Concludevo infine col panegirico di Stefano, che di tutti quanti loro maschi che conoscevano Lila fin da piccola e le volevano bene era stato l'unico ad avere il coraggio di sostenerla e aiutarla. Cadeva allora un brutto silenzio e io mi sentivo molto fiera di aver rintuzzato ogni critica alla mia amica con un tono e una lingua che tra l'altro li aveva messi in soggezione.

Ma una sera si finì a litigare in malo modo. Eravamo tutti, anche Enzo, a mangiare una pizza al Rettifilo, in un posto dove la margherita e una birra costavano cinquanta lire. Quella volta cominciarono le ragazze: Ada, mi pare, disse che secondo lei Lila era ridicola ad andare in giro sempre fresca di parrucchiere e con i vestiti come Soraya anche se spargeva il veleno per gli scarafaggi davanti alla porta di casa, e chi più chi meno ridemmo tutti. Poi, una cosa tira l'altra, Carmela arrivò a dire chiaramente che secondo lei Lila s'era messa con Stefano per i soldi, per sistemare il fratello e il resto della famiglia. Io stavo cominciando la solita difesa d'ufficio quando Pasquale m'interruppe e disse:

«Il punto non è questo. Il punto è che Lina sa da dove vengono quei soldi».

«Mo' vuoi di nuovo tirare in ballo don Achille e la borsa nera e i traffici e l'usura e tutte le porcherie di prima e dopo la guerra?» dissi io.

«Sì, e se la tua amica ora stava qui mi dava ragione».

«Stefano è solo un commerciante che sa come si vende».

«E i soldi che ha messo nella calzoleria dei Cerullo gli vengono dalla salumeria?».

«Perché, secondo te?».

«Quelli provengono dagli ori delle madri di famiglia che don Achille s'era nascosto dentro il materasso. Lina fa la signora col sangue di tutta la povera gente di questo rione. E si fa mantenere, lei e tutti i familiari, ancora prima di essersi sposata».

Io stavo per rispondergli quando s'intromise Enzo con il suo solito distacco:

«Scusa, Pascà, che significa "si fa mantenere"?».

Mi bastò sentire quella domanda per capire che si sarebbe messa male. Pasquale diventò rosso, s'imbarazzò:

«Mantenere significa mantenere. Chi paga, scusa, quando Lina va dal parrucchiere, quando si compra i vestiti e le borse? Chi ha messo i soldi nella calzoleria per far giocare lo scarparo a fare il fabbricante di scarpe?».

«Cioè tu stai dicendo che Lina non si è innamorata, non s'è fidanzata, non si sposerà presto con Stefano, ma si è venduta?».

Restammo tutti zitti. Antonio borbottò:

«Ma no, Enzo: Pasquale non vuole dire questo; lo sai che vuole bene a Lina come le vogliamo bene tutti quanti noi».

Enzo gli fece cenno di tacere.

«Statti zitto, Anto', fa' rispondere a Pasquale».

Pasquale disse cupo:

«Sì, si è venduta. E se n'è fottuta della puzza dei soldi che ogni giorno spende».

Provai di nuovo a dire la mia, a quel punto, ma Enzo mi toccò un braccio.

«Scusa, Lenù, voglio sapere Pasquale come la chiama una femmina che si vende».

Qui Pasquale ebbe uno scatto di violenza che gli leggemmo tutti negli occhi e disse quello che da mesi aveva in mente di dire, di urlare a tutto il rione:

«Zoccola, la chiamo zoccola. Lina si è comportata e si sta comportando da zoccola».

Enzo si alzò e disse quasi a bassa voce:

«Vieni fuori».

Antonio balzò su, trattenne per un braccio Pasquale che voleva alzarsi, disse:

«Mo' non esageriamo, Enzo. Pasquale sta solo dicendo una cosa che non è un'accusa, è una critica che ci sentiamo di fare tutti».

Enzo ripose, questa volta a voce alta:

«Io no». E andò verso l'uscita scandendo: «Vi aspetto fuori tutt'e due».

Impedimmo a Pasquale e Antonio di seguirlo, non successe

niente. Si limitarono a tenersi il muso per qualche giorno, poi tutto come prima.

46.

Ho raccontato questa litigata per dire come passò quell'anno e che clima ci fu intorno alle scelte di Lila, specialmente tra i giovani che segretamente o esplicitamente l'avevano amata, l'avevano desiderata, e con tutta probabilità l'amavano e la desideravano ancora. Quanto a me, è difficile dire in quale garbuglio di sentimenti mi trovassi. In ogni occasione difendevo Lila, e mi piaceva farlo, mi piaceva sentirmi parlare con l'autorità di chi fa studi difficili. Ma sapevo anche che avrei raccontato altrettanto volentieri, casomai con qualche esagerazione, come Lila era stata davvero dietro ogni mossa di Stefano, e io insieme con lei, concatenando passaggio a passaggio come se fosse un problema di matematica, fino a quel risultato: sistemarsi, sistemare il fratello, provare a realizzare il progetto del calzaturificio e persino prendere soldi per farmi riparare gli occhiali se si rompevano.

Passavo davanti alla vecchia bottega di Fernando e provavo un sentimento di vittoria per interposta persona. Lila, era evidente, ce l'aveva fatta. La calzoleria, che non aveva mai avuto insegna, ora esponeva in cima alla vecchia porta una specie di targa con la scritta: Cerullo. Fernando, Rino, i tre apprendisti lavoravano a jògnere, orlare, martellare, smerigliare da mattina a notte fonda chini sui deschi. Si sapeva che padre e figlio litigavano molto. Si sapeva che Fernando sosteneva che le scarpe, specialmente quelle per donna, non si potevano realizzare come se le era inventate Lila, che erano solo una fantasia di bambina. Si sapeva che Rino sosteneva il contrario e che andava da Lila a chiederle d'intervenire. Si sapeva che Lila diceva che non voleva più saperne, e che quindi Rino andava da Stefano e lo trascinava in bottega a dare lui ordini precisi al padre. Si sapeva che Stefano ci andava e che guardava a lungo i disegni di Lila incorniciati sulle pareti, sorrideva tra sé e sé e diceva pacatamente che voleva esattamente le scarpe come si vedevano in quei quadretti, li aveva attaccati lì apposta. Si sapeva insomma che tutto andava a rilento e i lavoranti prima ricevevano istruzioni da Fernando e poi Rino le cambiava e si bloccava tutto e si ricominciava e Fernando si accorgeva dei cambiamenti e tornava a cambiare e arrivava Stefano e via punto e daccapo, si finiva a urla, a oggetti spaccati.

Lanciavo uno sguardo e filavo via diritto. Ma mi restavano impressi i quadretti appesi alle pareti. Pensavo: "Quei disegni, per Lila, sono stati una fantasticheria, il denaro non c'entra, non c'entra vendersi. Tutto questo lavoro è il risultato finale di un suo estro, celebrato da Stefano solo per amore. Beata lei che è così amata, che ama. Beata lei che è adorata per quel che è e per ciò che sa inventare. Ora che ha dato al fratello quello che il fratello voleva, ora che l'ha tolto dai pericoli, s'inventerà sicuramente dell'altro. Perciò non voglio perderla di vista. Qualcosa accadrà".

Ma non accadde niente. Lila si stabilizzò nel ruolo di fidanzata di Stefano. E anche nei discorsi che facevamo, quando trovavo un po' di tempo, mi sembrò sempre soddisfatta di ciò che era diventata, come se oltre non vedesse più niente, non *volesse* vedere più niente, se non il matrimonio, una casa, figli.

Ci rimasi male. Sembrava addolcita, senza più le asprezze di sempre. Me ne resi conto tempo dopo, quando attraverso Gigliola Spagnuolo mi arrivarono voci infamanti sul suo conto.

Gigliola mi disse con astio, in dialetto:

«Adesso la tua amica fa la principessa. Ma lo sa Stefano che quando Marcello andava a casa sua lei gli faceva un bocchino tutte le sere?».

Ignoravo cosa fosse un bocchino. La parola mi era nota fin da bambina ma il suo suono rimandava solo una specie di sfregio, qualcosa di molto umiliante.

«Non è vero».

«Marcello così dice».

«È bugiardo».

«Sì? E dice le bugie pure a suo fratello?».

«A te l'ha detto Michele?».

«Sì».

Sperai che quelle dicerie non arrivassero a Stefano. Ogni volta che tornavo da scuola mi dicevo: forse devo avvisare Lila, prima che succeda qualcosa di brutto. Ma temevo che s'infuriasse e che, per come era cresciuta, per come era fatta, andasse direttamente da Marcello Solara col trincetto. Comunque alla fine mi decisi: era meglio riferirle ciò che avevo appreso, così si sarebbe preparata a fronteggiare la situazione. Ma scoprii che sapeva già tutto. Non solo: era più informata di me su cos'era un bocchino. Me ne accorsi dal fatto che usò una formula più chiara per dirmi che lei quella cosa non l'avrebbe fatta mai a nessun uomo, tanto le faceva schifo, figuriamoci a Marcello Solara. Poi mi raccontò che la voce era già arrivata a Stefano e che lui le aveva chiesto che tipo di rapporti c'erano stati tra lei e Marcello nel periodo in cui aveva frequentato casa Cerullo. Lei gli aveva risposto con rabbia: «Nessuno, sei pazzo?». E Stefano s'era affrettato a rispondere che le credeva, che non aveva mai avuto dubbi, che quella domanda gliel'aveva fatta solo per farle sapere che Marcello raccontava porcherie sul suo conto. Ma intanto aveva preso un'espressione svagata, di chi, anche senza volerlo, va dietro a scene di scempio che gli si formano nella testa. Lila se n'era accorta e avevano discusso a lungo, gli aveva confessato che anche lei sentiva un bisogno di sangue alle mani. Ma a che serviva? Parla e parla, alla fine avevano deciso di mettersi di comune accordo un gradino più su dei Solara, della logica del rione.

«Un gradino più su?» le chiesi meravigliata.

«Sì, ignorarli: Marcello, suo fratello, il padre, il nonno, tutti. Fare come se non esistessero».

Così Stefano aveva continuato col suo lavoro senza difendere l'onore della sua promessa sposa, Lila aveva continuato con la sua vita di fidanzata senza ricorrere al trincetto o ad altro, i Solara avevano continuato a diffondere oscenità. La lasciai, ero stupefatta. Cosa stava accadendo? Non capivo. Mi sembrava più chiaro il comportamento dei Solara, mi sembrava coerente con il mondo che conoscevamo fin da bambini. Lei e Stefano invece cosa avevano in mente, dove pensavano di vivere? Si comportavano in un modo che non si trovava nemmeno nei poemi che studiavo a scuola, nei romanzi che leggevo. Ero perplessa. Non reagivano alle offese, anche a quella veramente insopportabile che gli stavano facendo i Solara. Sfoggiavano gentilezza e cortesia con tutti, come se fossero John e Jacqueline Kennedy in visita a un quartiere di pezzenti. Quando uscivano a passeggio insieme, con lui che le teneva un braccio intorno alle spalle, sembrava che nessuna delle vecchie regole valesse per loro: ridevano, scherzavano, si stringevano, si baciavano sulle labbra. Li vedevo sfrecciare nella decappottabile, da soli anche la sera, sempre vestiti come attori del cinema, e pensavo: se ne vanno chissà dove senza sorveglianza, e non di nascosto ma col consenso dei genitori, col consenso di Rino, a fare le cose loro senza dar peso a ciò che dice la gente. Era Lila a piegare Stefano a quei comportamenti che ne stavano facendo la coppia più ammirata e più chiacchierata del rione? Era quella l'ultima novità che s'era inventata? Voleva uscire dal rione restando nel rione? Voleva trascinarci fuori da noi stessi, strapparci la vecchia pelle e imporcene una nuova, adeguata a quella che si stava inventando lei?

47.

Tutto ritornò bruscamente nei binari consueti quando le voci su Lila arrivarono fino a Pasquale. Successe una domeni-

ca, mentre io, Carmela, Enzo, Pasquale e Antonio eravamo a
passeggio lungo lo stradone. Antonio disse:

«Mi hanno detto che Marcello Solara racconta a tutti che
Lina è stata con lui».

Enzo non batté ciglio, Pasquale si accese subito:

«Stata come?».

Antonio s'imbarazzò per la presenza mia e di Carmela e
disse:

«Hai capito».

Ci distanziarono, parlarono tra loro. Vidi e sentii che Pasquale s'infuriava sempre di più, che Enzo diventava fisicamente sempre più compatto, come se non avesse più braccia, gambe, collo, e fosse un blocco di materia dura. Perché, mi chiedevo, com'è che se la prendono tanto? Lila non è una loro sorella
e nemmeno una loro cugina. Eppure si sentono in dovere di
indignarsi, tutti e tre, più di Stefano, molto più di Stefano, come
se fossero loro i veri fidanzati. Pasquale soprattutto mi parve
ridicolo. Lui che solo poco tempo prima aveva detto quello che
aveva detto, strillò a un certo punto, e lo sentimmo bene, con
queste orecchie: «Io gli spacco la faccia a chillu strunz, la sta
facendo passare per una zoccola. Ma se Stefano glielo permette, sicuramente non glielo permette il sottoscritto». Poi silenzio,
si riunirono a noi e bighellonammo fiaccamente, io che chiac-
chieravo con Antonio, Carmela che stava tra suo fratello e Enzo. Dopo un po' ci riaccompagnarono a casa. Li vidi allontanarsi, Enzo che era il più basso al centro e Antonio e Pasquale
ai lati.

Il giorno dopo e nei giorni seguenti si fece un gran parlare
del Millecento dei Solara. Era stato ridotto a pezzi. Non solo:
i due fratelli erano stati selvaggiamente picchiati, ma non sapevano dire da chi. Giuravano di essere stati aggrediti in una stra-
dina buia da almeno dieci persone, gente venuta da fuori. Ma
io e Carmela sapevamo benissimo che gli aggressori erano solo
tre e ci sentimmo molto preoccupate. Aspettammo le inevita-

bili ritorsioni per un giorno, due, tre. Ma evidentemente le cose erano state fatte per bene. Pasquale seguitò a fare il muratore, Antonio il meccanico, Enzo a girare con la carretta. I Solara, invece, per qualche tempo si mossero solo a piedi, malconci, un po' smarriti, sempre insieme a quattro o cinque loro amici. Ammetto che vederli in quelle condizioni mi rallegrò. Fui fiera dei miei amici. Insieme a Carmen e Ada criticai Stefano e anche Rino perché avevano fatto finta di niente. Poi passò il tempo, Marcello e Michele si comprarono una Giulietta verde e ricominciarono ad atteggiarsi a padroni del rione. Vivi e vegeti, più prepotenti di prima. Segno che forse Lila aveva ragione: la gente di quella risma bisognava combatterla conquistandosi una vita superiore, di quelle che loro non potevano nemmeno immaginare. Mentre facevo gli esami di quinto ginnasio, mi annunciò che in primavera, a poco più di sedici anni, si sarebbe sposata.

48.

Quella notizia mi sconvolse. Quando Lila mi disse del suo matrimonio si era in giugno, a poche ore dagli orali. Cosa prevedibile, certo, ma ora che era stata fissata una data, 12 marzo, mi sembrò di sbattere per distrazione contro una porta. Feci pensieri meschini. Contai i mesi: nove. Forse nove mesi erano abbastanza lunghi perché l'astio perfido di Pinuccia, l'ostilità di Maria, le dicerie di Marcello Solara che continuavano a volare di bocca in bocca per tutto il rione come la Fama nell'*Eneide*, logorassero Stefano portandolo alla rottura del fidanzamento. Mi vergognai di me, ma non ce la feci più a rintracciare un disegno coerente anche nella divaricazione dei nostri destini. La concretezza di quella data rese concreto il bivio che avrebbe allontanato le nostre vite l'una dall'altra. E, quel che è peggio, diedi per certo che la sua sorte sarebbe stata migliore della mia. Sentii più forte che mai l'insignificanza della via degli studi, ebbi chiaro che l'avevo imboccata anni prima soltanto per apparire invidiabile a Lila. E invece lei, adesso, non attribuiva ai libri più nessun peso. Smisi di prepararmi per l'esame, non dormii la notte. Pensai alla mia poverissima esperienza amorosa: avevo baciato una volta Gino, avevo sfiorato appena le labbra di Nino, avevo subìto i fugaci e laidi contatti di suo padre: tutto qui. Lila invece da marzo, a sedici anni, avrebbe avuto un marito e nel giro di un anno, a diciassette, un figlio, e poi un altro ancora, e un altro, e un altro. Mi sentii un'ombra, piansi disperata.

Il giorno dopo andai svogliatamente a dare gli esami. Ma successe una cosa che mi fece sentire meglio. Il professor Gerace e la professoressa Galiani, che faceva parte della commissione, lodarono moltissimo il mio compito di italiano. Gerace in particolare disse che l'esposizione era ulteriormente migliorata. Volle leggere un passo al resto della commissione. E solo ascoltandolo io mi resi conto di ciò che avevo cercato di fare in quei mesi ogni volta che mi capitava di scrivere: liberarmi dei miei toni artificiosi, delle frasi troppo rigide; tentare una scrittura fluida e trascinante come quella di Lila nella lettera di Ischia. Quando sentii le mie parole dentro la voce del professore, mentre la professoressa Galiani ascoltava e acconsentiva in silenzio, mi resi conto di esserci riuscita. Naturalmente non era il modo di scrivere di Lila, era il mio. E sembrava ai miei insegnanti qualcosa di veramente fuori del comune.

Fui promossa in prima liceo con tutti dieci, ma a casa mia nessuno se ne stupì o mi festeggiò. Vidi che erano soddisfatti, questo sì, e ne fui contenta, ma non diedero all'evento nessun peso. Mia madre, anzi, trovò il mio successo scolastico del tutto naturale, mio padre mi disse di andare subito dalla maestra Oliviero per spingerla a procurarsi per tempo i libri del prossimo anno. Mentre uscivo, mia madre gridò: «E se ti vuole mandare di nuovo a Ischia, dille che io non sto bene e che mi devi aiutare in casa».

La maestra mi lodò, ma svogliatamente, un po' perché ormai dava anche lei per scontata la mia bravura, un po' perché non era in buona salute, il male che aveva in bocca le dava molto fastidio. Non accennò mai al mio bisogno di riposo, a sua cugina Nella, a Ischia. Invece, a sorpresa, attaccò a parlare di Lila. L'aveva vista per strada, da lontano. Stava col fidanzato, disse, il salumiere. Poi aggiunse una frase che ricorderò sempre: «La bellezza che Cerullo aveva nella testa fin da piccola non ha trovato sbocco, Greco, e le è finita tutta in faccia, nel petto, nelle cosce e nel culo, posti dove passa presto ed è come se non ce l'avessi mai avuta».

Non le avevo mai sentito dire una parolaccia, da quando la conoscevo. In quell'occasione disse «culo» e poi borbottò: «Scusa». Ma non fu quello, che mi colpì. Fu il rammarico, come se la maestra si stesse rendendo conto che qualcosa di Lila s'era sciupato proprio perché lei, come maestra, non l'aveva protetto e sviluppato bene. Mi sentii la sua alunna meglio riuscita e andai via sollevata.

L'unico a festeggiarmi senza mezzi termini fu Alfonso, promosso anche lui, con tutti sette. Sentii che la sua era un'ammirazione genuina e questo mi fece piacere. Davanti ai quadri, preso da entusiasmo, in presenza di nostri compagni e dei loro genitori, fece una cosa sconveniente, come se si fosse dimenticato che ero femmina e non doveva sfiorarmi: mi strinse forte contro di sé, mi baciò su una guancia, un bacio rumoroso. Poi si confuse, mi lasciò subito, disse scusa, e tuttavia non si contenne, gridò: «Tutti dieci, impossibile, tutti dieci». Tornando a casa parlammo molto del matrimonio di suo fratello, di Lila. Poiché mi sentivo particolarmente a mio agio, gli chiesi per la prima volta cosa pensasse della sua futura cognata. Prese tempo prima di rispondermi. Poi disse:

«Ti ricordi la gara che ci fecero fare a scuola?».

«E chi se la può dimenticare?».

«Io ero sicuro di vincere, avevate tutti paura di mio padre».

«Anche Lina: infatti per un po' cercò di non batterti».

«Sì, ma poi decise di vincere e mi umiliò. Sono tornato a casa piangendo».

«È brutto perdere».

«Non per quello: mi sembrò insopportabile che tutti fossero terrorizzati da mio padre, io per primo, e quella bambina no».

«Te ne innamorasti?».

«Scherzi? Mi ha sempre messo in soggezione».

«In che senso?».

«Nel senso che mio fratello ha proprio un bel coraggio a sposarsela».

«Che dici?».

«Dico che sei meglio tu e che se fossi stato io a scegliere, mi sarei sposato te».

Anche questo mi fece piacere. Scoppiammo a ridere, ci salutammo che ancora ridevamo. Lui era condannato a passare l'estate in salumeria, io, per decisione di mia madre più che di mio padre, dovevo trovarmi un lavoro per l'estate. Promettemmo di vederci, di andare almeno una volta al mare insieme. Non successe.

Nei giorni seguenti feci giri svogliati per il rione. Chiesi a don Paolo, il droghiere lungo lo stradone, se aveva bisogno di una commessa. Niente. Chiesi al giornalaio: non servivo neanche a lui. Passai dalla cartolaia, si mise a ridere: aveva bisogno, sì, ma non adesso; dovevo tornare in autunno, quando ricominciavano le scuole. Feci per andarmene e lei mi richiamò. Disse:

«Tu sei una ragazza molto seria, Lenù, di te mi fido: saresti capace di portarmi le bambine a fare i bagni?».

Uscii dal negozio veramente felice. La cartolaia mi avrebbe pagato – e pagato bene – se portavo al mare le sue tre bambine per tutto il mese di luglio e i primi dieci giorni di agosto. Mare, sole e denaro. Dovevo andare ogni giorno in un posto tra Mergellina e Posillipo di cui non sapevo nulla, aveva un nome straniero, si chiamava Sea Garden. Mi diressi verso casa eccitata come se la mia vita avesse avuto una svolta decisiva. Avrei guadagnato soldi per i miei genitori, avrei fatto i bagni, sarei diventata liscia e dorata al sole come l'estate a Ischia. Com'è tutto dolce, pensai, quando la giornata è bella e ogni cosa buona pare stia aspettando solo te.

Feci pochi passi e quell'impressione di ore fortunate si consolidò. Mi raggiunse Antonio, in tuta, sporco di grasso. Ne fui contenta, chiunque avessi incontrato in quel momento di allegria sarebbe stato bene accolto. Mi aveva vista passare e m'era corso dietro. Gli raccontai subito della cartolaia, dovette leggermi in faccia che quello era un momento felice. Per mesi avevo sgobbato sentendomi sola, brutta. Pur essendo sicura di amare Nino Sarratore, l'avevo evitato sempre e non ero andata a vedere nemmeno se era stato promosso e con quali voti. Lila stava per compiere un balzo definitivo oltre la mia vita, non ce l'avrei fatta più a tenerle dietro. Ma ora mi sentivo bene e volevo sentirmi ancora meglio. Quando Antonio, intuendo che ero nella disposizione giusta, mi chiese se volevo fidanzarmi con lui, gli dissi di sì subito, anche se amavo un altro, anche se non sentivo per lui nient'altro che un po' di simpatia. Averlo per fidanzato, lui, grande, coetaneo di Stefano, lavoratore, mi sembrò una cosa non diversa dalla promozione con tutti dieci, dal compito di portare, remunerata, le figlie della cartolaia al Sea Garden.

49.

Cominciò il mio lavoro, il mio fidanzamento. La cartolaia mi fece una sorta di abbonamento e io ogni mattina attraversavo la città con le tre bambine, negli autobus affollati, e le portavo in quel luogo coloratissimo, ombrelloni, mare blu, piattaforme di cemento, studenti, donne agiate con molto tempo libero, donne vistose con facce voraci. Trattavo con gentilezza i bagnini che provavano ad attaccare bottone. Badavo alle bambine, facevo lunghi bagni con loro sfoggiando il costume che l'anno prima mi aveva cucito Nella. Le nutrivo, ci giocavo, le lasciavo bere in eterno allo zampillo di una fontanella di pietra stando attenta a che non scivolassero e si spaccassero i denti sulla vaschetta.

Tornavamo al rione nel tardo pomeriggio. Restituivo le bambine alla cartolaia, correvo all'appuntamento segreto con Antonio, bruciata di sole, salata d'acqua di mare. Andavamo agli stagni per vie secondarie, avevo paura di essere vista da mia madre e forse ancor più dalla maestra Oliviero. I primi baci veri li scambiai con lui. Gli concessi presto di toccarmi i seni e tra le gambe. Io stessa una sera gli strinsi il pene nascosto dentro i calzoni, teso, grosso, e quando lui lo estrasse, glielo tenni volentieri in una mano mentre ci baciavamo. Accettai quelle pratiche con due domande nitidissime in mente. La prima era: Lila fa queste stesse cose con Stefano? La seconda era: il piacere che provo con questo ragazzo è lo stesso che ho provato la sera che Donato Sarratore mi ha toccata? In entrambi i casi Antonio finiva per essere solo un fantasma utile per evocare da un lato gli amori tra Lila e Stefano, dall'altro l'emozione forte, difficile da mettere in ordine, che mi aveva procurato il padre di Nino. Ma non mi sentii mai in colpa. Mi era così grato, mi manifestava una tale assoluta dipendenza per quei pochi contatti agli stagni, che presto mi convinsi che fosse lui in debito con me, che il piacere che gli davo fosse di gran lunga superiore a quello che mi dava lui.

A volte, la domenica, accompagnava me e le bambine al Sea Garden. Spendeva molti soldi con finta disinvoltura, pur guadagnandone pochissimi, e per di più odiava bruciarsi al sole. Ma lo faceva per me, solo per starmi accanto, senza nessun risarcimento immediato, visto che per tutto il giorno non c'era modo di baciarci o toccarci. E per di più intratteneva le bambine con buffonerie da clown e tuffi da atleta. Mentre lui giocava con loro io mi sdraiavo al sole a leggere e mi scioglievo nelle pagine come una medusa.

In una di quelle occasioni levai per un attimo lo sguardo e vidi una ragazza alta, sottile, elegante, con un bellissimo due pezzi rosso. Era Lila. Abituata ormai ad avere sempre addosso lo sguardo degli uomini, si muoveva come se in quel posto affollato non ci fosse nessuno, nemmeno il giovane bagnino che la precedeva per accompagnarla all'ombrellone. Non mi vide e io non seppi se chiamarla. Portava occhiali da sole, sfoggiava una borsa di stoffa coloratissima. Non le avevo ancora detto del mio lavoro e nemmeno di Antonio: è probabile che temessi il suo giudizio sia sull'uno che sull'altro. Aspettiamo che mi chiami lei, pensai e ritornai con lo sguardo al libro, ma senza riuscire più a leggere. Tuttavia presto guardai di nuovo nella sua direzione. Il bagnino le aveva aperto la sdraio, si era seduta al sole. Intanto stava arrivando Stefano, bianchissimo, un costume blu, in mano il portafogli, l'accendino, le sigarette. Baciò Lila sulle labbra come i principi fanno con le belle addormentate, si sedette a sua volta su una sdraio.

Di nuovo cercai di leggere. Ero abituata da tempo ad autodisciplinarmi e questa volta per qualche minuto riuscii davvero a riacciuffare il senso delle parole, mi ricordo che il romanzo era *Oblomov*. Quando tornai a sollevare lo sguardo Stefano era ancora seduto a guardare il mare, Lila non c'era più. La cercai con gli occhi e vidi che stava parlando con Antonio, e Antonio mi stava indicando. Le feci un saluto festoso a cui lei rispose altrettanto festosamente, e girandosi subito a chiamare Stefano.

Facemmo il bagno noi tre insieme, mentre Antonio badava alle figlie della cartolaia. Fu una giornata dall'apparenza allegra. A un certo punto Stefano ci trascinò tutti al bar, ordinò ogni ben di dio: panini, bibite, gelati, e le bambine subito mollarono Antonio e rivolsero a lui tutta l'attenzione. Quando i due giovani cominciarono a parlare di non so quali problemi alla decappottabile, una conversazione in cui Antonio fece una gran bella figura, mi portai via le ragazzine perché non li disturbassero. Lila mi raggiunse.

«Quanto ti paga la cartolaia?» mi chiese.

Glielo dissi.

«Poco».

«Secondo mia madre mi paga fin troppo».

«Ti devi far valere, Lenù».

«Mi farò valere quando dovrò portare al mare i tuoi figli».

«Ti darò casse di monete d'oro, lo so quanto vale passare il tempo con te».

La guardai per capire se scherzava. Non scherzava, scherzò subito dopo, quando accennò ad Antonio:

«Lui lo conosce il tuo valore?».

«Siamo fidanzati da venti giorni».

«Gli vuoi bene?».

«No».

«E allora?».

La sfidai con lo sguardo.

«Tu vuoi bene a Stefano?».

Disse seria:

«Moltissimo».

«Più che ai tuoi genitori, più che a Rino?».

«Più che a tutti, ma non più che a te».

«Mi prendi in giro».

Però intanto pensai: anche se mi prende in giro, è bello parlarci così, al sole, sedute sul cemento caldo, coi piedi in acqua; pazienza se non mi ha chiesto che libro sto leggendo; pazienza se non s'è informata su come sono andati gli esami di quinto ginnasio; forse non è tutto finito: anche dopo sposata, qualcosa tra noi durerà. Le dissi:

«Vengo qui tutti i giorni. Perché non vieni anche tu?».

Si entusiasmò a quell'ipotesi, ne parlò a Stefano che fu d'accordo. Fu una bella giornata in cui tutti, miracolosamente, ci sentimmo a nostro agio. Poi il sole cominciò a declinare, era ora di portar via le bambine. Stefano andò alla cassa e lì scoprì che Antonio aveva già pagato tutto. Si rammaricò moltissimo, ringraziò calorosamente. Per strada, appena Stefano e Lila filarono via nella decappottabile, lo rimproverai. Melina e Ada lavavano le scale delle palazzine, lui prendeva quattro lire in officina.

«Perché hai pagato tu?» quasi gli gridai in dialetto, arrabbiata.

«Perché io e te siamo più belli e più signori» lui rispose.

50.

Mi affezionai ad Antonio quasi senza accorgermene. I nostri giochi sessuali diventarono un po' più audaci, un po' più piacevoli. Pensai che se Lila fosse venuta ancora al Sea Garden le avrei chiesto cosa succedeva tra lei e Stefano quando si allontanavano in macchina da soli. Facevano le stesse cose che facevamo io e Antonio o di più, per esempio le cose che le attribuivano le voci messe in giro dai due Solara? Non avevo nessuno con cui confrontarmi se non lei. Ma non ci fu occasione per provare a porle quelle domande, non venne più al Sea Garden.

Sotto Ferragosto il mio lavoro finì e finì anche la gioia del sole e del mare. La cartolaia fu soddisfattissima di come m'ero presa cura delle bambine e sebbene loro, malgrado le mie raccomandazioni, avessero raccontato alla madre che a volte veniva al mare un giovanotto mio amico con cui facevano bei tuffi, invece di rimproverarmi mi abbracciò, mi disse: «Meno male, sfrenati un poco per favore, sei troppo giudiziosa per la tua età». E aggiunse perfida: «Pensa a Lina Cerullo quante ne fa».

Agli stagni, la sera, dissi ad Antonio:

«È stato sempre così, fin da quando eravamo piccole: tutti credono che lei sia cattiva e io buona».

Lui mi baciò, mormorò ironico:

«Perché, non è così?».

Quella risposta mi intenerì e mi impedì di dirgli che dovevamo lasciarci. Era una decisione che mi sembrava urgente, l'affetto non era l'amore, amavo Nino, sapevo che l'avrei amato per sempre. Avevo pronto per Antonio un discorso pacato, volevo dirgli: è stato un bel periodo, mi hai aiutata molto in un momento in cui ero triste, ma ora ricomincia la scuola e quest'anno faccio il primo liceo, ho materie nuove, è un anno difficile, dovrò studiare molto; mi dispiace ma dobbiamo smettere. Sentivo che era necessario e ogni pomeriggio andavo al nostro appuntamento agli stagni col mio discorsetto pronto. Ma lui era così affettuoso, così appassionato, che mi mancava il coraggio e rimandavo. A Ferragosto. Dopo Ferragosto. Entro la fine del mese. Mi dicevo: non si può baciare, toccare una persona, farsi toccare, ed essergli solo un poco affezionata; Lila vuole bene a Stefano moltissimo, io ad Antonio no.

Passò il tempo e non riuscii mai a trovare il momento adatto per parlargli. Era preoccupato. Col caldo Melina in genere peggiorava, ma nella seconda metà di agosto il peggioramento diventò vistoso. Le era tornato in mente Sarratore, che lei chiamava Donato. Diceva di averlo visto, diceva che era venuto a prenderla, i figli non sapevano come fare a calmarla. A me venne l'ansia che Sarratore fosse veramente comparso per le vie del rione e che non cercasse Melina ma me. La notte mi svegliavo di soprassalto con l'impressione che fosse entrato dalla finestra e stesse nella stanza. Poi mi calmai, pensai: sarà in vacanza a Barano, ai Maronti, non certo qui, con questo caldo, le mosche, la polvere.

Ma una mattina che stavo andando a fare la spesa mi sentii chiamare. Mi girai e lì per lì non lo riconobbi. Poi misi a fuoco i baffi neri, i lineamenti piacevoli dorati dal sole, la bocca con le labbra sottili. Tirai diritto, lui mi venne dietro. Disse che lo aveva fatto soffrire non ritrovarmi a casa di Nella, a Barano, quell'estate. Disse che non pensava che a me, che senza di me non poteva vivere. Disse che per dare una forma al nostro amore aveva scritto molte poesie e che avrebbe voluto leggermele. Disse che voleva vedermi, parlarmi con agio, e che se mi fossi rifiutata si sarebbe ucciso. Allora mi fermai e gli sibilai che mi doveva lasciare in pace, che ero fidanzata, che non volevo vederlo mai più. Si disperò. Mormorò che mi avrebbe aspettato per sempre, che ogni giorno a mezzogiorno sarebbe stato all'ingresso del tunnel sullo stradone. Scossi la testa energicamente: non ci sarei mai andata. Si protese per baciarmi, io saltai indietro con un moto di ribrezzo, fece un sorriso di disappunto. Mormorò: «Sei brava, sei sensibile, ti porterò le poesie a cui tengo di più» e se ne andò.

Ero spaventatissima, non sapevo cosa fare. Decisi di ricorrere ad Antonio. La sera stessa, agli stagni, gli dissi che sua madre aveva ragione, Donato Sarratore si aggirava per il quartiere. Mi aveva fermato per strada. Mi aveva chiesto di dire a Melina che lui l'avrebbe aspettata sempre, tutti i giorni, all'imbocco del tunnel, a mezzogiorno. Antonio diventò cupo, mormorò: «Che devo fare?». Gli dissi che l'avrei accompagnato io stessa all'appuntamento e che insieme avremmo fatto a Sarratore un discorso chiaro sullo stato di salute di sua madre.

Non dormii tutta la notte per la preoccupazione. Il giorno dopo andammo al tunnel. Antonio era taciturno, camminava senza fretta, sentivo che aveva addosso un peso che lo rallentava. Una parte di lui era furibonda e l'altra in soggezione. Pensai con rabbia: è stato capace di andare ad affrontare i Solara per sua sorella Ada, per Lila, ma ora è intimidito, Donato Sarratore ai suoi occhi è una persona importante, di prestigio. Sentirlo così mi rese più determinata, avrei voluto scuoterlo, gridargli: tu non hai scritto nessun libro, ma sei molto meglio di quell'uomo. Mi limitai a prenderlo sottobraccio.

Quando Sarratore ci vide da lontano cercò di sparire in fretta nel buio del tunnel. Io lo chiamai:

«Signor Sarratore».

Si girò malvolentieri.

Gli dissi, dandogli del lei, cosa all'epoca fuori del comune nel nostro ambiente:

«Non so se si ricorda Antonio, è il figlio maggiore della signora Melina».

Sarratore tirò fuori una voce squillante, molto affettuosa: «Certo che me lo ricordo, ciao Antonio».

«Io e lui siamo fidanzati».

«Ah, bene».

«E abbiamo parlato molto, ora le spiegherà».

Antonio capì che era arrivato il suo momento e disse pallidissimo, teso, faticando a parlare in italiano:

«Sono molto contento di vedervi, signor Sarratore, io non dimentico. Vi sarò sempre grato per quello che avete fatto per noi dopo la morte di mio padre. Vi ringrazio soprattutto per avermi sistemato nell'officina del signor Gorresio, devo a voi se ho imparato un mestiere».

«Digli di tua madre» lo incalzai nervosa.

Lui si seccò, mi fece cenno di stare zitta. Continuò:

«Voi però non vivete più nel rione e non avete chiara la situazione. Mia madre, se solo sente il vostro nome, perde la testa. E se vi vede, se vi vede anche una volta sola, finisce al manicomio».

Sarratore annaspò:

«Antonio, figlio mio, io non ho mai avuto nessuna intenzione di fare del male a tua madre. Tu giustamente ti ricordi quanto mi sono prodigato per voi. E infatti ho sempre e soltanto voluto aiutare lei e voi tutti».

«Allora se volete continuare ad aiutarla non la cercate, non le mandate libri, non vi fate vedere nel rione».

«Questo non me lo puoi chiedere, non mi puoi impedire di rivedere luoghi che mi sono cari» disse Sarratore con una voce calda, artificialmente commossa.

Quella tonalità m'indignò. La conoscevo, l'aveva usata spesso a Barano, sulla spiaggia dei Maronti. Era pastosa, carezzevole, la tonalità che lui s'immaginava dovesse avere un uomo di spessore che scriveva versi e articoli sul *Roma*. Fui sul punto di intervenire, ma Antonio, stupendomi, mi precedette. Curvò le spalle, insaccò la testa e intanto allungò una mano verso il torace di Donato Sarratore urtandolo con le sue dita potenti. Disse in dialetto:

«Io non ve lo impedisco. Però vi prometto che se voi togliete a mia madre quel poco di ragione che le è rimasta, vi passerà per sempre la voglia di rivedere questi posti di merda».

Sarratore diventò pallidissimo.

«Sì» disse in fretta, «ho capito, grazie».

Girò i tacchi e se la batté in direzione della stazione.

Mi infilai sottobraccio ad Antonio, fiera di quella sua impennata, ma mi accorsi che stava tremando. Pensai, forse per la prima volta, a cosa doveva essere stata per lui, da ragazzino, la morte del padre, e poi il lavoro, la responsabilità che gli era caduta addosso, il crollo di sua madre. Lo tirai via piena d'affetto e mi diedi un'altra scadenza: lo lascerò dopo il matrimonio di Lila, mi dissi.

51.

Di quel matrimonio il rione si ricordò a lungo. I suoi preparativi s'intrecciarono alla lenta, elaborata, rissosa nascita delle scarpe Cerullo e sembrarono due imprese che, per un motivo o per l'altro, non sarebbero mai arrivate a termine.

Il matrimonio, tra l'altro, incideva non poco sulla calzoleria. Fernando e Rino sgobbavano molto non solo sulle scarpe nuove, che per ora non rendevano nulla, ma anche su mille altri lavoretti immediatamente redditizi dei cui introiti avevano urgenza. Dovevano mettere insieme abbastanza soldi per assicurare a Lila un po' di corredo e fronteggiare la spesa del rinfresco, che s'erano voluti a tutti i costi assumere per non fare la figura dei pezzenti. Di conseguenza la tensione in casa Cerullo fu per mesi altissima: Nunzia ricamava lenzuola notte e giorno e Fernando faceva continue scenate rimpiangendo l'epoca felice in cui, nel suo bugigattolo del quale era il re, incollava, cuciva, martellava tranquillo con le puntine tra le labbra.

Gli unici sereni sembravano i due fidanzati. Ci furono solo due piccoli momenti di attrito tra loro. Il primo riguardò la loro futura casa. Stefano voleva comprare un appartamentino nel rione nuovo, Lila invece avrebbe preferito prendere un appartamento nelle vecchie palazzine. Discussero. La casa nel rione vecchio era più grande ma buia e non aveva vista, come del resto tutte le case di quell'area. L'appartamento nel rione nuovo era più piccolo ma aveva un'enorme vasca da bagno come quella della pubblicità Palmolive, il bidet e l'affacciata sul Vesuvio. Risultò inutile far notare che, mentre il Vesuvio era un profilo labile e distante che sbiadiva nel cielo nebuloso, a meno di duecento metri correvano nitidi i binari della ferrovia. Stefano era sedotto dal nuovo, dagli appartamenti coi pavimenti splendenti, dalle pareti bianchissime, e Lila presto cedette. Più di ogni altra cosa contava che a meno di diciassette anni sarebbe stata la padrona di una casa sua, con l'acqua calda che usciva dai rubinetti, e non in affitto ma di proprietà.

Il secondo motivo di attrito fu il viaggio di nozze. Stefano propose come meta Venezia, e Lila, rivelando una linea di tendenza che poi avrebbe segnato tutta la sua vita, insistette per non allontanarsi molto da Napoli. Suggerì una permanenza a Ischia, a Capri e casomai sulla costiera amalfitana, tutti luoghi dove non era mai stata. Il futuro marito si disse quasi subito d'accordo.

Per il resto ci furono tensioni minime, più che altro riverberi di problemi interni alle famiglie di provenienza. Per esempio, se Stefano andava nella calzoleria Cerullo, finiva sempre, quando poi vedeva Lila, per farsi sfuggire parole pesanti su Fernando e Rino e lei si dispiaceva, scattava in loro difesa. Lui scuoteva la testa poco convinto, cominciava a vedere nella storia delle scarpe un investimento eccessivo di denaro e alla fine dell'estate, quando ci furono tensioni forti tra lui e i due Cerullo, pose un limite preciso al fare e disfare di padre, figlio, aiutanti. Disse che entro novembre voleva i primi risultati: almeno i modelli invernali, per uomo e per donna, pronti per essere esposti in vetrina sotto Natale. Poi, piuttosto nervoso, si lasciò sfuggire con Lila che Rino era più pronto a chiedere soldi, che a lavorare. Lei difese il fratello, lui replicò, lei s'inalberò, lui fece immediatamente marcia indietro. Andò a prendere il paio di scarpe da cui era nato tutto quel progetto, scarpe acquistate e mai usate, tenute come una testimonianza preziosissima della loro storia, e le tastò, le annusò, si commosse parlando di come ci sentiva, ci vedeva, ci aveva sempre visto le sue manine di quasi bambina che avevano lavorato insieme alle manacce del fratello. Erano sul terrazzo della vecchia casa, quella dove avevano sparato i fuochi in gara coi Solara. Le prese le dita e gliele baciò a una a una dicendo che non avrebbe mai più permesso che ricominciassero a rovinarsi.

Lila stessa mi raccontò quell'atto d'amore, molto allegra. Lo fece la volta che mi portò a vedere la casa nuova. Che splendore: pavimenti a riggiòle lucidissime, la vasca per farsi il bagno con la schiuma, i mobili intagliati della camera da pranzo e della camera da letto, la ghiacciaia e persino il telefono. Mi segnai il numero, emozionata. Eravamo nate e vissute in case piccole, senza una stanza nostra, senza un posto dove studiare. Io vivevo ancora così, lei presto no. Uscimmo sul balcone che dava sulla ferrovia e sul Vesuvio, le chiesi cautamente:

«Tu e Stefano venite qui anche da soli?».

«Qualche volta sì».

«E che succede?».

Mi guardò come se non capisse.

«In che senso?».

Mi imbarazzai.

«Vi baciate?».

«Qualche volta».

«E poi?».

«Poi basta, non siamo ancora sposati».

Mi confusi. Possibile? Tanta libertà e niente? Tante chiacchiere in tutto il rione, le oscenità dei Solara, e loro solo qualche bacio?

«Ma lui non ti chiede?».

«Perché, a te Antonio ti chiede?».

«Sì».

«A me lui no. È d'accordo che ci dobbiamo prima sposare».

Però mi sembrò molto colpita dalle mie domande, tanto quanto io fui molto colpita dalle sue risposte. Lei dunque non concedeva nulla a Stefano, anche se uscivano in macchina da soli, anche se stavano per sposarsi, anche se avevano già una loro casa arredata, il letto coi materassi ancora imballati. E io invece, che non mi dovevo certo sposare, ero andata da tempo oltre il bacio. Quando mi domandò, genuinamente incuriosita, se davo ad Antonio le cose che lui mi chiedeva, mi vergognai di dirle la verità. Risposi di no e lei sembrò contenta.

52.

Rallentai gli appuntamenti agli stagni, anche perché stava per ricominciarmi la scuola. Ero convinta che Lila, proprio per via delle lezioni, dei compiti, mi avrebbe tenuta fuori dai preparativi del matrimonio, aveva fatto l'abitudine alle mie sparizioni durante l'anno scolastico. Ma non fu così. Le tensioni con Pinuccia erano molto cresciute durante l'estate. Non si trattava più di vestiti o di cappelli o di foulard o di gioiellini. Pinuccia disse a un certo punto al fratello, in presenza di Lila e in maniera chiara, che o la sua promessa sposa veniva a lavorare in salumeria, se non subito almeno dopo il viaggio di nozze – lavorare come faceva da sempre tutta la famiglia, come faceva anche Alfonso ogni volta che la scuola glielo permetteva – o non avrebbe lavorato più nemmeno lei. E la madre questa volta la sostenne in modo esplicito.

Lila non batté ciglio, disse che avrebbe cominciato anche subito, anche domani stesso, in qualsiasi ruolo la famiglia Carracci la volesse. Quella risposta, come tutte le risposte di Lila da sempre, pur cercando di essere conciliante, si trascinò dentro qualcosa di intemerato, di sprezzante, che fece inalberare ancora di più Pinuccia. Diventò chiarissimo che la figlia dello scarparo era sentita ormai dalle due donne come una strega venuta a fare la padrona, a buttar soldi dalla finestra senza muovere un dito per guadagnarli, a metter sotto il maschio di casa con le sue arti, facendogli fare cose molto ingiuste contro il sangue suo, vale a dire contro la sorella carnale e persino contro la sua stessa madre.

Stefano, secondo il suo solito, nell'immediato non replicò. Aspettò che la sorella si fosse sfogata, poi, come se il problema di Lila e della sua collocazione nella piccola azienda familiare non fosse mai stato sollevato, disse pacatamente che Pinuccia, piuttosto che lavorare nella salumeria, avrebbe fatto bene ad aiutare la fidanzata nella preparazione dello sposalizio.

«Non hai più bisogno di me?» scattò la ragazza.

«No: da domani faccio venire al posto tuo Ada, la figlia di Melina».

«Te l'ha suggerito lei?» gridò la sorella indicando Lila.

«Non sono fatti tuoi».

«L'hai sentito, ma'? L'hai sentito che ha detto? Si crede di essere il padrone assoluto, qua dentro».

Ci fu un attimo insopportabile di silenzio, poi Maria si alzò dalla seggiola dietro il banchetto della cassa e disse al figlio:

«Trova qualcuno pure per questo posto qui, perché io sono stanca e non voglio più faticare».

Stefano a quel punto ebbe un piccolo cedimento. Disse piano:

«Calmiamoci, non sono padrone di niente, i fatti della salumeria non riguardano solo me, ma tutti noi. Bisogna prendere una decisione. Pinù, tu hai bisogno di lavorare? No. Mammà, voi avete bisogno di stare tutta la giornata seduta là dietro? No. Allora diamo lavoro a chi ne ha bisogno. Al banco ci metto Ada e alla cassa poi ci penso. Sennò chi si preoccupa dello sposalizio?».

Non so per certo se dietro l'espulsione di Pinuccia e della madre dalla quotidianità della salumeria, dietro l'assunzione di Ada, ci fosse davvero Lila (Ada certo se ne convinse e se ne convinse soprattutto Antonio, che cominciò a parlare della nostra amica come di una fata buona). Di sicuro, che la cognata e la suocera avessero un mucchio di tempo libero per gettarsi sul suo matrimonio, non le giovò. Le due donne le complicarono ulteriormente la vita, su ogni minima cosa c'erano conflitti: le partecipazioni, l'arredo della chiesa, il fotografo, l'orchestrina, la sala per il ricevimento, il menu, la torta, le bomboniere, le fedi, persino il viaggio di nozze, visto che Pinuccia e Maria ritenevano poca cosa andare a Sorrento, Positano, Ischia e Capri. Così di punto in bianco fui tirata dentro, all'apparenza per dare a Lila un parere su questo e su quello, in realtà per sostenerla in una battaglia difficile.

Ero all'inizio della prima liceo, avevo molte materie nuove, difficili. La mia solita, cocciuta diligenza già mi stava annientando, studiavo con troppo accanimento. Ma una volta, di ritorno dalla scuola, incontrai la mia amica e lei mi disse a bruciapelo:

«Per favore, Lenù, domani mi vieni a dare un consiglio?».

Non sapevo nemmeno di cosa parlasse. Ero stata interrogata in chimica e non avevo fatto bella figura, cosa che mi faceva soffrire.

«Un consiglio per cosa?».

«Un consiglio sull'abito da sposa. Ti prego, non dirmi di no, perché se non vieni finisce che ammazzo mia cognata e mia suocera».

Andai. Mi unii a lei, a Pinuccia e a Maria con grande disagio. Il negozio era al Rettifilo e mi ricordo che m'ero ficcata un po' di libri in una borsa sperando di trovare il modo di studiare. Fu impossibile. Dalle quattro del pomeriggio alle sette di sera guardammo figurini, toccammo stoffe, Lila provò abiti da sposa esposti sui manichini del negozio. Qualsiasi cosa mettesse addosso, la sua bellezza valorizzava l'abito, l'abito valorizzava la sua bellezza. Le stavano bene la rigida organza, il raso molle, il tulle nebuloso. Le stavano bene il corpetto di pizzo, gli sbuffi alle maniche. Le stavano bene la gonna larga come quella stretta, lo strascico lunghissimo come quello corto, il velo fluttuante e quello trattenuto, la coroncina di strass come di perline o di fiori d'arancio. Per lo più lei, obbediente, esaminava figurini o provava a infilarsi gli abiti che facevano bella figura sui manichini. Ma a volte, quando non ce la faceva più per l'atteggiamento schizzinoso delle sue future parenti, insorgeva la Lila di una volta che mi fissava diritto negli occhi e diceva ironica, allarmando suocera, cognata: «Se andassimo su un bel raso verde, o un'organza rossa, o un bel tulle nero, o, ancora meglio, giallo?». Ci voleva la mia risatina a segnalare che la sposa stava scherzando, per tornare a ponderare con serietà astiosa stoffe e modelli. La sarta non faceva che ripetere entusiasta: «Per favore, qualsiasi cosa scegliate, portatemi le foto del matrimonio che le voglio esporre qua in vetrina, così potrò dire: questa ragazza l'ho vestita io».

Il problema però era scegliere. Ogni volta che Lila propendeva per un modello, per una stoffa, Pinuccia e Maria si schieravano a favore di un altro modello, di un'altra stoffa. Io stetti sempre zitta, un po' intontita da tutte quelle discussioni e anche dall'odore dei tessuti nuovi. Poi Lila mi chiese corrucciata:

«Tu che pensi, Lenù?».

Si fece silenzio. Percepii subito, con un certo stupore, che le due donne si aspettavano quel momento e lo temevano. Misi in atto una tecnica che avevo imparato a scuola e che consisteva in questo: tutte le volte che a una domanda non sapevo cosa rispondere, abbondavo nelle premesse con la voce sicura di chi sa con chiarezza dove vuole arrivare. Premisi – in italiano – che mi piacevano moltissimo i modelli sostenuti da Pinuccia e sua madre. Mi lanciai non in lodi ma in argomentazioni che dimostravano quanto erano adeguati alle forme di Lila. Nel momento in cui, come in classe coi professori, sentii di avere l'ammirazione, la simpatia di madre e figlia, scelsi uno dei figurini a caso, veramente a caso, stando attenta a non pescarlo tra quelli per cui Lila propendeva, e passai a dimostrare che conteneva in sintesi sia i pregi dei modelli sostenuti dalle due donne, sia i pregi dei modelli sostenuti dalla mia amica. La sarta, Pinuccia, la madre furono subito d'accordo con me. Lila si limitò a guardarmi con gli occhi stretti. Poi le tornò lo sguardo solito e si disse anche lei d'accordo.

All'uscita sia Pinuccia che Maria erano molto di buonumore. Si rivolgevano a Lila quasi con affetto e commentando l'acquisto mi tiravano in ballo di continuo con frasi tipo: come ha detto Lenuccia, oppure: Lenuccia giustamente ha detto. Lila manovrò per restare un po' indietro, nella folla serale del Rettifilo. Mi chiese:

«Questo impari a scuola?».

«Cosa?».

«A usare le parole per prendere in giro la gente».

Mi sentii ferita, mormorai:

«Il modello che abbiamo scelto non ti piace?».

«Mi piace moltissimo».

«E allora?».

«Allora fammi il favore di venire con noi tutte le volte che te lo chiedo».

Ero arrabbiata, dissi:

«Mi vuoi usare per prenderle in giro?».

Capì che mi ero offesa, mi strinse forte una mano:

«Non ti volevo dire una cosa brutta. Volevo dire solo che sei brava a farti voler bene. La differenza tra me e te, da sempre, è che di me la gente ha paura e di te no».

«Forse perché tu sei cattiva» le dissi sempre più arrabbiata.

«Può essere» rispose, e percepii che le avevo fatto male come lei aveva fatto male a me. Allora, pentita, aggiunsi subito per rimediare:

«Antonio si farebbe uccidere per te: ha detto di ringraziarti perché hai dato lavoro a sua sorella».

«È Stefano che ha dato lavoro a Ada» replicò lei. «Io sono cattiva».

53.

Da quel momento fui chiamata di continuo a partecipare alle scelte più contrastate, e a volte – scoprii – su richiesta non di Lila ma di Pinuccia e della madre. Di fatto scelsi io le bomboniere. Di fatto scelsi io il ristorante in via Orazio. Di fatto scelsi io il fotografo, convincendole ad aggiungere al servizio fotografico un filmino in superotto. In ogni circostanza mi resi conto che mentre per parte mia mi appassionavo a ogni cosa, come se ciascuna di quelle questioni fosse un allenamento per quando sarebbe toccato a me sposarmi, Lila, alle stazioni del suo matrimonio, faceva pochissima attenzione. Me ne stupii, ma le cose stavano sicuramente così. Ciò che veramente la impegnava era stabilire una volta per tutte che sulla sua vita futura di moglie e di madre, nella sua casa, la cognata e la suocera non avrebbero dovuto mettere bocca. Ma non era il solito conflitto tra suocera, nuora, cognata. Ebbi l'impressione, da come mi usava, da come manipolava Stefano, che si dibattesse per trovare, dall'interno della gabbia in cui si era chiusa, un modo d'essere tutto suo che però le restava oscuro.

Naturalmente perdevo interi pomeriggi a dirimere le loro questioni, studiavo poco e un paio di volte finii persino per non andare a scuola. La conseguenza è che la pagella del primo trimestre non fu particolarmente brillante. La mia nuova professoressa di latino e greco, la stimatissima Galiani, mi portava in palmo di mano, ma in filosofia, in chimica e in matematica riuscii a prendere appena la sufficienza. Per di più una mattina incappai in un brutto guaio. Poiché il professore di religione faceva continue filippiche contro i comunisti, contro il loro ateismo, io mi sentii spinta a reagire, non so bene se dal mio affetto nei confronti di Pasquale, che comunista s'era sempre dichiarato, o semplicemente perché percepii che tutto il male che il prete diceva dei comunisti mi riguardava direttamente in quanto cocca della comunista per eccellenza, la professoressa Galiani. Resta il fatto che alzai la mano e dissi, io che avevo fatto con successo un corso teologico per corrispondenza, che la condizione umana era così evidentemente esposta alla furia cieca del caso che affidarsi a un Dio, a Gesù, allo Spirito Santo – un'entità quest'ultima del tutto superflua, era lì solo per comporre una trinità, notoriamente più nobile del solo binomio padre-figlio – era la stessa cosa che far collezione di figurine mentre la città brucia nel fuoco dell'inferno. Alfonso si rese conto subito che stavo eccedendo e timidamente mi tirò per il grembiule, ma io non gli diedi retta e andai fino in fondo, fino a quel paragone conclusivo. Per la prima volta fui cacciata dall'aula ed ebbi una nota di demerito sul registro di classe.

Appena in corridoio, prima mi sentii disorientata – cos'era successo, perché mi ero comportata così avventatamente, da dove mi era arrivata la convinzione assoluta che le cose che stavo dicendo erano giuste e andavano dette? –, poi mi ricordai che quei discorsi li avevo fatti con Lila e mi resi conto che mi ero ficcata in quel guaio solo perché, malgrado tutto, seguitavo ad attribuirle un'autorità sufficiente a darmi la forza di sfidare il mio professore di religione. Lila non apriva più libro, non studiava più, stava per diventare la moglie di un salumiere, sarebbe probabilmente finita alla cassa al posto della madre di Stefano, e

io? Io avevo ricavato da lei l'energia per inventare un'immagine
che definiva la religione una collezione di figurine mentre la città
brucia nel fuoco dell'inferno? Non era vero, dunque, che la
scuola era una mia personale ricchezza, lontana ormai dalla sua
influenza? Piansi lacrime silenziose davanti alla porta dell'aula.

Ma le cose cambiarono all'improvviso. Comparve in fondo
al corridoio Nino Sarratore. Dopo il nuovo incontro con suo
padre, a maggior ragione mi comportavo come se non esistes-
se, ma vederlo in quel frangente mi rianimò, asciugai in fretta
le lacrime. Lui dovette accorgersi ugualmente che qualcosa
non andava e si diresse verso di me. S'era fatto più grande, aveva il pomo d'Adamo molto sporgente, lineamenti scavati dalla
barba azzurrina, uno sguardo più fermo. Impossibile sfuggir-
gli. Non potevo rientrare in classe, non potevo allontanarmi
verso i bagni, entrambe le cose avrebbero ulteriormente com-
plicato la mia posizione, se il professore di religione si fosse
affacciato. Restai lì e quando mi si parò di fronte e mi chiese
perché ero fuori, cosa era successo, gli raccontai tutto. Si accigliò, disse: «Torno subito». Sparì e riapparve pochi minuti dopo con la professoressa Galiani.

La Galiani mi coprì di lodi. «Adesso però» disse come se tenesse a me e a Nino una lezione, «dopo l'attacco a fondo, è tempo di mediare». Bussò alla porta della mia aula, se la richiuse alle
spalle e cinque minuti dopo si riaffacciò allegra. Potevo rientrare a patto che mi scusassi col professore per i toni troppo
aggressivi che avevo avuto. Mi scusai, oscillando tra l'ansia per
le probabili ritorsioni e la fierezza per il sostegno che mi era
venuto da Nino e dalla Galiani.

Mi guardai bene dal raccontare la cosa ai miei genitori, ma
dissi tutto ad Antonio, che con orgoglio riferì l'accaduto a Pasquale, che a sua volta s'imbatté una mattina in Lila e vinto dal-
l'emozione per quanto ancora l'amava, non sapendo cosa dirle,
si aggrappò alla mia vicenda come a un salvagente e gliela raccontò. Diventai così, in un batter d'occhio, l'eroina sia dei miei

amici di sempre, sia dello sparuto ma agguerritissimo gruppo di insegnanti e studenti che si battevano contro i predicozzi del professore di religione. Intanto, poiché mi ero resa conto che le scuse al prete non erano bastate, mi adoperai per recuperare credito presso di lui e presso gli insegnanti che la vedevano come lui. Separai senza sforzo le mie parole da me: con tutti i professori che mi erano diventati ostili fui molto rispettosa, servizievole, diligente, collaborativa, tanto che ritornarono presto a considerarmi una personcina a modo cui si potevano perdonare certe affermazioni bizzarre. Scoprii così che sapevo fare come la Galiani: esporre con fermezza le mie opinioni e intanto mediare guadagnandomi la stima di tutti con comportamenti irreprensibili. Nel giro di pochi giorni mi sembrò di essere tornata, insieme a Nino Sarratore, che era in terza liceo e quell'anno avrebbe fatto la maturità, in cima alla lista degli alunni più promettenti del nostro scalcagnato liceo.

Non finì lì. Qualche settimana dopo Nino mi chiese senza preamboli, con la sua aria ombrosa, di scrivere in gran fretta una mezza pagina di quaderno in cui raccontavo lo scontro col prete.

«Per farne che?».

Mi disse che collaborava a una rivistina che si chiamava *Napoli Albergo dei poveri*. Aveva raccontato l'episodio in redazione e gli avevano detto che se ne avessi fatto un resoconto in tempo avrebbero provato a inserirlo nel prossimo numero. Mi mostrò la rivista. Era un fascicolo di una cinquantina di pagine, di un grigio sporco. Nell'indice figurava lui, nome e cognome, con un articolo intitolato *Le cifre della miseria*. Mi venne in mente suo padre, la soddisfazione, la vanità con cui mi aveva letto ai Maronti l'articolo stampato sul *Roma*.

«Scrivi anche poesie?» gli chiesi.

Negò con tale disgustata energia che gli promisi subito:

«Va bene, ci provo».

Tornai a casa agitatissima. Mi sentivo già la testa piena delle frasi che avrei scritto e per strada ne parlai dettagliatamente ad Alfonso. Entrò in ansia per me, mi scongiurò di non scrivere niente.

«Lo firmeranno col tuo nome?».

«Sì».

«Lenù, il prete si arrabbierà di nuovo e ti farà bocciare: tirerà dalla sua parte quella di chimica e quella di matematica».

Mi trasmise la sua ansia e persi fiducia. Ma appena ci separammo l'idea di poter mostrare presto la rivista, il mio articoletto, il mio nome stampato, a Lila, ai miei genitori, alla maestra Oliviero, al maestro Ferraro, prese il sopravvento. Dopo avrei ricucito. Era stato molto galvanizzante ricevere il plauso di chi mi pareva migliore (la Galiani, Nino) schierandomi contro chi mi pareva peggiore (il prete, la professoressa di chimica, il professore di matematica), ma comportandomi intanto con gli avversari in modo da non perderne la simpatia e la stima. Mi sarei adoperata perché la cosa si ripetesse all'uscita dell'articolo.

Passai il pomeriggio a scrivere e a riscrivere. Trovai frasi sintetiche e dense. Cercai di dare alla mia posizione il massimo della dignità teorica ricorrendo a parole difficili. Scrissi: "Se Dio è presente ovunque, che bisogno ha di diffondersi tramite lo Spirito Santo?". Ma la mezza pagina si consumava presto, nella sola premessa. E il resto? Ricominciavo. E poiché ero allenata dalle elementari a tentare e ritentare cocciutamente, alla fine raggiunsi un risultato apprezzabile e passai a studiare le lezioni per il giorno dopo.

Ma nel giro di mezz'ora mi tornarono i dubbi, sentii il bisogno di conferme. A chi potevo far leggere il mio testo per avere un parere? A mia madre? Ai miei fratelli? Ad Antonio? Naturalmente no, l'unica era Lila. Ma rivolgermi a lei significava seguitare a riconoscerle un'autorità, quando in effetti ero io, ormai, a saperne più di lei. Così all'inizio feci resistenza. Temevo che avrebbe liquidato la mia mezza pagina con una battutina minimizzante. Temevo ancor più che quella battutina mi avreb-be comunque lavorato nella testa, sospingendomi verso pensie-ri eccessivi che avrei finito per trascrivere nella mia mezza pagi-na sbilanciandone l'equilibrio. Eppure alla fine cedetti e corsi da lei sperando di trovarla. Era a casa dei suoi genitori. Le dissi della proposta di Nino e le diedi il quaderno.

Guardò la pagina senza voglia, come se la scrittura le feris-se gli occhi. Esattamente come Alfonso mi chiese:

«Ci metteranno il tuo nome?».

Feci cenno di sì.

«Proprio Elena Greco?».

«Sì».

Mi tese il quaderno:

«Non sono capace di dirti se è buono o no».

«Ti prego».

«No, non sono capace».

Dovetti insistere. Le dissi, pur sapendo che non era vero, che se non le piaceva, se addirittura si fosse rifiutata di legger-lo, non l'avrei dato a Nino per stamparlo.

Alla fine lesse. Mi sembrò che si contraesse tutta, come se le avessi scaraventato addosso un peso. Ed ebbi l'impressione che stesse facendo uno sforzo doloroso per liberare da qualche fondo di sé la vecchia Lila, quella che leggeva, scriveva, dise-gnava, progettava con l'immediatezza, la naturalezza di una reazione istintiva. Quando ci riuscì tutto sembrò piacevolmen-te leggero.

«Posso cancellare?».

«Sì».

Cancellò molte parole e una frase intera.

«Posso spostare una cosa?».

«Sì».

Mi cerchiò un periodo e lo spostò con una linea ondulata in cima al foglio.

«Ti posso ricopiare tutto su un altro foglio?».

«Faccio io».

«No, fammelo fare a me».

Ci mise un po' a ricopiare. Quando mi restituì il quaderno, disse:

«Sei assai brava, per forza che ti mettono sempre dieci».

Sentii che non c'era ironia, che era un complimento vero. Poi aggiunse con improvvisa durezza:

«Non voglio leggere più niente di quello che scrivi».

«Perché?».

Ci pensò.

«Perché mi fa male» e si colpì il centro della testa con le dita scoppiando a ridere.

54.

Tornai a casa felice. Mi chiusi nel cesso per non disturbare il resto della famiglia e studiai fin verso le tre di notte, quando finalmente andai a dormire. Mi tirai su alle sei e mezza per ricopiare il testo. Prima però lo lessi nella bella grafia tonda di Lila, una grafia rimasta ferma alla scuola elementare, molto diversa ormai dalla mia, che si era rimpicciolita e semplificata. Nella pagina c'era esattamente ciò che avevo scritto, ma più limpido, più immediato. Le cancellature, gli spostamenti, le piccole aggiunte e, in qualche modo, la sua stessa grafia mi diedero l'impressione che io fossi scappata da me e che ora corressi cento passi più avanti con un'energia e insieme un'armonia che la persona rimasta indietro non sapeva di avere.

Decisi di lasciare il testo nella grafia di Lila. Lo portai a Nino a quel modo per trattenere la traccia visibile della presenza di lei dentro le mie parole. Lui lo lesse battendo più volte le lunghe ciglia. Alla fine disse, con un'improvvisa inattesa tristezza:

«La Galiani ha ragione».

«In cosa?».

«Sai scrivere meglio di me».

E sebbene io protestassi imbarazzata, ripeté quella frase un'altra volta, poi mi girò le spalle senza salutarmi e se ne andò. Non mi disse nemmeno quando sarebbe uscita la rivista o come avrei potuto procurarmela, né io ebbi il coraggio di chiederglielo. Fu un comportamento che m'infastidì. Tanto più che mentre si allontanava riconobbi per pochi secondi l'andatura di suo padre.

Finì a questo modo quel nostro nuovo incontro. Sbagliammo tutto ancora una volta. Nino per giorni continuò a comportarsi come se scrivere meglio di lui fosse una colpa che andava espiata. Io mi indispettii. Quando di colpo mi riassegnò corpo, vita, presenza, e mi chiese di fare un tratto di strada insieme, gli risposi fredda che ero già impegnata, doveva venire a prendermi il mio fidanzato.

Per un po' dovette credere che il fidanzato fosse Alfonso, ma il dubbio gli passò quando una volta, all'uscita, si affacciò sua sorella Marisa, che aveva da dirgli non so cosa. Non ci vedevamo dai tempi di Ischia. Mi corse incontro, mi festeggiò moltissimo, mi disse quanto si era dispiaciuta perché non ero tornata a Barano quell'estate. Poiché mi trovavo in compagnia di Alfonso glielo presentai. Lei insistette, visto che il fratello se n'era già andato, per fare quattro passi insieme a noi. Prima ci raccontò tutte le sue sofferenze d'amore. Poi, quando si rese conto che io e Alfonso non eravamo fidanzati, cessò di rivolgermi la parola e si mise a chiacchierare con lui al suo modo accattivante. Al ritorno a casa, di sicuro raccontò al fratello che tra me e Alfonso non c'era niente, perché lui il giorno dopo, prontamente, tornò a girarmi intorno. Ma ora il solo vederlo mi innervosiva. Era fatuo come suo padre, anche se lo detestava? Credeva che gli altri non potessero fare a meno di volerlo, di amarlo? Era così pieno di sé da non tollerare altre virtù che le proprie?

Chiesi ad Antonio di venirmi a prendere a scuola. Mi obbedì subito, disorientato e insieme gratificato da quella richiesta. Ciò che dovette stupirlo di più fu che lì in pubblico, davanti a tutti, gli presi la mano e intrecciai le mie dita alle sue. Mi ero sempre rifiutata di passeggiare a quel modo, sia nel rione che fuori, perché mi sembrava di essere ancora bambina e di andare a passeggio con mio padre. Quella volta lo feci. Sapevo che Nino ci guardava e volevo che capisse chi ero. Scrivevo meglio di lui, avrei pubblicato sulla rivista su cui pubblicava lui, ero brava a scuola quanto e più di lui, avevo un uomo, eccolo: e perciò non sarei mai corsa dietro a lui come una bestiola fedele.

55.

Ad Antonio chiesi anche di accompagnarmi al matrimonio di Lila, di non lasciarmi mai sola, di parlare e casomai ballare sempre con me. Temevo molto quella giornata, la sentivo come uno strappo definitivo, e volevo accanto qualcuno che mi sostenesse.

Questa richiesta gli dovette complicare ulteriormente la vita. Lila aveva mandato le partecipazioni a tutti. Nelle case del rione le mamme, le nonne lavoravano ormai da tempo per cucire vestiti, procurarsi cappellini e borsette, andare in giro per trovare il regalo di nozze, che so, un servizio di bicchieri, di piatti, di posate. Non era tanto per Lila che facevano quello sforzo; era per Stefano, che era molto perbene, ti permetteva di pagare a fine mese. Ma soprattutto, un matrimonio era una circostanza in cui nessuno poteva sfigurare, specialmente le ragazze senza fidanzato, che in quell'occasione avevano la possibilità di trovarlo e sistemarsi, sposandosi a loro volta nel giro di qualche anno.

Proprio per quell'ultima ragione volli che Antonio mi accompagnasse. Non avevo nessuna intenzione di ufficializzare la cosa – stavamo attenti a tenere assolutamente nascosto il nostro rapporto –, ma tendevo a mettere sotto controllo l'ansia di essere attraente. Volevo, in quell'occasione, sentirmi composta, tranquilla, con i miei occhiali, il mio vestito povero cucito da mia madre, le scarpe vecchie, e intanto pensare: ho tutto quello che deve avere una ragazza di sedici anni, non mi serve niente e nessuno.

Ma Antonio non la prese a quel modo. Mi amava, mi considerava la più grande fortuna che gli fosse mai capitata. Si chiedeva spesso ad alta voce, con un filo d'angoscia teso sotto un'apparenza divertita, come mai avessi scelto proprio lui che era stupido e non sapeva mettere due parole l'una dietro l'altra. In realtà non vedeva l'ora di presentarsi a casa dei miei genitori per ufficializzare il nostro rapporto. Di conseguenza, a quella mia richiesta dovette pensare che finalmente mi stavo decidendo a farlo uscire dalla clandestinità e si indebitò per farsi fare un vestito dal sarto, senza contare quel che già gli costavano il regalo di nozze, l'abbigliamento di Ada e degli altri fratelli, un'apparenza di presentabilità per Melina.

Io non mi accorsi di nulla. Tirai avanti tra la scuola, le consulenze urgenti tutte le volte che s'ingarbugliavano le cose tra Lila, sua cognata, sua suocera, la piacevole ansia per l'articoletto che potevo veder pubblicato da un momento all'altro. Ero segretamente convinta che sarei esistita davvero solo dal momento in cui sarebbe comparsa stampata la mia firma, Elena Greco, e vivacchiavo aspettando quel giorno senza far troppa attenzione ad Antonio, che si era messo in testa di completare la sua vestizione per il matrimonio con un paio di scarpe Cerullo. Ogni tanto mi chiedeva: «Tu sai a che punto sono?». Gli rispondevo: «Domanda a Rino, tanto Lina non sa niente».

Era così. I Cerullo a novembre convocarono Stefano senza curarsi minimamente di mostrare prima le scarpe a Lila, che pure viveva ancora nella loro casa. Stefano invece si presentò di proposito con la fidanzata e con Pinuccia, tutt'e tre che parevano usciti dallo schermo della televisione. Lila mi disse di aver provato, nel veder realizzate le scarpe che aveva disegnato anni prima, un'emozione violentissima, come se le fosse apparsa una fata e le avesse realizzato un desiderio. Le scarpe erano proprio come se l'era immaginate a suo tempo. Anche Pinuccia restò a bocca aperta. Volle provare un modello che le piaceva e fece molti complimenti a Rino, dando a intendere che lo considerava il vero artefice di quei capolavori di leggerezza robusta, di armonia dissonante. L'unico che si mostrò scontento fu Stefano. Interruppe le feste che Lila faceva a suo fratello e a suo padre e ai lavoranti, zittì la voce mielosa di Pinuccia che si complimentava con Rino sollevando una caviglia per mostrargli il piede straordinariamente calzato, e modello dietro modello criticò le modifiche apportate ai disegni originali. Si accanì soprattutto sul confronto tra la scarpa maschile come era stata realizzata da Rino e Lila di nascosto da Fernando, e la stessa scarpa come l'avevano rifinita padre e figlio. «Cos'è questa frangia, cosa sono queste cuciture, cos'è questa fibbietta dorata?» chiese seccato. E per quanto Fernando spiegasse tutte le modifiche con ragioni di solidità o volte a camuffare qualche difetto di ideazione, Stefano fu irremovibile. Disse che aveva investito fin troppi soldi non per ottenere delle scarpe qualsiasi ma, precise identiche, le scarpe di Lila.

Ci furono molte tensioni. Lila si schierò blandamente in difesa del padre, disse al fidanzato di lasciar perdere: le sue erano fantasie di bambina e le modifiche, del resto non così rilevanti, erano sicuramente necessarie. Ma Rino appoggiò Stefano e la discussione andò avanti a lungo. S'interruppe solo quando Fernando, divorato dallo sfinimento, si sedette in un angolo e guardando i quadretti alla parete disse:

«Se vuoi le scarpe per Natale te le tieni così. Se le vuoi identiche a come le ha disegnate mia figlia, falle fare a un altro».

Stefano cedette, cedette anche Rino.

A Natale le scarpe comparvero in vetrina, una vetrina con la stella cometa disegnata con l'ovatta. Passai a vederle: erano oggetti eleganti, accuratamente rifiniti; solo a guardarle davano un'impressione di agiatezza che stonava con la vetrina povera, col paesaggio desolato all'esterno, con l'interno della calzoleria, tutto spezzoni di pelle e cuoi e banchi e lesine e forme di legno e scatole di scarpe ammucchiate fino al soffitto, in attesa di clienti. Pur con le modifiche apportate da Fernando, erano le calzature dei nostri sogni infantili, non pensate per la realtà del rione.

Infatti a Natale non se ne vendette nemmeno un paio. Solo Antonio si presentò, chiese a Rino un numero 44, se lo provò. Dopo mi raccontò il piacere che aveva provato a sentirsi così ben calzato, a immaginarsi con me al matrimonio, il vestito nuovo addosso, quelle scarpe ai piedi. Ma non se ne fece niente. Quando domandò qual era il prezzo e Rino gli rispose, restò a bocca aperta: «Sei pazzo?». E quando Rino gli disse: «Te le vendo a rate mensili» gli rispose ridendo: «Allora mi compro una Lambretta».

56.

Sul momento Lila, presa dal matrimonio, non si rese conto di come suo fratello, fino a quel momento allegro, giocherellone anche se stremato dalla fatica, stesse tornando a incupirsi, a dormire male, ad arrabbiarsi per niente. «È come un bambino» disse quasi a giustificarlo con Pinuccia per certi scatti, «cambia umore a seconda che si soddisfino o no immediatamente i suoi capricci, non sa aspettare». Lei, come del resto Fernando, non sentì affatto la mancata vendita natalizia delle scarpe come un fiasco. In definitiva, la realizzazione delle calzature non aveva seguito alcun piano: nate dalla volontà di Stefano di veder concretizzato l'estro purissimo di Lila, ce n'erano di pesanti, ce n'erano di leggere, coprivano quasi tutte le stagioni. E questo era un bene. Nelle scatole bianche ammucchiate dentro la calzoleria Cerullo c'era un discreto assortimento. Bastava aspettare e in inverno, in primavera, in autunno, le scarpe si sarebbero vendute.

Ma Rino si agitò sempre più. Dopo Natale, di sua iniziativa, andò dal padrone del polveroso negozio di calzature in fondo allo stradone e, pur sapendo che quello era legato mani e piedi ai Solara, gli propose di esporre un po' di scarpe Cerullo, senza impegno, tanto per vedere come andavano. L'uomo gli disse garbatamente di no, quel prodotto non era adatto alla sua clientela. Lui se l'ebbe a male e ne derivò uno scambio di parolacce che si seppe in tutto il rione. Fernando si infuriò col figlio, Rino lo insultò, e Lila tornò a sentire il fratello come un elemento di disordine, una manifestazione delle forze distruttive che l'avevano spaventata. Quando uscivano in quattro, notava con apprensione che il fratello manovrava per lasciar andare avanti lei e Pinuccia e restare cinque passi indietro a discutere con Stefano. In genere il salumiere lo ascoltava senza dare segni di fastidio. Una volta sola Lila gli sentì dire:

«Scusa, Rino, secondo te io ho messo tanti soldi nella calzoleria così, a fondo perduto, solo per amore di tua sorella? Le scarpe le abbiamo fatte, sono belle, le dobbiamo vendere. Il problema è che bisogna trovare la piazza adatta».

Quel "solo per amore di tua sorella" non le piacque. Ma lasciò perdere, perché quelle parole ebbero invece un buon effetto su Rino, che si acquietò e cominciò ad atteggiarsi a stratega delle vendite, soprattutto con Pinuccia. Diceva che bisognava ragionare in grande. Perché tante iniziative buone erano fallite? Perché l'officina Gorresio aveva dovuto rinunciare ai ciclomotori? Perché la boutique della merciaia era durata sei mesi? Perché erano imprese di scarso respiro. Le scarpe Cerullo, invece, sarebbero uscite al più presto dal mercato del rione e si sarebbero affermate su piazze più ricche.

Intanto la data del matrimonio si avvicinava. Lila correva a provarsi l'abito da sposa, dava gli ultimi ritocchi alla sua futura casa, combatteva con Pinuccia e Maria che, tra le tante cose, mal tolleravano le intrusioni di Nunzia. Le tensioni, in prossimità del 12 marzo, crebbero sempre di più. Ma non fu da lì che arrivarono urti in grado di aprire crepe. Furono due eventi in particolare, l'uno dietro l'altro, che ferirono Lila in profondità.

Un pomeriggio gelido di febbraio mi chiese di punto in bianco se potevo accompagnarla dalla maestra Oliviero. Non aveva mai manifestato alcun interesse per lei, nessun affetto, nessuna gratitudine. Ora invece sentiva il bisogno di portarle di persona la partecipazione. Poiché in passato non le avevo mai riferito dei toni ostili che la maestra aveva usato spesso nei suoi confronti, non mi parve il caso di parlargliene in quell'occasione, tanto più che di recente la Oliviero mi era sembrata meno aggressiva, più tendente alla malinconia, e forse l'avrebbe accolta bene.

Lila mise una cura estrema nell'abbigliamento. Andammo a piedi fino alla palazzina dove abitava la maestra, a due passi dalla parrocchia. Mentre salivamo, mi accorsi che era molto in ansia. Io ero abituata a quel percorso, a quelle scale, lei no, non disse una parola. Girai la chiavetta del campanello, sentii il passo strascicato della Oliviero.

«Chi è?».

«Greco».

Aprì. Aveva sulle spalle una pellegrina viola e mezzo viso avvolto in una sciarpa. Lila subito le sorrise e disse:

«Maestra, vi ricordate di me?».

La Oliviero la fissò come faceva a scuola quando Lila dava fastidio, poi si rivolse a me parlando con qualche difficoltà, come se avesse il boccone in bocca:

«Chi è? Non la conosco».

Lila si confuse e disse in fretta, in italiano:

«Sono Cerullo. Vi ho portato la partecipazione, mi sposo. E sarei molto contenta se veniste al mio matrimonio».

La maestra si rivolse a me, disse:

«Cerullo la conosco, questa non so chi è».

Ci chiuse la porta in faccia.

Restammo ferme sul pianerottolo per qualche attimo, poi le sfiorai una mano per confortarla. Lei si ritrasse, infilò la partecipazione sotto la porta e si avviò per le scale. In strada parlò in continuazione di tutte le noie burocratiche al comune e con la parrocchia e di come s'era rivelato utile mio padre.

L'altro dolore, forse ben più profondo, le venne a sorpresa da Stefano e dalla storia delle scarpe. Si era deciso da tempo che il comparato di fazzoletto sarebbe stato affidato a un parente di Maria che era emigrato a Firenze dopo la guerra e aveva messo su un piccolo commercio di roba vecchia di varia provenienza, soprattutto oggetti di metallo. Questo parente aveva sposato una fiorentina e lui stesso aveva assunto l'accento locale. Per via della sua cadenza godeva in famiglia di un certo prestigio, ragion per cui era stato già il compare di cresima di Stefano. Senonché, di punto in bianco, il futuro sposo cambiò idea.

Lila me ne parlò all'inizio come di un segno di nervosismo dell'ultimo momento. Per lei, che il compare lo facesse il tale o il tal altro era del tutto indifferente, l'essenziale era decidersi. Ma per qualche giorno Stefano le diede solo risposte vaghe, confuse, non si riusciva a capire con chi andava sostituita la coppia fiorentina. Poi, a meno di una settimana dalle nozze, venne fuori la verità. Stefano le comunicò come cosa fatta, senza nessuna giustificazione, che il compare di fazzoletto sarebbe stato Silvio Solara, il padre di Marcello e Michele.

Lila, che fino a quel momento non aveva nemmeno preso in considerazione la possibilità che un parente anche alla lontana di Marcello Solara fosse presente al *suo* matrimonio, ridiventò per qualche giorno la ragazzina che conoscevo bene. Coprì Stefano di insulti volgarissimi, disse che non voleva vederlo mai più. Si chiuse nella casa dei genitori, smise di occuparsi di qualsiasi cosa, non andò all'ultima prova dell'abito da sposa, non fece nulla di nulla che avesse a che fare con il matrimonio imminente.

Cominciò la processione dei parenti. Prima arrivò sua madre, Nunzia, e le parlò accoratamente del bene della famiglia. Poi arrivò Fernando, burbero, che le disse di non fare la bambina: per chiunque volesse avere un futuro nel rione, avere per compare Silvio Solara era obbligatorio. Infine arrivò Rino, che le spiegò come stavano le cose con toni molto aggressivi e con il piglio dell'uomo d'affari che tiene soltanto al profitto: Solara padre era come una banca e soprattutto era il canale per collocare nei negozi di scarpe i modelli Cerullo. «Che vuoi fare?» le gridò con gli occhi gonfi e venati di sangue, «vuoi rovinare me e tutta la famiglia e tutta la fatica che abbiamo fatto fino a ora?». Si affacciò subito dopo persino Pinuccia, che le disse, con un tono un po' finto, quanto piacere avrebbe fatto anche a lei avere per compare di fazzoletto il commerciante di metalli di Firenze, ma bisognava ragionare, non si poteva buttare all'aria un matrimonio e cancellare un amore per una questione di così poco conto.

Passò un giorno e una notte. Nunzia se ne stette muta in un angolo senza muoversi, senza far niente per casa, senza andare a dormire. Poi sgattaiolò fuori di nascosto dalla figlia e mi venne a chiamare perché parlassi con Lila e mettessi una buona parola. Ne fui lusingata, pensai a lungo a come schierarmi. Era in ballo un matrimonio, una cosa pratica, articolatissima, sovraccarica di affetti e di interessi. Mi spaventai. Io, che ormai sapevo di potermela prendere pubblicamente con lo Spirito Santo sfidando l'autorità del professore di religione, escludevo che, se mi fossi trovata al posto di Lila, avrei avuto il coraggio di mandare tutto all'aria. Ma lei sì, lei ne sarebbe stata capace, anche se il matrimonio era a un passo dalla celebrazione. Che fare? Sentivo che mi sarebbe bastato pochissimo per spingerla lungo quella via e che adoperarmi per quella finalità mi avrebbe dato molto piacere. Sotto sotto era ciò che volevo veramente: riportarla alla Lila pallida, la coda di cavallo, gli occhi stretti di rapace, addosso pezze da quattro soldi. Niente più quelle arie, quell'agire da Jacqueline Kennedy di rione.

Ma per disgrazia sua e mia mi sembrò un'azione meschina. Credendo di fare il suo bene, non volli restituirla al grigiore di casa Cerullo e così mi si piantò in testa un'idea sola e non seppi fare altro che dirgliela e ridirgliela con garbo suadente: Silvio Solara, Lila, non è Marcello e nemmeno Michele; è sbagliato fare confusione, lo sai meglio di me, l'hai detto tu stessa in altre occasioni. Non è lui che si è tirato in macchina Ada, non è lui che ci ha sparato addosso la notte di Capodanno, non è lui che si è piazzato a forza in casa tua, non è lui che ha detto quelle brutte cose su di te; Silvio farà il compare di fazzoletto e darà una mano a Rino e Stefano per lo smercio delle scarpe, tutto qui; non avrà nessun peso nella tua vita futura. Rimescolai le carte che ormai conoscevamo abbastanza. Parlai del prima e del dopo, della vecchia generazione e della nostra, di come noi fossimo diversi, di quanto lei e Stefano fossero diversi. E quest'ultimo argomento fece breccia, la sedusse, ci tornai su con molta passione. Stette ad ascoltarmi in silenzio, evidentemente voleva essere aiutata ad acquietarsi, e pian piano si acquietò. Ma le lessi negli occhi che quella mossa di Stefano le aveva mostrato qualcosa di lui che non riusciva ancora a vedere con chiarezza e che proprio per questo la spaventava ancor più delle smanie di Rino. Mi disse:

«Forse non è vero che mi vuole bene».

«Come non ti vuole bene? Fa tutto quello che dici tu».

«Solo quando non gli metto a rischio i soldi veri» disse con un tono sprezzante che per Stefano Carracci non aveva mai usato.

Ad ogni modo tornò in circolazione. Non si fece vedere in salumeria, non andò alla casa nuova, non fu lei insomma a cercare di riconciliarsi. Aspettò che fosse Stefano a dirle: «Grazie, ti voglio molto bene, lo sai che ci sono cose che si è obbligati a fare». Solo allora lasciò che le venisse alle spalle e la baciasse sul collo. Ma poi si girò di scatto e guardandolo diritto negli occhi gli disse:

«Al mio matrimonio Marcello Solara non deve assolutamente mettere piede».

«Come faccio?».

«Non lo so, ma me lo devi giurare».

Lui sbuffò e disse ridendo:

«Va bene, Lina, te lo giuro».

57.

Arrivò il 12 marzo, una giornata mite, già primaverile. Lila volle che andassi presto nella sua vecchia casa, che l'aiutassi a lavarsi, a pettinarsi, a vestirsi. Mandò via la madre, restammo sole. Si sedette sul bordo del letto in mutande e reggiseno. Accanto aveva l'abito da sposa, che pareva il corpo di una morta; davanti, sul pavimento a esagoni, c'era la conca di rame ricolma d'acqua fumante. Mi chiese a bruciapelo:

«Secondo te sto sbagliando?».

«A far che?».

«A sposarmi».

«Pensi ancora alla storia del compare di fazzoletto?».

«No, penso alla maestra. Perché non mi ha voluto far entrare?».

«Perché è una vecchia bisbetica».

Stette zitta per un po' a fissare l'acqua che brillava nella conca, poi disse:

«Qualsiasi cosa succeda, tu continua a studiare».

«Altri due anni: poi prendo la licenza e ho finito».

«No, non finire mai: te li do io i soldi, devi studiare sempre».

Feci un risolino nervoso, poi dissi:

«Grazie, ma a un certo punto le scuole finiscono».

«Non per te: tu sei la mia amica geniale, devi diventare la più brava di tutti, maschi e femmine».

Si alzò, si tolse mutande e reggiseno, disse:

«Dài, aiutami, che sennò faccio tardi».

Non l'avevo mai vista nuda, mi vergognai. Oggi posso dire che fu la vergogna di poggiare con piacere lo sguardo sul suo corpo, di essere la testimone coinvolta della sua bellezza di sedicenne poche ore prima che Stefano la toccasse, la penetrasse, la deformasse, forse, ingravidandola. Allora fu solo una tumultuosa sensazione di sconvenienza necessaria, una condizione in cui non si può girare lo sguardo dall'altra parte, non si può allontanare la mano senza riconoscere il proprio turbamento, senza dichiararlo proprio ritraendosi, senza quindi entrare in conflitto con l'imperturbata innocenza di chi ti sta turbando, senza esprimere proprio col rifiuto la violenta emozione che ti sconvolge, sicché ti obblighi a restare, a lasciarle lo sguardo sulle spalle di ragazzo, sui seni coi capezzoli intirizziti, sui fianchi stretti e le natiche tese, sul sesso nerissimo, sulle gambe lunghe, sulle ginocchia tenere, sulle caviglie ondulate, sui piedi eleganti; e fai come se nulla fosse, quando invece tutto è in atto, presente, lì nella stanza povera e un po' buia, intorno il mobilio miserabile, su un pavimento sconnesso chiazzato d'acqua, e ti agita il cuore, ti infiamma le vene.

La lavai con gesti lenti e accurati, prima lasciandola accoccolata nel recipiente, poi chiedendole di alzarsi in piedi, e ho ancora nelle orecchie il rumore dell'acqua che sgocciola, e m'è rimasta l'impressione che il rame della conca fosse di una consistenza non diversa da quella della carne di Lila, che era liscia, soda, calma. Ebbi sentimenti e pensieri confusi: abbracciarla, piangere con lei, baciarla, tirarle i capelli, ridere, fingere competenze sessuali e istruirla con voce dotta, distanziarla con le parole proprio nel momento di massima vicinanza. Ma alla fine rimase solo il pensiero ostile che la stavo mondando dai capelli alle piante dei piedi, di buon mattino, solo perché Stefano la sporcasse nel corso della notte. La immaginai, nuda com'era in quel momento, avvinta al marito, nel letto della nuova casa, mentre il treno sferragliava sotto le loro finestre e la carne violenta di lui le entrava dentro con un colpo netto, come il tappo di sughero spinto dal palmo dentro il collo di un fiasco di vino. E mi sembrò all'improvviso che l'unico rimedio contro il dolore che stavo provando, che avrei provato, era trovare un angolo abbastanza appartato perché Antonio facesse a me, nelle stesse ore, la stessa identica cosa.

L'aiutai ad asciugarsi, a vestirsi, a indossare l'abito da sposa che io – io, pensai con un misto di fierezza e sofferenza – avevo scelto per lei. La stoffa diventò viva, sul suo candore corse il calore di Lila, il rosso della bocca, gli occhi scurissimi e duri. Alla fine si infilò le scarpe da lei stessa disegnate. Pressata da Rino, che se non le avesse calzate ci avrebbe sentito una specie di tradimento, se ne era scelto un paio col tacco basso, per evitare di sembrare troppo più alta di Stefano. Si guardò allo specchio sollevando un po' il vestito.

«Sono brutte» disse.

«Non è vero».

Rise in modo nervoso.

«Ma sì, guarda: i sogni della testa sono finiti sotto i piedi».

Si girò con un'espressione improvvisa di spavento:

«Cosa mi sta per succedere, Lenù?».

58.

In cucina, ad aspettarci impazienti, già pronti da un pezzo, c'erano Fernando e Nunzia. Non li avevo mai visti così curati nell'aspetto. A quell'epoca i suoi, i miei, tutti i genitori, mi sembravano vecchi. Non facevo gran differenza tra loro e i nonni materni, quelli paterni, creature che ai miei occhi avevano tutte una sorta di vita fredda, un'esistenza senza niente in comune con la mia, con quella di Lila, di Stefano, di Antonio, di Pasquale. Le persone veramente divorate dal calore dei sentimenti, dalla foga dei pensieri, eravamo noi. Solo adesso, mentre scrivo, mi rendo conto che Fernando a quell'epoca non doveva avere più di quarantacinque anni, Nunzia era sicuramente di qualche anno più giovane, e insieme, quella mattina, lui in camicia bianca e abito scuro, il volto di Randolph Scott, e lei tutta in azzurro, con un cappellino azzurro e la veletta azzurra, facevano una gran bella figura. Stesso discorso per i miei genitori, sull'età dei quali posso essere più precisa: mio padre aveva trentanove anni, mia madre trentacinque. Li guardai a lungo, in chiesa. Sentii con fastidio che, quel giorno, i miei successi nello studio non li consolavano nemmeno un poco, e anzi provavano, soprattutto a mia madre, che si trattava di un'inutile perdita di tempo. Quando Lila, splendida nel nimbo di abbagliante candore del suo abito e del velo vaporoso, avanzò per la chiesa della Sacra Famiglia al braccio dello scarparo e andò a raggiungere Stefano, bellissimo, sull'altare pieno di fiori – beato il fioraio che li aveva forniti in abbondanza –, mia madre, anche se il suo occhio ballerino pareva rivolto altrove, mi guardò per farmi pesare che io ero lì, occhialuta, lontana dal centro della scena, mentre la mia amica cattiva s'era conquistata un marito agiato, un'attività economica per la famiglia, una casa sua nientemeno di proprietà, con la vasca da bagno, la ghiacciaia, la televisione e il telefono.

La cerimonia fu lunga, il parroco la fece durare un'eternità. All'ingresso in chiesa i parenti e gli amici dello sposo si erano disposti tutti insieme da un lato, i parenti e gli amici della sposa dall'altro. Il fotografo fece tutto il tempo un numero infinito di foto – flash, riflettori – mentre un suo giovane aiutante filmava la funzione nelle fasi salienti.

Antonio mi sedette devotamente accanto tutto il tempo, col suo abito nuovo di sartoria, lasciando a Ada, seccatissima perché, in quanto commessa della salumeria dello sposo, avrebbe aspirato a ben altra collocazione, il compito di accomodarsi in fondo accanto a Melina e sorvegliarla, insieme agli altri fratelli. Una o due volte mi sussurrò qualcosa all'orecchio, ma non gli risposi. Doveva limitarsi a starmi accanto senza mostrare particolare intimità, per evitare pettegolezzi. Corsi con lo sguardo per la chiesa affollata, la gente si annoiava e come me si guardava continuamente intorno. C'era un profumo intenso di fiori, un odore di abiti nuovi. Gigliola era bellissima, bellissima anche Carmela Peluso. E i ragazzi non erano da meno. Enzo e soprattutto Pasquale parevano voler dimostrare che lì, sull'altare, accanto a Lila, avrebbero saputo fare una figura migliore di Stefano. Quanto a Rino, mentre il muratore e il fruttivendolo se ne stavano nel fondo della chiesa come sentinelle della buona riuscita della cerimonia, lui, il fratello della sposa, rompendo l'ordine degli schieramenti familiari s'era andato a collocare accanto a Pinuccia, nell'area dei parenti dello sposo, anche lui perfetto nell'abito nuovo, le scarpe Cerullo ai piedi, luccicanti quanto i capelli imbrillantinati. Che sfarzo. Era evidente che chiunque avesse ricevuto la partecipazione non aveva voluto mancare e anzi era intervenuto vestito da gran signore, cosa che, per quel che ne sapevo, per quello che tutti sapevano, significava di fatto che non pochi – forse Antonio per primo, che mi sedeva accanto – erano dovuti andare a chiedere soldi in prestito. Guardai allora Silvio Solara, grosso, in abito scuro, in piedi dal lato dello sposo, molto oro scintillante ai polsi. Guardai sua moglie Manuela, vestita di rosa, stracarica di gioie, che stazionava a lato della sposa. I soldi dello sfoggio venivano di lì. Morto don Achille, erano quell'uomo di colorito paonazzo, occhi azzurri, molto stempiato, e quella donna magra, col naso lungo e le labbra sottili, a prestare denaro a tutto il rione (o, per dir meglio, era Manuela a gestire i lati pratici di quell'attività: famoso e temuto era il registro con copertina rossa dentro cui lei segnava cifre, scadenze). Il matrimonio di Lila era stato di fatto un affare non solo per il fioraio, non solo per il fotografo, ma soprattutto per quella coppia, che tra l'altro aveva fornito anche la torta, anche i confetti delle bomboniere.

Lila, mi accorsi, non li guardò mai. Non si girò mai nemmeno verso Stefano, fissò solo il prete. Pensai che visti così, di spalle, non erano una bella coppia. Lila era più alta, lui più basso. Lila spandeva intorno un'energia che nessuno poteva ignorare, lui pareva un ometto sbiadito. Lila sembrava estremamente concentrata, come se fosse impegnata a capire fino in fondo cosa significava davvero quel rituale, lui invece ogni tanto si girava verso sua madre o scambiava risolini con Silvio Solara o si grattava lievemente in testa. A un certo punto fui presa dall'ansia. Pensai: e se Stefano davvero non fosse quello che pare? Ma non andai fino in fondo a quel pensiero per due motivi. Innanzitutto i due sposi si dissero sì in modo deciso e limpido, nella commozione generale: si scambiarono gli anelli, si baciarono, dovetti prendere atto che Lila si era davvero sposata. E poi successe che di colpo non badai più agli sposi. Mi resi conto che avevo intravisto tutti tranne Alfonso, lo cercai con lo sguardo tra i parenti dello sposo, tra quelli della sposa, e lo trovai in fondo alla chiesa, quasi nascosto da una colonna. Gli feci un cenno, rispose, si mosse verso di me. Ma dietro di lui comparve in gran pompa Marisa Sarratore. E subito dopo, allampanato, mani in tasca, arruffato, con la giacchetta e i pantaloni stazzonati che portava a scuola, Nino.

59.

Il seguito fu un confuso affollarsi intorno agli sposi, che uscivano dalla chiesa accompagnati da suoni vibrati d'organo, flash del fotografo. Lila e Stefano sostarono sul sagrato tra baci, abbracci, il caos delle automobili e i nervosismi dei parenti che venivano lasciati in attesa, mentre altri, nemmeno consanguinei – ma più importanti, più amati, più riccamente vestiti, le signore con cappelli particolarmente stravaganti? – erano caricati subito sulle auto e portati in via Orazio, al ristorante.

Quanto si era messo in ordine, Alfonso. Non lo avevo mai visto in abito scuro, camicia bianca, cravatta. Fuori dai suoi dimessi abiti di scuola, fuori dal camice da salumiere, mi sembrò non solo più grande dei suoi sedici anni, ma di colpo – pensai – fisicamente diverso da suo fratello Stefano. Era più alto, ormai, era più sottile, soprattutto pareva bello come un ballerino spagnolo che avevo visto in televisione, occhi grandi, labbra tumide, nessuna traccia ancora di barba. Marisa evidentemente gli si era attaccata alle costole, il rapporto era cresciuto, si dovevano essere visti senza che ne sapessi nulla. Alfonso, pur così devoto a me, era stato vinto dalla capigliatura tutta riccioli di Marisa e della sua chiacchiera inarrestabile che lo esimeva, lui così timido, dal riempire i vuoti della conversazione? Si erano fidanzati? Ne dubitavo, lui me lo avrebbe detto. Ma le cose erano chiaramente a buon punto, tanto che l'aveva invitata al matrimonio del fratello. E lei, di sicuro per avere il permesso dei genitori, s'era tirata dietro a forza Nino.

Eccolo dunque lì, sul sagrato, il giovane Sarratore, del tutto fuori luogo col suo abbigliamento sciatto, troppo alto, troppo magro, capelli troppo lunghi e spettinati, le mani troppo sprofondate nelle tasche dei calzoni, l'aria di chi non sa dove collocarsi, gli occhi sugli sposi come tutti, ma senza alcun interesse, solo per poggiarli da qualche parte. Quella presenza inattesa contribuì molto al disordine emotivo della giornata. C'eravamo salutati in chiesa, un sussurro e basta, ciao, ciao. Nino poi s'era accodato alla sorella e ad Alfonso, io ero stata afferrata saldamente per un braccio da Antonio e, sebbene mi fossi subito divincolata, ero comunque finita in compagnia di Ada, di Melina, di Pasquale, di Carmela, di Enzo. Ora, nella ressa, mentre gli sposi si infilavano in una grande auto bianca insieme al fotografo e al suo aiutante per andare a far fotografie al parco della Rimembranza, mi venne l'ansia che la madre di Antonio riconoscesse Nino, che gli leggesse in viso qualche tratto di Donato. Ma fu una preoccupazione infondata. La madre di Lila, Nunzia, la trascinò con sé, svampita, insieme a Ada, ai figli più piccoli, in un'automobile che se la portò via.

In effetti nessuno riconobbe Nino, nemmeno Gigliola, nemmeno Carmela, nemmeno Enzo. Né si accorsero di Marisa, anche se lei aveva ancora tratti vicini alla bambina che era stata. I due Sarratore, sul momento, passarono del tutto inosservati. E intanto già Antonio mi spingeva verso la vecchia automobile di Pasquale, e con noi salivano Carmela ed Enzo, e già stavamo per partire, e io non seppi dire altro che: «Dove sono i miei genitori? Speriamo che qualcuno se ne occupi». Enzo rispose che li aveva visti in non so quale automobile, e insomma non ci fu niente da fare, partimmo, e a Nino, fermo ancora sul sagrato con l'aria stordita, insieme ad Alfonso e a Marisa che parlavano tra loro, feci appena in tempo a lanciare uno sguardo, poi lo persi.

Diventai nervosa. Antonio mi sussurrò all'orecchio, sensibile a ogni mio mutamento d'umore:

«Che c'è?».

«Niente».

«Qualcosa t'ha seccato?».

«No».

Carmela rise:

«L'ha seccata che Lina s'è sposata e si vorrebbe sposare pure lei».

«Perché, tu non ti vorresti sposare?» chiese Enzo.

«Io, se fosse per me, mi sposerei anche domani».

«E con chi?».

«Lo so io con chi».

«Zitta» disse Pasquale, «che a te non ti piglia nessuno».

Andammo giù verso la Marina, Pasquale aveva una guida feroce. Antonio gli aveva sistemato l'auto così bene che lui la trattava come una macchina da corsa. Sfrecciava con gran fracasso

ignorando gli scossoni dovuti alle strade dissestate. Arrivava veloce sulle auto che lo precedevano come se volesse travolgerle,
inchiodava pochi centimetri prima di urtarle, sterzava bruscamente, le superava. Noi ragazze lanciavamo grida di terrore o
pronunciavamo indignate raccomandazioni che lo facevano ridere e lo spingevano a fare ancora peggio. Antonio ed Enzo non
battevano ciglio, al massimo facevano commenti grevi sugli
automobilisti lenti, abbassavano il finestrino e, mentre Pasquale
li superava, urlavano insulti.

Fu durante quel percorso verso via Orazio che cominciai a
sentirmi in modo chiaro un'estranea resa infelice dalla mia
stessa estraneità. Ero cresciuta con quei ragazzi, ritenevo normali i loro comportamenti, la loro lingua violenta era la mia.
Ma seguivo anche quotidianamente, ormai da sei anni, un percorso di cui loro ignoravano tutto e che io invece affrontavo in
modo così brillante da risultare la più capace. Con loro non
potevo usare niente di ciò che imparavo ogni giorno, dovevo
contenermi, in qualche modo autodegradarmi. Ciò che ero a
scuola, lì ero obbligata a metterlo tra parentesi o a usarlo a tradimento, per intimidirli. Mi chiesi cosa ci facevo in quell'auto.
C'erano i miei amici, certo, c'era il mio fidanzato, stavamo
andando alla festa di nozze di Lila. Ma proprio quella festa ra-
tificava che Lila, l'unica persona che sentivo ancora necessaria
malgrado le nostre vite divergenti, non ci apparteneva più e,
venendo meno lei, ogni mediazione tra me e quei giovani, quel-
l'auto in corsa per quelle strade, si era esaurita. Perché allora
non ero con Alfonso, con cui condividevo sia l'origine che la
fuga? Perché soprattutto non mi ero fermata per dire a Nino
resta, vieni al ricevimento, dimmi quando esce la rivista col mio
articolo, parliamo tra noi, scaviamoci una tana che ci tenga
fuori da questo modo di guidare di Pasquale, dalla sua volga-
rità, dalle tonalità violente di Carmela e di Enzo, anche – sì,
anche – di Antonio?

60.

Fummo i primi giovani a entrare nella sala del ricevimento. Mi crebbe il cattivo umore. Silvio e Manuela Solara erano già a un loro tavolo insieme al commerciante di metalli, alla sua consorte fiorentina, alla mamma di Stefano. I genitori di Lila erano anch'essi a una lunga tavolata con altri parenti, i miei genitori, Melina, Ada che smaniava e che accolse Antonio con gesti rabbiosi. L'orchestrina stava prendendo posto, i suonatori provavano gli strumenti, il cantante il microfono. Ci aggirammo imbarazzati. Non sapevamo dove sederci, nessuno di noi osava chiedere ai camerieri, Antonio mi stava incollato al fianco sforzandosi di divertirmi.

Mia madre mi chiamò, feci finta di non sentire. Mi chiamò ancora e io niente. Allora si alzò, mi raggiunse col suo passo claudicante. Voleva che andassi a sedermi accanto a lei. Mi rifiutai. Sibilò:

«Perché il figlio di Melina ti sta sempre attorno?».

«Non mi sta attorno nessuno, ma'».

«Ti credi che sono scema?».

«No».

«Vieniti a sedere vicino a me».

«No».

«T'ho detto vieni. Non ti stiamo facendo studiare per farti rovinare da un operaio che ha la mamma pazza».

Le obbedii, era furiosa. Cominciarono ad arrivare altri giovani, tutti amici di Stefano. Tra loro vidi Gigliola, che mi fece cenno di raggiungerla. Mia madre mi trattenne. Pasquale, Carmela, Enzo, Antonio si sedettero finalmente col gruppo di Gigliola. Ada, che era riuscita a sbarazzarsi di sua madre affidandola a Nunzia, venne a parlarmi all'orecchio, disse: «Vieni». Tentai di alzarmi ma mia madre mi afferrò un braccio con stizza. Ada fece l'aria dispiaciuta e se ne andò a sedere accanto a suo fratello, che ogni tanto mi guardava e io gli facevo segno, alzando gli occhi al soffitto, che ero prigioniera.

L'orchestrina cominciò a suonare. Il cantante, sulla quarantina, quasi calvo, con lineamenti molto delicati, canticchiò qualcosa per prova. Arrivarono altri invitati, la sala si affollò. Nessuno nascondeva la fame, ma naturalmente bisognava aspettare gli sposi. Provai ad alzarmi di nuovo e mia madre mi sibilò: «Devi stare vicino a me».

Vicino a lei. Pensai a com'era contraddittoria senza accorgersene, con le sue rabbie, con quei suoi gesti imperiosi. Non avrebbe voluto che studiassi, ma visto che ormai studiavo mi considerava migliore dei ragazzi con cui ero cresciuta e prendeva atto, come del resto stavo facendo io proprio in quella circostanza, che il mio posto non era tra loro. Tuttavia ecco che m'imponeva di starle vicino per trattenermi da chissà quale mare in tempesta, da chissà quale gorgo o precipizio, tutti pericoli che in quel momento erano rappresentati ai suoi occhi da Antonio. Ma starle vicino significava restare nel suo mondo, diventare del tutto simile a lei. E se fossi diventata simile a lei, chi altro mi sarebbe spettato se non Antonio?

Entrarono intanto gli sposi, applausi entusiastici. Attaccò subito l'orchestra con la marcia nuziale. Saldai indissolubilmente a mia madre, al suo corpo, l'estraneità che mi stava sempre più crescendo dentro. Ecco Lila festeggiata dal rione, sembrava felice. Sorrideva elegante, cortese, mano nella mano di suo marito. Era bellissima. Su di lei, sulla sua andatura, avevo puntato da piccola, per sfuggire a mia madre. Avevo sbagliato. Lila era rimasta lì, vincolata in modo lampante a quel mondo, dal quale s'immaginava di aver tratto il meglio. E il meglio era quel giovane, quel matrimonio, quella festa, il gioco delle scarpe per Rino e suo padre. Niente che avesse a che fare col mio percorso di ragazza studiosa. Mi sentii del tutto sola.

I due sposi furono obbligati a ballare tra i lampi del fotografo. Volteggiarono per la sala, precisi nei movimenti. Devo prenderne atto, pensai: dal mondo di mia madre nemmeno Lila, malgrado tutto, ce l'ha fatta a fuggire. Io invece devo farcela, non posso più essere acquiescente. Devo cancellarla, come sapeva fare la Oliviero quando si presentava a casa nostra per impormi il mio bene. Mi stava trattenendo per un braccio ma io dovevo ignorarla, ricordarmi che ero la migliore in italiano, latino e greco, ricordarmi che avevo affrontato il professore di religione, ricordarmi che sarebbe comparso un articolo con la mia firma nella stessa rivista dove scriveva un ragazzo bello e bravissimo di terza liceo.

Nino Sarratore entrò in quel momento. Lo vidi prima di vedere Alfonso e Marisa, lo vidi e balzai in piedi. Mia madre provò a trattenermi per il lembo del vestito e io tirai via la veste. Antonio, che non mi perdeva d'occhio, si rischiarò, mi lanciò uno sguardo invitante. Ma io, con un movimento contrario a quello di Lila e di Stefano che ora stavano andando a prendere posto al centro della tavolata tra i coniugi Solara e la coppia di Firenze, puntai diritto verso l'ingresso, verso Alfonso, Marisa, Nino.

61.

Trovammo posto. Feci chiacchiere generiche con Alfonso e Marisa, speravo che Nino si decidesse a rivolgermi la parola. Intanto Antonio mi arrivò alle spalle, si chinò a parlarmi all'orecchio:

«T'ho tenuto un posto».

Sussurrai:

«Va' via, mia madre ha capito tutto».

Si guardò intorno incerto, molto intimidito. Tornò al suo tavolo.

C'era un brusio scontento, nella sala. Gli invitati più astiosi avevano subito cominciato a notare le cose che non andavano. Il vino non era della stessa qualità per tutte le tavolate. Alcuni erano già al primo quando ad altri non era ancora stato servito l'antipasto. C'era ormai chi diceva ad alta voce che dove sedevano i parenti e gli amici dello sposo il servizio era migliore di quello dove sedevano i parenti e gli amici della sposa. Sentii di detestare quelle tensioni, il loro montare rissoso. Mi feci animo e tirai Nino dentro la conversazione, gli chiesi di parlarmi del suo articolo sulla miseria a Napoli, contando di domandargli subito dopo, con naturalezza, notizie sul prossimo numero della rivista e sulla mia mezza paginetta. Lui attaccò con discorsi molto interessanti e molto informati sullo stato della città. Mi colpì la sua sicurezza. A Ischia aveva ancora i tratti del ragazzino tormentato, ora mi sembrò fin troppo maturo. Com'era possibile che un ragazzo di diciotto anni parlasse non genericamente di miseria con toni accorati, come faceva Pasquale, ma di fatti concreti, in modo distaccato, citando dati precisi?

«Dove le hai imparate queste cose?».

«Basta leggere».

«Cosa?».

«I giornali, le riviste, i libri che affrontano questi problemi».

Io non avevo mai nemmeno sfogliato un giornale o una rivista, leggevo solo romanzi. Lila stessa, al tempo in cui leggeva, non aveva mai letto altro se non i vecchi romanzi sbrindellati della biblioteca circolante. Ero indietro in tutto, Nino poteva aiutarmi a recuperare terreno.

Cominciai a porgli sempre più domande, lui rispondeva. Rispondeva, sì, ma non dava risposte folgoranti come Lila, non aveva la sua capacità di rendere ogni cosa seducente. Costruiva discorsi con piglio da studioso, pieni di esempi concreti, e ogni mia domanda era una piccola spinta che avviava una frana: parlava senza sosta, senza abbellimenti, senza alcuna ironia, duro, tagliente. Alfonso e Marisa si sentirono presto isolati. Marisa disse: «Madonna che noia mio fratello» e passarono a chiacchierare tra loro. Anche Nino e io ci isolammo. Non sentimmo più niente di quello che accadeva intorno a noi: non sapevamo cosa ci servivano nei piatti, cosa mangiavamo o bevevamo. Io mi sforzavo di trovare domande da fargli, ascoltavo composta le sue risposte-fiume. Captai presto, però, che il filo dei suoi discorsi era costituito da una sola idea fissa che animava ogni frase: il rifiuto delle parole fumose, la necessità di individuare con chiarezza problemi, ipotizzare soluzioni praticabili, intervenire. Io facevo sempre cenno di sì, mi dichiaravo d'accordo su tutto. Assunsi un'aria perplessa solo quando disse male della letteratura. «Se vogliono fare i venditori di fumo» ripeté due o tre volte molto corrucciato coi suoi nemici, vale a dire chiunque vendesse fumo, «facciano romanzi, me li leggerò volentieri; ma se bisogna cambiare veramente le cose, allora il discorso è un altro». In realtà – mi sembrò di capire – si serviva della parola "letteratura" per prendersela con chi rovinava la testa della gente a forza di quelle che chiamava chiacchiere inutili. A una mia labile protesta, per esempio, rispose così: «Troppi cattivi romanzi cavallereschi, Lenù, fanno un don Chisciotte; ma noi, con tutto il rispetto per don Chisciotte, non abbiamo bisogno, qui a Napoli, di batterci contro i mulini a vento, è solo coraggio sprecato: ci servono persone che sanno come funzionano i mulini e li fanno funzionare».

In poco tempo desiderai di poter discutere tutti i giorni con un ragazzo di quel livello: quanti sbagli avevo fatto con lui; che sciocchezza era stata volerlo, amarlo, e tuttavia evitarlo sempre. Colpa di suo padre. Ma anche colpa mia: io – io che ce l'avevo tanto con mia madre – avevo lasciato che il padre gettasse la sua brutta ombra sul figlio? Mi pentii, mi beai del mio pentimento, del romanzo in cui mi sentivo immersa. Intanto alzavo spesso la voce per superare il clamore della sala, la musica, e così faceva lui. A volte guardavo verso il tavolo di Lila: rideva, mangiava, chiacchierava, nemmeno s'era accorta di dove ero, della persona con cui parlavo. Raramente, invece, guardavo verso il tavolo di Antonio, temevo che mi facesse segno di raggiungerlo. Ma sentivo bene che mi teneva gli occhi addosso e che era nervoso, si stava arrabbiando. Pazienza, pensai, tanto ho già deciso, lo lascerò domani: non posso continuare con lui, siamo troppo diversi. Certo, mi adorava, si dedicava interamente a me, ma come un cagnolino. Ero abbagliata invece da come mi parlava Nino: senza alcuna subalternità. Mi esponeva il suo futuro, le idee in base a cui lo avrebbe costruito. Ascoltarlo mi accendeva la testa quasi come una volta me l'accendeva Lila. Il suo dedicarsi a me mi faceva crescere. Lui, sì, mi avrebbe sottratto a mia madre, lui che non voleva altro che sottrarsi a suo padre.

Mi sentii toccare una spalla, era di nuovo Antonio. Disse cupo:

«Balliamo».

«Mia madre non vuole» sussurrai.

Ribatté nervoso, a voce alta:

«Ballano tutti, che problema è?».

Feci un mezzo sorriso imbarazzato a Nino, lui sapeva bene che Antonio era il mio fidanzato. Mi guardò serio, si rivolse ad Alfonso. Andai.

«Non mi stringere».

«Non ti sto stringendo».

C'era un gran frastuono e un'allegria brilla. Ballavano giovani, adulti, bambini. Ma io sentivo cosa c'era realmente dietro l'apparenza di festa. I parenti della sposa segnalavano con le facce storte uno scontento rissoso. Specialmente le donne. S'erano svenate per il regalo, per la roba che portavano addosso, s'erano indebitate, e ora venivano trattate da pezzenti, con vino cattivo, ritardi intollerabili nel servizio? Perché Lila non interveniva, perché non protestava con Stefano? Le conoscevo. Avrebbero trattenuto la rabbia per amore di Lila ma a fine ricevimento, quando lei sarebbe andata a cambiarsi, quando sarebbe tornata vestita con l'abito da viaggio, quando avrebbe distribuito i confetti, quando se ne sarebbe andata tutta elegante insieme a suo marito, allora sarebbe scoppiato un litigio epocale, che avrebbe originato odi di mesi, di anni, e ripicche e insulti che avrebbero coinvolto mariti, figli, tutti con l'obbligo di mostrare a madri e sorelle e nonne di saper fare gli uomini. Conoscevo tutte, tutti. Vedevo gli sguardi feroci dei ragazzi rivolti al cantante, ai suonatori che guardavano in modo scorretto le loro fidanzate o si rivolgevano a loro con formule allusive. Vedevo come si parlavano Enzo e Carmela mentre ballavano, vedevo pure Pasquale e Ada seduti a tavola: era evidente che entro la fine della festa si sarebbero messi insieme e poi si sarebbero fidanzati e con tutta probabilità tra un anno, tra dieci, si sarebbero sposati. Vedevo Rino e Pinuccia. Nel loro caso tutto sarebbe stato più veloce: se il calzaturificio Cerullo si fosse avviato sul serio, tra un anno al massimo avrebbero avuto una festa di nozze non meno fastosa di quella. Ballavano, si guardavano negli occhi, si stringevano forte. Amore e interesse. Salumeria più calzature. Palazzine vecchie più palazzine nuove. Ero come loro? Lo ero ancora?

«Chi è quello?» chiese Antonio.

«Chi vuoi che sia? Non lo riconosci?».

«No».

«È Nino, il figlio grande di Sarratore. E quella è Marisa, te la ricordi?».

Di Marisa non gli importava nulla, di Nino sì. Disse nervoso:

«E tu prima mi porti da Sarratore a minacciarlo e poi ti metti a chiacchierare per ore con il figlio? Mi sono fatto il vestito nuovo per stare a guardare come ti diverti con quello lì, che non s'è nemmeno tagliato i capelli, non s'è messo neanche la cravatta?».

Mi piantò in mezzo alla sala e si diresse a passo svelto verso la porta a vetri che dava sul terrazzo.

Restai incerta sul da farsi per qualche secondo. Raggiungere Antonio. Tornare da Nino. Avevo addosso lo sguardo di mia madre, anche se il suo occhio strabico pareva guardare altrove. Avevo addosso lo sguardo di mio padre ed era uno sguardo brutto. Pensai: se torno da Nino, se non raggiungo Antonio sul terrazzo, sarà lui a lasciarmi e per me sarà meglio così. Attraversai la sala mentre l'orchestra continuava a suonare, le coppie continuavano a ballare. Sedetti al mio posto.

Nino sembrò non aver fatto minimamente caso a ciò che era accaduto. Ora parlava al suo modo torrenziale della professoressa Galiani. La stava difendendo da Alfonso, che sapevo bene quanto la detestasse. Stava dicendo che anche lui finiva spesso per scontrarsi con lei – troppo rigida –, ma come insegnante era straordinaria, lo aveva incoraggiato sempre, gli aveva trasmesso la capacità di studiare. Cercai di inserirmi nel discorso. Sentivo l'urgenza di lasciarmi riafferrare da Nino, non volevo che cominciasse a discutere col mio compagno di classe esattamente come fino a poco prima aveva discusso con me. Avevo bisogno – per non correre a far pace con Antonio, a dirgli in lacrime: sì, hai ragione, non so cosa sono e cosa veramente voglio, ti uso e poi ti butto ma non è colpa mia, mi sento mezza e mezza, perdonami – che Nino mi tirasse in modo esclusivo dentro le cose che sapeva, dentro le sue capacità, che mi riconoscesse sua simile. Perciò quasi gli tolsi la parola di bocca e, mentre lui si sforzava di riprendere il discorso interrotto, elencai i libri che fin dall'inizio dell'anno la professoressa mi aveva prestato, i consigli che mi aveva dato. Fece cenno di sì, un po' imbronciato, si ricordò che la professoressa, tempo prima, aveva prestato uno di quei testi anche a lui e cominciò a parlarmene. Ma io avevo sempre più urgenza di gratificazioni che mi distraessero da Antonio, e gli chiesi senza alcun nesso:

«La rivista quando esce?».

Mi fissò con uno sguardo incerto, lievemente in apprensione:

«È uscita un paio di settimane fa».

Ebbi un sussulto di gioia, gli chiesi:

«Dove la trovo?».

«La vendono alla libreria Guida. Comunque te la posso procurare io».

«Grazie».

Esitò, poi disse:

«Il tuo pezzo però non l'hanno messo, è risultato che non c'era spazio».

Alfonso ebbe subito un sorriso di sollievo, mormorò: «Meno male».

62.

Avevamo sedici anni. Io ero di fronte a Nino Sarratore, ad Alfonso, a Marisa, e mi sforzavo di sorridere, dicevo con finta noncuranza: «Va bene, ci sarà un'altra occasione»; Lila si trovava all'altro capo della sala – era la sposa, la regina della festa – e Stefano le parlava all'orecchio e lei sorrideva.

Il lungo, estenuante pranzo di nozze era al termine. L'orchestrina suonava, il cantante cantava. Antonio, di spalle, si comprimeva nel petto il malessere che gli avevo causato e guardava il mare. Enzo forse stava mormorando a Carmela che le voleva bene. Rino sicuramente l'aveva già fatto con Pinuccia, che gli parlava guardandolo fisso negli occhi. Pasquale con tutta probabilità ci stava girando intorno spaventato, ma Ada avrebbe fatto in modo, prima che la festa finisse, di strappargli di bocca le parole necessarie. Si accavallavano da tempo brindisi con allusioni oscene e brillava in quell'arte il commerciante di metalli. Il pavimento era chiazzato di sughi schizzati da un piatto sfuggito a un bambino, di vino caduto al nonno di Stefano. Ingoiai le lacrime. Pensai: forse pubblicheranno le mie righe nel prossimo numero, forse Nino non ha insistito abbastanza, forse avrei fatto bene a occuparmene io stessa. Ma non dissi niente, continuai a sorridere, trovai persino la forza di dire:

«Del resto col prete ci avevo già litigato una volta, litigarci una seconda sarebbe stato inutile».

«Infatti» disse Alfonso.

Ma niente attenuava la delusione. Mi dibattevo per sottrarmi a una sorta di oscuramento nella testa, un doloroso calo di tensione, e non ci riuscivo. Scoprii che avevo considerato la pubblicazione di quelle poche righe, la mia firma stampata, come il segno che avevo realmente un destino, che la fatica dello studio portava di sicuro in alto, da qualche parte, che la maestra Oliviero aveva avuto ragione a spingere avanti me e ad abbandonare Lila. «Sai cos'è la plebe?». «Sì, maestra». Cos'era la plebe lo seppi in quel momento, e molto più chiaramente di quando anni prima la Oliviero me l'aveva chiesto. La plebe eravamo noi. La plebe era quel contendersi il cibo insieme al vino, quel litigare per chi veniva servito per primo e meglio, quel pavimento lurido su cui passavano e ripassavano i camerieri, quei brindisi sempre più volgari. La plebe era mia madre, che aveva bevuto e ora si lasciava andare con la schiena contro la spalla di mio padre, serio, e rideva a bocca spalancata per le allusioni sessuali del commerciante di metalli. Ridevano tutti, anche Lila, con l'aria di chi ha un ruolo e lo porta fino in fondo.

Probabilmente nauseato dallo spettacolo in atto, Nino si alzò, disse che andava. Si mise d'accordo con Marisa per tornare a casa insieme e Alfonso promise di accompagnarla all'ora e nel luogo stabiliti. Lei sembrò molto fiera di avere un cavaliere così compito. Dissi a Nino, incerta:

«Non vuoi salutare la sposa?».

Fece un gesto largo, farfugliò qualcosa sul proprio abbigliamento e senza nemmeno una stretta di mano, un cenno qualsiasi a me o ad Alfonso, andò verso la porta con la solita andatura dondolante. Sapeva entrare e uscire dal rione come voleva, senza farsene contaminare. Poteva farlo, era capace di farlo, forse l'aveva imparato anni prima, all'epoca del burrascoso trasloco che quasi gli era costato la vita.

Io dubitai di farcela. Studiare non serviva: potevo prendere dieci ai compiti, ma quella era solo scuola; invece chi lavorava alla rivista aveva annusato il mio resoconto, il resoconto mio e di Lila, e non l'aveva stampato. Nino sì, poteva tutto: aveva il viso, i gesti, l'andatura di chi avrebbe fatto sempre meglio. Quando sparì mi sembrò che fosse sparita l'unica persona in tutta la sala che aveva l'energia per trascinarmi via.

Dopo ebbi l'impressione che la porta del ristorante si chiudesse per un colpo di vento. In realtà non ci fu vento e nemmeno urto di battenti. Accadde solo quello che era prevedibile che accadesse. Comparvero giusto per la torta, per la bomboniera, i bellissimi, elegantissimi fratelli Solara. Si mossero per la sala salutando questo e quello al loro modo padronale. Gigliola buttò le braccia al collo di Michele e lo trascinò a sedere accanto a sé. Lila, con un rossore improvviso sulla gola e intorno agli occhi, tirò energicamente il marito per il braccio e gli disse qualcosa all'orecchio. Silvio fece un cenno fiacco ai figli, Manuela se li guardò con orgoglio di madre. Il cantante attaccò *Lazzarella*, imitando discretamente Aurelio Fierro. Rino fece accomodare Marcello con un sorriso amichevole. Marcello sedette, si allentò la cravatta, accavallò le gambe.

L'imprevedibile si rivelò solo a quel punto. Vidi Lila perdere colore, diventare pallidissima come era da bambina, più bianca del suo abito da sposa, e gli occhi ebbero quell'improvvisa contrazione che li mutava in fessure. Aveva davanti una bottiglia di vino e temetti che il suo sguardo la trapassasse con una violenza tale da mandarla in mille pezzi, col vino che schizzava ovunque. Ma non stava guardando la bottiglia. Guardava più lontano, guardava le scarpe di Marcello Solara.

Erano scarpe Cerullo per uomo. Non il modello in vendita, non quello con la fibbia dorata. Marcello aveva ai piedi le scarpe acquistate tempo prima da Stefano, suo marito. Era il paio che lei aveva realizzato insieme a Rino facendo e disfacendo per mesi, rovinandosi le mani.

NOTA SULL'AUTRICE

Elena Ferrante è autrice dell'*Amore molesto*, da cui Mario Martone ha tratto il film omonimo. Dal romanzo successivo, *I giorni dell'abbandono*, è stata realizzata la pellicola di Roberto Faenza. Nel volume *La frantumaglia* racconta la sua esperienza di scrittrice. Nel 2006 le Edizioni E/O hanno pubblicato il romanzo *La figlia oscura*, da cui è stato tratto il film omonimo (2021) diretto da Maggie Gyllenhaal, con protagonista Olivia Colman. Nel 2007 è uscito il racconto per bambini *La spiaggia di notte* illustrato da Mara Cerri. Nel 2011 è stato pubblicato il primo capitolo dell'*Amica geniale*, seguito nel 2012 dal secondo, *Storia del nuovo cognome*, nel 2013 dal terzo, *Storia di chi fugge e di chi resta*, e nel 2014 dal quarto e ultimo, *Storia della bambina perduta*, finalista al Man Booker International Prize 2016.

Nell'autunno del 2018 è andata in onda, in Italia su Rai 1 e Timvision e negli Stati Uniti su HBO, la prima stagione della serie di Saverio Costanzo tratta dal romanzo *L'amica geniale*, seguita nel 2019 dalla seconda stagione tratta da *Storia del nuovo cognome* e nel 2022 dalla terza, tratta da *Storia di chi fugge e di chi resta*, con la regia di Daniele Luchetti. Nel 2019 le Edizioni E/O hanno pubblicato *L'invenzione occasionale*, che raccoglie i testi comparsi originariamente in inglese sul *Guardian* nella traduzione di Ann Goldstein, e sempre nel 2019 è uscito il romanzo *La vita bugiarda degli adulti*. Nel 2021, anno di pubblicazione dei *Margini e il dettato*, le sono stati conferiti il premio Belle van Zuylen dell'International Literature Festival di Utrecht per l'insieme della sua opera e il Sunday Times Award for Literary Excellence.

INDICE

Cara lettrice, caro lettore,

ti ringraziamo per aver comprato questo libro in un punto vendita autorizzato (e non da un rivenditore che ha violato la legge del libro vendendo con uno sconto superiore a quello consentito per legge o si è rifornito presso un circuito di distribuzione illegale).

Apprezziamo il tuo gesto perché è un atto concreto contro la pirateria che danneggia pesantemente il sistema editoriale italiano. Secondo i dati presentati al convegno dell'Associazione Italiana Editori il 22 gennaio 2020, la pirateria di libri fisici ed elettronici, ovvero il download illegale di testi in formato digitale, le fotocopie illegali, la contraffazione vera e propria di libri fisici presso tipografie non autorizzate, causa un danno economico pari a un quarto del fatturato di libri nel nostro paese, mancate entrate nell'erario per 216 milioni di euro, una perdita di 8.800 posti di lavoro considerando anche l'indotto.

Ciò che noi possiamo assicurare è che il prezzo che hai pagato per questo libro va interamente a remunerare tutte le persone che hanno contribuito a pubblicarlo e a distribuirlo (l'autore, l'editore, il traduttore, il redattore, il grafico, il tipografo, il dipendente della casa editrice, il distributore, il promotore, il libraio, ecc.). Tutte persone che svolgono il loro lavoro con onestà e impegno e che vengono letteralmente derubate a ogni atto di pirateria.

Il prezzo che hai pagato per questo libro serve a mantenere in piedi un sistema editoriale ampio e articolato, in cui i successi editoriali affiancano le migliaia di nuovi libri pubblicati ogni anno senza lo stesso successo ma che sono parimenti indispensabili per un sistema di bibliodiversità fondato sulla ricerca e sul pluralismo delle voci.

Gli editori

Finito di stampare il 13 ottobre 2022
presso Puntoweb, Ariccia (Roma)